富爸爸年轻退休

Retire Young Retire Rich

[美] 罗伯特·T·清崎　莎伦·L·莱希特　著
李钊平　译

電子工業出版社
Publishing House of Electronics Industry
北京·BEIJING

版权贸易合同登记号　图字：01－2002－6144

图书在版编目（CIP）数据

富爸爸　年轻退休/(美)清崎(Kiyosaki,R.T.),(美)莱希特(Lechter,S.L.)著;李钊平译.－北京:电子工业出版社,2003.1

书名原文:Retire Young Retire Rich

ISBN 7－5053－8298－5

Ⅰ.富…　Ⅱ.①清…　②莱…　③李…　Ⅲ.家庭－投资－通俗读物　Ⅳ.TS976.15－49

中国版本图书馆 CIP 数据核字(2002)第 098763 号

责任编辑:赵　菁　　特约编辑:傅　眉
印 刷 者:北京中科印刷有限公司
出版发行:电子工业出版社
北京市海淀区万寿路 173 信箱　邮编 100036
经　　销:各地新华书店
开　　本:900×1 280　1/32　印张:11.5　字数:305 千字
印　　次:2004 年 4 月第 9 次印刷
定　　价:28.00 元

凡购买电子工业出版社的图书,如有缺损问题,请向购买书店调换。若书店售缺,请与本社发行部联系。联系电话:(010)68279077。质量投诉请发邮件至 zlts@ phei. com. cn,盗版侵权举报请发邮件至 dbqq@ phei. com. cn。

出版者的话

20 世纪 50 年代的“财富”是激情，站起来的新中国和她的儿女们豪情澎湃，高歌猛进，金钱是一种多余的羁绊。

70 年代的“财富”是斗争，斗出一片火红的天，斗出一片火红的景，金钱是一种锻炼觉悟的战场。

80 年代的“财富”是变革，实践是检验真理的惟一标准，金钱挤进了发展的硬道理。

90 年代的“财富”是组合，忙碌发展的中国在创造、在改革、在试验、在组合各种被解放的元素们。激情与理性，愿望与困惑，浮躁与冷静，名利与代价，知识与创新，保守与开放，享乐与勤勉……金钱是组合品的标志之一。

……

今天的财富是选择，因为选择，你可以拥有更多物质，有更多的舒适、快乐和自由，你可以成为你想成为的人；因为选择，你可以更加困难地生活，困惑而孤独，也可以在回忆中与时共进。今天的金钱更丰富多彩、虚实纷飞。

“富爸爸”系列丛书，一套普通的理财书，却在 21 世纪刚刚开始的时候掀起了一场轩然大波，紫色的全球风暴涉及了财富的本质、财富与文明、财富与人性、财富与制度、财富与教育等有关主题的大讨论，从西方到东方，又从东方到西方，并因此从一套畅销书变为常销书。

你可以说：安能摧眉折腰事“金钱”，使我不得开心颜。

你也可以说：股票又跌了，房价又涨了，工作又没了，奶酪又被动了，城市却又发展了。

你可以说：乡村越来越远了，地球越来越热了，代价越来越大了，我在哪里才能安家？

你也可以说：中国的底气越来越足了，话语声越来越大了，世界和平的格局越来越均衡了！

……

财为何物？

财与我何干？

也许没有理财的尴尬，没有财富的颐指气使，没有金钱的花花绿绿，没有财商的理性与力量，没有经济的泡沫与实在，没有金钱的脾气，没有理财的规则与打破，亦没有什么选择与行动……

只是一种载体，只是一种交换，只是一个伴侣。

需要的是过程，需要的是时间，需要的是讨论。

财、理财、理财环境、财富的功用与结束……

公平、效率、发展、制度、文明、国家，最后……

这样的话，这套书只是一个话头，一个方便，一个读后可忘的故事。毋需生气叱喝，更毋需顶礼迷信。但仅此功用也就足够了。

明天的财富将是一种认同。

是一种你于大家的认同，是一种一国于世界的认同，是一种过程于终极的认同，是一种认同的传承。

这样的话，财富就是一种人性：

平静或浮躁，恐怖或贪婪，善良或邪恶，可共演财富的历史，荣与辱，短命与长存，幸福与苦难。

理财实是对自己的打理与磨砺。

“富爸爸”致中国读者

非常感谢你们的帮助和支持，使“富爸爸”系列丛书在中国获得如此成功。我们美国富爸爸公司为能与伟大的中国人民合作而感到骄傲。

我们从未想到，这些最初仅仅为《现金流》游戏而撰写的小册子会使我们在世界各地取得如此惊人的成功。“富爸爸”系列丛书被译成35种语言，在67个国家发行了1300万册。中国是我们最成功的市场之一。

同时，还要感谢你们在我们访问中国期间对我们的热烈欢迎。希望今后能得到你们更多的支持。

中国是世界最强大的经济力量之一。我们将继续为中国的理财教育提供帮助。

再次感谢你们！

罗伯特·T·清崎

莎伦·L·莱希特

编者寄语

本书意在培养和提供有关理财的基本知识。然而，美国各州之间的法律和实践往往有所不同，因而也有一些相应调整。生活中遇到的实际情况更是千差万别，每个特殊的情形都需要特殊的建议。因此，读者朋友应该向自己的顾问咨询个人遇到的问题。

作者在本书的准备阶段就保持了理性的警惕，并且相信到截稿之日为止，本书提供的所有内容都真实可信。不过，无论作者还是出版商都还无法保证本书内容的绝对准确，毫无差错。本书作者与出版商特别声明，我们对运用本书内容所造成的一切后果不承担任何责任，而且本书提供的内容也无意作为任何个案的法律意见。

作者寄语

本书完成于“9·11”悲剧发生前六个月，不过，现在本书内容的意义更是胜过了以往任何时候。

在这个变幻莫测的时代，你的财务教育变得愈加重要。

如果你已经厌倦诸如“要有耐心”、“投资长线项目”、“多元化投资”等老套的投资建议，那么本书就是为你准备的。

本书献给所有先我们而去的人们……

献给所有使我们今天的生活更加美好、更加富足的人们。

目　　录

第三部分 行动的杠杆

第四部分 起步的杠杆

导　言

大卫为什么敢于挑战歌利亚

《圣经》中大卫与歌利亚的故事是富爸爸喜欢的故事之一，我猜想他或许将自己看做了大卫的化身——一个最初一无所有、后来却站起来向商业巨人挑战的人。富爸爸说："大卫能打败歌利亚，仅仅因为他懂得如何使用杠杆的力量。一个年轻的小伙子，加上一个简单的投石器，就拥有了远远超过令人生畏的巨人歌利亚的力量。这些就是杠杆的力量。"

我的前几本书重点讲述了现金流的力量。富爸爸说过："现金流是金钱王国中最为重要的词汇，第二个最重要的词汇就是杠杆。"他还说："杠杆是一些人致富而另外一些人贫穷的原因。"富爸爸进一步解释说，杠杆是一个可以为你带来好处，也可以为你带来灾难的力量。因为杠杆是一种力量，一些人正确运用它，一些人滥用它，还有一些人畏惧它。他说："只有5%的美国人是富人，因为只有这5%的人懂得如何运用杠杆的力量。许多人梦想致富却未能如愿，原因就在于他们滥用了这种力量，而大多数人未能致富的原因在于他们畏惧杠杆的力量。"

杠杆的形式多种多样

杠杆有多种形式，其中一种公认的形式是借款杠杆。现在，我们已经注意到滥用这种强大的杠杆形式所存在的严重问题。数以百万计的人在财务上苦苦打拼，原因在于债务杠杆的力量正对他们施加不利影响。由于滥用债务杠杆所造成的恶果，许多人现在害怕这种杠杆形式，他们说："扔掉你的信用卡，还清你的抵押贷款，消灭掉所有的债务。"富爸爸听到这些话后肯定会忍不住哈哈大笑，"扔掉你的信用卡不会使你发财致富，只能给你带来无尽的不便和麻烦。"尽管如此，富爸爸仍然认为如果滥用了债务杠杆的力量，那你绝对应该马上扔掉自己的信用卡，还清抵押贷款，消灭掉所有债务。他说："把信用卡送给一些人，就好像把填满了子弹的枪交给了一个醉汉，任何接近他的人包括醉汉本人都会处于危险的境地。"富爸爸不是教导他的儿子和我害怕债务杠杆的力量，而是教我们如何运用债务杠杆的力量来为自己服务。因此，他常常说："债务也有好坏之分，优良债务使你致富，不良债务使你贫穷。"大多数人背负着不良债务，还有许多人生活在对债务的无端恐惧之中，他们为自己没有债务而沾沾自喜，即便这种债务可能是优良债务。在本书中，大家将看到我和太太金如何因为"负债累累"而年轻富有地退休，只是这种债务是优良债务，正是这种优良债务使我们富裕，让我们走上财务自由之路。换句话说，我们运用杠杆的力量，但不滥用这种力量，也从不畏惧这种力量。相反，我们尊重杠杆的力量，审慎理智地运用杠杆的力量。

是不是每个人都能致富

在出版了"富爸爸"系列丛书第一本后，我接受了无数次采访，也被多次问到同一个问题："你是否认为每个人都能致富？"

我回答说："是的，我相信每个人都有可能致富。"

往往还有人接着问道："如果说每个人都有可能致富，那为什么真正致富的人这样少?"

我的回答常常是这样："今天我没有时间回答这个问题。"如果他们不断追问，我可能会说："很多答案都在我已经出版的四本"富爸爸"系列丛书中。"

如果访问者是个不达目的不罢休的人，他们或许还会问："什么时候你可以给我们所有答案?"

我的回答是："我不知道是否有人知道所有的答案。"

即便我不知道所有的答案，我也很乐意将本书带给大家，这已经是"富爸爸"系列丛书的第五本。在本书中将要明确解释我为什么相信所有人都有致富的潜能，而且我在这里指的是我们所有人，而不是某一部分人。本书也会解释为什么我和金能够年轻富有地退休，尽管我们开始时也是一无所有。本书还将解释，虽然我们每个人都有年轻富有退休的潜能，结果却贫富悬殊。这些都是杠杆的作用。

"富爸爸"系列丛书的前四本主要集中分析了现金流的力量，本书则集中讨论杠杆的作用。或许你要问，为什么要用一整本书来讨论杠杆作用?因为杠杆作用是个非常重要的词汇，涉及我们实际生活的方方面面。本书集中讨论了三种重要的杠杆形式。

第一部分　心智的杠杆

这是本书最重要的一个部分。在这一部分中，你会发现为什么金钱不能使你成为一个富人，你也会发现世界上最有力的杠杆形式——你的心智，它有让你贫穷或者富有的魔力。正如有些人能正确运用，而另一些人滥用或者畏惧债务杠杆的力量，涉及心智杠杆的时候也是如此，心智杠杆同样是个有力的杠杆形式。

词语是杠杆

你应该懂得词语的力量，富爸爸常常说：“词语是杠杆，词语是强有力的大脑思维工具。但是，正如你可以运用债务致富或者陷入贫穷，词语也可以使你致富或者贫穷。”在这一部分，你将会明白词语的力量，以及富人如何运用富人的词语，穷人如何运用穷人的词语。富爸爸还常说：“你的大脑可能是你最强有力的资产，也可能是你最沉重的债务。如果大脑运用正确的词语，你将会非常富有；如果大脑运用错误的词语，你将会贫困不堪。”在这一部分，你也将会发现所谓的富裕词语和贫穷词语，缓慢词语和快速词语。你将会明白为什么富爸爸说：“不是用钱来赚钱，致富开始于你所使用的词语，而这些词语是免费的。”在《富爸爸，穷爸爸》中，大家或许已经注意到，富爸爸不让他的儿子迈克和我说“我买不起”。富爸爸说：“富人和穷人的区别在于，后者说‘我买不起’的频率远远多于前者。这确实是他们这两类人之间的根本区别。”

为什么投资并不一定都有风险

在本书中，你将会明白为什么经常说“投资充满风险”的人是投资市场的最大输家。这同样反映到词语中，你将会看到你的所思所想真正变成了现实，你将会看到为什么那些认为投资充满风险的人，却往往投资最有风险的项目。这些都是由于他们所面对的现实。在本书中，你将会发现为什么有些投资可以无需任何风险。为了寻找更安全、收益更高的投资，人们必须首先从改变自己的词语入手。

如前所述，杠杆的力量可能被正确运用、滥用或者引起畏惧。在这一部分中，你将会发现如何运用心智杠杆来为自己的财务服务，而不损害自己的利益。富爸爸说过：“很多人拥有大脑这个世界上最强有力的杠杆，但却用它的力量使自己陷于贫困。那不是在正确使用杠杆力量，而是在滥用。每次当你说‘我买不起’、‘我做不了’、

‘投资充满风险’或者‘我永远不可能致富’时，你其实是在运用自己最有力的杠杆形式，只不过是在滥用。”

如果想年轻退休又富有，你就需要运用大脑为自己服务，而不是伤害自己。如果做不到这一点，本书后面两个部分内容就对你没有多少帮助，尽管它们更容易操作。如果你能够掌握自己最强有力的杠杆形式，本书其余两部分就很容易做好，因为它们本身就很简单。

第二部分 计划的杠杆

在“富爸爸”系列丛书的第三本《富爸爸投资指南》中，我曾经说过“投资是一个计划。”我和金为了能够年轻富有地退休，不得不拟定了一个计划，一个白手起家的计划，因为我们当初一无所有。这个计划中包括目标和时限。我们划定的时限不超过十年，实际完成这个计划用了九年时间。我们 1994 年退休，当时我 47 岁，金 37 岁。虽然我们开始时一无所有，但是到了完成计划的那年，我们已完全依靠市场投资而无需工作，我们每年大约有了 8.5 万美元到 12 万美元的收入。现在我们的收入完全来源于投资，即使这笔钱不算太多，因为每年的支出不足 5 万美元，我们也完全实现了财务自由。

我们年轻退休还是为了致富

年纪轻轻就退休的一大好处是，我们现在有了更充裕的时间获取更多财富。顺便提一下，《福布斯》杂志将年收入超过 100 万美元的人称为富人。那就是说，根据《福布斯》的观点，我们退休的时候还算不上是富人。明白了这一点，我们年纪轻轻就退休也是为了有更多的时间致富。退休之后，我们计划花时间进行投资，建立自己的企业。今天，我们不仅拥有了很多的不动产，还建立了一个出版公司、一个矿业公司、一个技术公司和一个石油公司，同时在股票市场上还有投资。正如富爸爸常说的：“拥有一份固定工作的最大问题在于，它妨碍了自己致富。”换句话说，我们年纪轻轻退休，就会有更多的时间致富。现在，即便在股票暴跌以后，我们每年来自投资和企业的收入仍然有好几百万美元，而且还咱不断稳步攀升。每件事情都在按计划进行。

在“富爸爸”系列丛书的第三本《富爸爸投资指南》中，我曾经说过，许多人有一个做穷人的计划。因此那么多人抱怨：“当我退休时，收入就会下降。”他们其实也就是说：“我打算终生努力工作，接着在退休后变得贫穷一些。”在工业时代或许这是一个好计划，但是在信息时代实在一个很糟糕的计划。

现在，成百上千万的政府或公司雇员依靠自己的退休金计划生活，比如401（k）、个人退休金账户（IRA）、澳大利亚的退休金计划，加拿大的RRSP计划、以及其他一些退休金计划。这些计划就是我所说的信息时代的退休金计划，因为在信息时代，员工开始对他们自己的退休金负责。而在工业时代，公司或政府会照顾个人退休后的财务需求。这也是信息时代退休金计划的致命缺陷，这些退休金计划大多与股票市场相关，或许你已经注意到了，股票市场动荡起伏，一般人很难把握。无数辛劳一生的人将自己的财务未来和财务安全押在了股票市场上，这一点让我深感震惊。对于这些工人来说，比如他们已经85岁了，退休金计划突然出现了问题，缩水或者被偷窃，或者遇到股票市场暴跌，那么究竟会发生什么？难道你准备对他们说：“重新找个工作，重新开始准备退休金？”那也就是我为什么关注这个问题，为什么写书讨论这个问题并且教授理财知识的原因。在信息时代，我们都需要更多的理财知识，需要更好的教育，更好的准备。在信息时代，我们自身需要有更好的财务保障能力，减少退休以后对政府或者公司的依赖。

让我们来看几组数据吧！到了2010年，首次婴儿潮中诞生的7500万美国人将要陆续退休。若干年以后，我们设想他们每人每月从过去上缴给政府的退休金计划中得到1000美元，从金融市场中得到1000美元。如果我没有算错的话，7500万×1000美元就等于750亿美元，那就意味着他们每月都必须从政府预算和金融市场中各拿走750亿美元。每月从政府预算和金融市场中各拿走750亿美元，对于政府预算和金融市场来说都将产生重大影响。政府除了增加税收以外还能怎么做？每月抽走而不是注入750亿美元，金融市场又会怎么样？财务顾问是不是还会继续建议你“买持长线股票，实行投资组合”？因为“股票市场总体看涨”？我没有预测未来的水晶球，也不想假装去预测未来。我只想指出，每月从上述两个机构中各拿走而不是注入750亿美元，将会引起整个经济的震荡。

旧经济时代的旧退休金计划，可能造成许多人退休后陷入财务危机。很多美国人没有公司退休计划或个人退休计划，他们应该怎么办？是重新找工作吗？是一辈子工作，干脆就不退休吗？或者是居住到孩子或孙子那里生活吗？辛劳终生、不断工作显然不是一个好计划。但是，尽管这并不是个好计划，很多人还是制定了一个这样的计划，即便他们不少人现在也很有钱。他们整日劳作，却没有为明天留下什么。对于很多婴儿潮中诞生的美国人来说，时间——这个自己最重要的财富已经所剩无几了。

也许有人会说：“退休后我不需要多少钱，我的房屋贷款已经快还清了，我的生活开支也会下降。”不错，你的生活开支的确可能下降了，但是，你的医疗开支却开始大大上涨。而对于许多工薪阶层的人来说，医药、保健和牙齿保护费用现在已经是够高的了。让我们想像一下，数以万计的需要医疗保护才能生活的退休者，他们自己却身无分文，这将会是一个什么样的景象？如果你相信国家的医疗保险制度将会救助你，那么你或许可以相信复活节的兔子了。

或许这就是美国联邦储备委员会主席艾伦·格林斯潘最近在接受电视访问时主张在学校开设财务知识课程的原因。我们应该教育孩子在财务上学会自己照顾自己，而不是教育政府或者公司来照管他们将来的退休生活。

如果你想年轻富有地退休，那就需要拥有一个比大多数人更好的计划。第二部分主要讲述怎样制定年轻富有的退休地计划，这也是一个非常重要的杠杆。

第三部分 行动的杠杆

有关栅栏上站着三只鸟的故事已经被好多人反复使用过了。故事中的问题是："如果两只鸟打算飞走，那么最终会留下几只？"正确的答案当然是留下三只。这个故事给我们的启示是，决定做一件事情并不等于你将真正去做一件事情。事实上，美国只有不到5%的富人，因为95%的美国人想致富，但是却没有真正行动。

在"富爸爸"系列丛书的第四本《富爸爸　富孩子，聪明孩子》中，我曾经讲过，现在美国的学校往往因为孩子犯错而对他们进行惩罚。然而，如果你稍加留心，就会发现我们其实是从错误中学习东西。大多数人都是摔倒好多次以后才学会了骑自行车，小孩子通过摔倒好多次才学会了走路。但是，当我们走进了校园，就会有人告诉我们不许再摔倒，那些摔倒的人都是笨蛋。也有人教导我们，聪明孩子就是那些平时安静得像站在栅栏上的三只鸟，并且能够牢记所有正确答案的学生。这样，你就不会对为什么只有不足5%的美国人富裕感到奇怪。如果你看看世界上一些最富有的人，比如微软公司的创始人比尔·盖茨，戴尔电脑公司的创始人迈克尔·戴尔，CNN的创始人特德·特纳，福特汽车公司的创始人亨利·福特，以及通用电气公司的创始人托马斯·爱迪生，就会发现他们中没有一个人完成了学业。

当然，我的意思并不是说学校本身不好，因为在信息时代，学校和教育的重要性胜过了以往任何时候。我的想法是，为了成功，我们有时候需要学会不去做一些别人要求自己做的事情。如果你想获取更大的成功，就去好好观察小孩子是怎样做的，并且逐步模仿他们。其中一个需要我们学习的事情就是如何克服对犯错误、摔倒或者羞愧的畏惧。很多小孩子从小就知道如何去做，但是后来在学校我们要求他们不能那样做。如果我们不能得知如何犯错误，如何跌倒，如何克服羞愧心理，那么我们就一定不会年轻富有地退休。

人人都能做的三件致富易事

我一直说，致富之路简单而且容易，几乎所有人都可以做到。如果你想年轻富有地退休，那我很乐意与大家分享本书，书中前两个部分要求你准备做一些简单的事情。在第三部分，我将集中讲述大多数人都可以做到的事情，主要围绕可以让人致富并且年轻富有退休的三种主要资产，它们分别是：

1. 房地产
2. 有价证券
3. 企业

在第三部分，你将会明白如何获取这三种极其重要的资产。我和金之所以能够年轻富有地退休，原因就在于我们花时间去设法获取资产，而不是为了钱而工作。

如果能阅读本书，你就可以开始逐步采取行动，争取获得上述三种资产，这种资产正是占人口5%的美国富人所拥有的。不过，虽然可以采取行动，你还是一定要仔细阅读本书的前两个部分。否则，即便它们很容易操作，也不能开始行动。正如富爸爸多年前所说的："致富之路始于正确的观念、正确的词语和正确的计划。惟有如此，你才会感觉驾轻就熟。"

究竟为什么大卫敢于向歌利亚发起挑战呢？富爸爸的回答是："大卫向歌利亚挑战，这样他就可以发掘出自身内在的另一个巨人。人人心中都有一个大卫和歌利亚，在生活中许多人没有成功，因为当他们遇到歌利亚时往往落荒而逃。实际上，如果没有歌利亚，大卫也就不可能成为一个巨人。"富爸爸用这个故事激励儿子和我成为财务巨人，他不是抹杀我们内心的力量和内心的巨人，而是鼓励我们自己也成为巨人。

本书主要探讨如何致富，如何实现财务自由。我和金通过获取和建立资产走上了财务自由之路，现在也正是由于这些资产的辛勤工作，才免除了我们的辛劳。实现了财务自由之后，我们只需继续经营企业、有价证券和房地产这三种资产的投资组合，就可以获取巨大的财富。我们年纪轻轻就已经退休，并且利用所有杠杆建立的资产使自己越来越富有。现在，那些资产为我们带来的财富愈来愈多，而我们的工作却越来越少。本书就是为那些心怀上述梦想的人所准备的，它将帮助你摆脱终日辛劳，走上自己的财富自由之路。

总之，大卫通过利用所有可以利用的杠杆最终成为一个巨人。你同样也可以做到这一点，本书的目的就是帮助你发现自身内在的巨人潜能。

Section 1

第一部分　心智的杠杆

我们拥有的最强有力的杠杆形式就是心智的力量。杠杆存在的突出问题在于它可以为你服务，也可以伤害你。如果你想退休时年轻而又富有，首先必须做的一件事情就是运用心智的力量。不幸的是，好多人运用这种力量使自己陷入贫困。

正如富爸爸所言，“富人和穷人之间的一个重要区别就是，富人很少说‘我买不起’。”他在礼拜天学校就懂得了“言即肉身”的道理，也就是话语与人结为一体、成为现实存在的道理。他接着说：“穷人使用贫穷的词语，贫穷的词语产生穷人。词语将成为你不可分割的一部分。”在这一部分中，你将会看到富有的词语与贫穷的词语、快速的词语与缓慢的词语的不同。你将会懂得如何通过改变自己的词语和思维方式来改善自己的财务状况。如果你改用富裕的词语和思想，年轻富有地退休就很容易实现了。

第1章 怎样致富并提早退休

下面就是我和太太金以及最要好的朋友拉里，怎样从开始时的一文不名到非常富有，并在不到10年的时间里退休的经历。讲述这个故事主要是为了鼓励那些怀疑自己或者缺乏自信的朋友振作起来，开始行动。当我和金开始我们致富之路的时候，我们几乎身无分文，而且缺乏自信，疑虑重重，只是我们最终战胜了这些怀疑和恐惧。

开始旅程

1984年12月我和金以及最要好的朋友拉里·克拉克，在位于加拿大温哥华地区的惠斯勒山滑雪。积雪很厚，我们滑的路程很远，尽管有些冷，我们的整个滑雪活动还是充满了乐趣。晚上，我们三人围坐在一个小木屋中，木屋周围环绕着许多高大的松树，屋顶上覆盖了厚厚的积雪，从远处看几乎很难发现。

围坐在壁炉旁的时候天色已晚，我们想讨论一下关于未来的计划。我们一无所有，但是豪气冲天。我和金的积蓄已经快用完了，拉里也正在建立另外一家企业。讨论结束时已经很晚很晚，我们谈论着最近刚刚读过的书，刚刚看过的电影。我们仔细听着随身携带

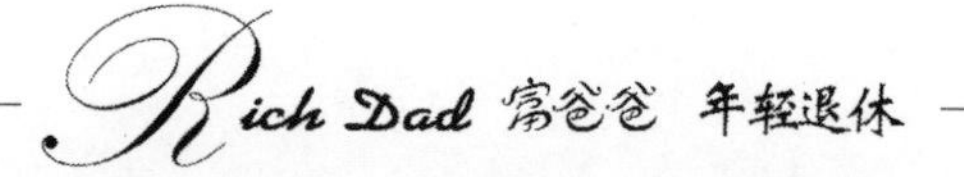

的培训录音带，开始深入讨论其中讲述的内容。

新年那天，我们同过去一样确立了来年的新目标。惟一不同的是，拉里希望我们除了例行确立新年目标以外还要做些别的事情，他想让我们通过改变现状，来确立改变我们生活的目标。他说："我们为什么不能制定一个实现财务自由的详细计划呢?"

我听着他的话，记住了他的观点，但我很难将他所说的与自己的现实联系起来。我曾经谈论过、也梦想过，明白或许有一天我可以实现财务自由。但是，实现财务自由仅仅是一个未来的理想，而不是现在的理想，这个理想对当时的我来说好像并不合适。"实现财务自由?"我吃惊地问道。那一刻我听到了自己的声音，知道自己当时有多么怯懦，因为我的声音微弱得就像做错了事的孩子。

拉里说："我们已经就那些问题讨论了好多次，我认为现在已经到了停止讨论、停止幻想、准备开始行动的时候了。让我们制定一个详细的计划，只有这样我们才会明白自己必须做的事情，才会在这个旅程中相互支持。"

那时我们的钱快要用完了，我和金相互看了看。借着火光，我们可以看到对方脸上的疑虑和担心。我说："那的确是个好主意，但我还是愿意更多地考虑一下明年的谋生计划。"我刚刚离开了生产尼龙和维可牢拉链钱包的公司，在经历 1979 年的困境之后，我试图用整整五年的时间重新改造它，然后再离开。但是，我还是不得不提早离开，因为情况发生了很大变化。为了应付越来越激烈的竞争，我们不再在美国进行生产，而是把工厂搬到了中国大陆、中国的台湾省以及韩国。我最终离开了这个公司，因为无法接受通过血汗工厂、童工劳力来为自己赚钱。这样的公司或许会给我带来金钱，但是却让我的灵魂不安。我也无法同合伙人继续合作，因为我们已经分手，不再面对面交流。我几乎没有带什么钱就离开了，我不愿继续在这种折磨自己精神、也无法同合伙人交流的公司工作。我并不对自己的离开感到骄傲，但是我觉得的确到了该离开的时候了。我在那家公司一直待了八年，学到了很多东西。我懂得了怎样建立一个公司，怎样破坏一个公司，以及怎样改造一个公司。尽管离开时我没有得到多少金钱，但是这种教育和经验本身就是一笔无与伦比的财富。

“继续干，”拉里说，“你现在很脆弱，不要再简单制定下一年的目标，让我们一起制定一个长远的规划，让我们最终实现财务自由。”

“但我没有多少钱，”我瞟了一眼金，她的脸上也流露出同样的顾虑。“你知道我们刚刚重新开始做事，我们所有的希望就是在未来半年或者一年内能够生存下来。当我们还在为生存焦虑的时候，如何考虑财务自由?”我再一次被自己的怯懦所震惊，我的自信和力量已经丧失殆尽。

“往好处想，把这次当做新的开始。”拉里还是那样说，他不想就此打住。

“但是没有钱我们怎么提早退休?”我打断了他。我似乎感到自己更加怯懦、内心空虚，不想做任何事情。我只想在短时期内生存下来，而不想考虑更远的未来。

“我并不是说，我们打算下一年就退休，”拉里显然被我的怯懦激怒了，他大声说：“我说的是现在我们制定一个退休计划，制定我们的目标和详细的规划，然后集中精力去实施。大多数人从不考虑退休的事情，以至于为时过晚，或者他们到了65岁退休时才考虑自己的退休计划。我不想那么做，我想有一个更好的计划，我不想整日工作就是为了应付各种账单，我还想好好生活，我想过富裕的生活，我想在我还能够享受的时候周游世界!”

当静静倾听拉里解释提早确立计划好处的时候，我听到内心深处有一个声音在轻轻责问我：“为什么我认为财务自由和提早退休的目标是不现实的?”这个声音甚至不可思议的越来越大。

拉里的谈话还在继续，他似乎没有注意到金和我是否在倾听。我不再注意他讲什么，独自陷入了深深的思考。我轻轻地自言自语：“及早确立退休目标是一个好主意，我为什么还要反对呢？拒绝好主意可不是我一贯的风格。”

在我沉默的一瞬间，我似乎听到富爸爸在说：“你面临的最大挑战是对自己的怀疑和懒惰，正是它们决定了你是什么样的人。如果你想改变自己，首先要改掉的就是这两点。自我怀疑和懒惰让你只能成为一个小人物，让你无法得到自己向往的生活。”我能听到富爸爸在继续讲他过去的观点：“除了你自己和自我怀疑之外，没有什么能够阻挡你前进。固守城池、一成不变当然很容易，很多人就选择了一辈子不作任何改变。如果向自我怀疑和懒惰宣战，你就会很快找到自己的财务自由之路。”

在我即将离开夏威夷开始新的旅程之前，富爸爸又同我进行了一次谈话。他明白或许我会永远离开夏威夷，离开自己舒适的家，开始在没有任何安全保证的情况下应对各种挑战。在我结束了与富爸爸谈话的一个多月后，我又置身于冰雪覆盖的惠斯勒山上，感到疲惫虚弱，不堪一击，而我最好的朋友又在讲述同样的道理。我明白现在是奋起一搏或者打道回府的时候了，我感到这是登山以来自己最虚弱的一次。我必须再次作出抉择，可以让怀疑和懒惰占据上风，也可以设法改变自己。总之，到了荣辱进退的转折点了。

回顾拉里关于财务自由的谈话，我感觉到他还没有真正谈到财务自由。那时，我意识到克服自我怀疑和懒惰是我能做的最重要的事情。如果我不能克服这些，我的生活就会走回头路。

“好，让我们动手做吧，”我说，“让我们来确立财务自由的目标。”

这是 1985 年新年那天发生的事情，到了 1994 年我和金实现了财务自由。拉里也在继续创立自己的公司，那家公司被商业杂志评为 1996 年成长最快的公司之一。1998 年拉里卖掉了公司，在他 46 岁的时候退休，然后开始了长达一年的休假。

你是怎样做的

不论什么时候提起这段往事，马上就会有人问：“你是怎样做的？”

“那不是怎样做的问题，是我和金为什么要做的问题。”我接着说，“没有这个‘为什么’，‘怎样’就会变得根本不可能。”

我本来可以继续告诉你，金、拉里和我是如何做的，但我不想这样。我们如何去做并不重要。如果真要说我们怎样去做，那我要说的只有一点：从1985年到1994年，我们一直按照富爸爸获取财富的三条途径去做。这三条途径分别是：

1. 提高企业经营技巧
2. 提高资金管理技巧
3. 提高投资技巧

已经有不少书本探讨过上述三种途径的具体操作方法，如果我再来谈，就没有多少意义了。我觉得比“怎样去做”更为重要的是“为什么要做”，这是因为我决定向自我怀疑、懒惰和过去挑战。正是这个“为什么要做”给了我们“怎样去做”的力量。

富爸爸常说：“很多人问我‘怎样去做事情’，以前我会告诉他们。直到有一天我发现即使我告诉他们怎么去做以后，他们也往往不会去做。我意识到，对于一个人来说，‘为什么要做’比‘怎样去做’更为重要。”

他接着说：“许多人不做他们力所能及的事情，因为他们没有足够强烈的‘为什么要做’的想法。只有找到了这个‘为什么’，就会很容易发现自己‘怎样’的致富之路。很多人不是从内心深处探寻‘为什么’要致富，而是四处寻找致富捷径，其实所谓的致富捷径常常只会走进死胡同。”

我自己内心的争论

那天晚上，坐在寒冷的山区小木屋中，听着拉里的讲话，我感觉内心一直在默默地同他争论。每次当他说到：“让我们确立目标，把它写下来，制定出详细的计划。”我就会感到自己心中一直有一个声音，述说着诸如此类的事情：

1. “但是我没有钱。”
2. “我不知道如何去做。”

3．“明年再考虑吧，或者等到我和金的生活稳定下来以后。”

4．“你不理解我们目前的处境。”

5．“我需要更多的时间去考虑。”

多年以来，富爸爸曾经给了我许多教诲。其中一条就是：“如果你发现自己为一个好主意而争论，那么我建议你马上停止这种争论。”

那天晚上，当拉里没完没了地谈到获取财富、提早退休时，我又一次想起了富爸爸对我的警告。富爸爸解释说：“不论什么时候，如果有人说出诸如‘我买不起’或‘我干不了’自己向往的事情，那他们自身一定有大问题了。在这个世界上，为什么还有人说‘我买不起’或‘我干不了’自己向往的事情呢？为什么有人主动拒绝自己向往的事情呢？这真是不可思议。”

壁炉中的火苗明暗闪烁着，我意识到自己正在拒绝内心向往的东西。“为什么不年轻富有地退休？那又有什么不好？”我在问自己。我的想法慢慢明晰起来，暗暗对自己说：“为什么不同意这个主意？为什么要拒绝自己向往的东西？拉里讲得很好，多年来我一直也在这么讲。我曾经希望自己能在35岁退休，而现在我已经快37岁了，还是看不到退休的希望。事实上，我现在已经身无分文，我为什么还要同拉里争论？为什么不能接受他的观点？”

当我这样自言自语时，我终于明白自己为什么不愿接受拉里的好主意。在我25岁那年，我就计划着要快速致富，并且在30岁到35岁的时候退休，那是我的梦想。但当我失去尼龙和维可牢拉链钱包公司后，第一次感到精神萎靡，对自己失去了信心。那天晚上坐在壁炉旁，我意识到正是由于缺乏自信导致了我们的争论，实质上我是在反对自己曾经梦想的生活。我不能接受拉里的观点，仅仅是因为我害怕自己再次失败，不愿遭受梦想失败后所带来的伤害。我曾经梦想过，也曾经失败过，那天晚上我意识到自己之所以争论只是不愿再次失败，并不是自己不愿再次梦想。

我轻轻地对拉里说：“好吧，让我们确立一个大目标。”我最终接受了这个好主意。那场争论结束了，我不会让它影响自己今后的生活。毕竟，那是我自己内心的斗争，而不是同别人争论。也是自己内心中的“小人物”与渴望成长的“巨人”之间的争论。

拉里说：“很好，现在正是你振作起来的时候，我一直在为你担忧。”

我决心去做的动力就是找到了“为什么要做”，并且明白了将来“为什么要做”。尽管当时我心里并不清楚“怎样去做”。

为什么我决定提早退休

究竟有多少人曾经说过“我对自己目前的生活已经厌倦不堪，信心全无”？在那个新年夜，我和金、拉里围坐在壁炉旁，我对自己的过去确实感到不满，而且打算改变。这当然不仅仅是精神的变化，而是发自内心的深刻变化。那是实现大转机的时候，因为我清楚自己为什么要改变，所以我相信自己一定能够改变。下面就是我要改变自己的原因，也就是说我为什么要年轻富有地退休：

1. 我已经受够了一文不名、整日为钱奔忙的滋味。虽然在我经营钱包公司时曾经一度拥有财富，但随着公司破产，我很快又回到勉强养家糊口的境地。富爸爸给了我好多教诲，至今仍然铭记在心，但没有落实在行动上。我还没有致富，现在到了我设法致富的时候了。

2. 我已经厌倦了平庸的生活。从学校开始，老师就说：“罗伯特是个聪明孩子，但是他不会充分施展自己的才能。”他们还说：“他的确是个聪明孩子，但是他不像天才孩子那样智慧，仅仅是比一般人稍强一些。”那天晚上坐在高山之上，我对自己的平庸感到难以接受，是到了该改变的时候了。

3. 在我八岁那年，有一次回家后发现妈妈正在厨房餐桌上哭泣，因为我们家快要被铺天盖地的账单淹没了。虽然爸爸正在竭尽全力赚钱，但是作为一名教师，他在财务上其实很难有什么作为。他常说：“别担心，我会处理的。”但实际上，他根本无法做到这一点。爸爸解决的办法只有一条，那就是回到学校后拼命工作，希望能得到加薪。然而，家里的账单还是越来越多，妈妈感到日益孤单无助，也无人可以诉说。爸爸不喜欢讨论钱的问题，即使提起来，也常常只有发怒生气。

从那一天开始，我就打算寻找帮助妈妈的办法。直到那晚坐在惠斯勒山上，我才意识到经过好多年摸索之后，自己终于找到了答案，现在到了将它们运用到实际生活中去的时候了。

4．最让我感到痛苦的是自己现在遇到了生命中最美丽善良的女性——金，我们彼此都把对方当做自己心灵上的另一半。因为深深爱着我，现在她也同样陷入了财务危机。那晚在山上，我意识到我应该承担起家庭责任，为金做些什么事情，就像我的爸爸对妈妈那样。那一刻，我找到了内心真正“为什么要做”的原因。

5．上面都是我要做的原因，我将它们写下来并偷偷保存起来。如果你读过“富爸爸”系列丛书第二本《富爸爸财务自由之路》，你或许会记得我们下山以后的遭遇。我在那本书开头已经说到，我和金在所有钱用完之后，不得不在一辆汽车里住了三个多星期。可以说，我们确立了年轻退休又富有的目标后，情况并没有马上好起来，但是上述“为什么要做”再次坚定了我们的决心。

下山以后，拉里的情形也是这样。他在 20 世纪 80 年代末期再次遭受了财务危机。不过“为什么要做”的信心让他顽强地挺了过来。

> 正如富爸爸所做的那样，我同样也不会告诉任何人怎样去致富。我首先问人们的是他们为什么渴望有朝一日能够过上富裕生活？如果没有一个强烈的“为什么要做”的理由，最容易做到的“怎样去做”也会变得艰难无比。致富之路千万条，个人致富的原因却往往屈指可数。找到你“为什么要做”，然后就会发现你“怎样去做”。俗语说的好“有志者事竟成”，我认为首先要找到自己的目标理想，然后才能找到实现的途径和方法。

建议：

多年以前，我就知道热情是爱与恨的混合物。除非对某件事情具有热情，否则人们都会一事无成。富爸爸常常说："如果你渴望得到什么，你就会对它充满热情。热情给你的生活注入了活力和能量。如果你渴望得到自己没有的东西，就要先弄明白你为什么喜欢拥有它，以及为什么痛恨失去它。将这两个方面结合起来，你就找到了马上行动实现理想的动力。"

你可以列表对比自己喜爱和痛恨的原因，比如下表：

喜　爱	痛　恨
富有	贫穷
自由	不得不工作
购物随心所欲	想要的东西一无所有
昂贵的东西	便宜的东西
让别人做自己不愿做的事情	不得不做自己不愿做的事情

我的建议是，你可以在下列表格中填上自己喜爱和痛恨的东西。如果需要更大空间，可以另外找纸，或许这从另外一个侧面说明了你对生活充满了热情。

你的喜爱	你的痛恨

静静寻找你的所爱和所恨，接着写清理由。然后写下你的梦想和目标，以及实现财务自由、尽早退休的计划。只要你写出了这一切，就有可能让朋友或帮助你实现梦想的人看到。定期看看这张纸片上你的梦想、目标和计划，经常谈论这个话题，并积极寻求帮助，主动继续学习。在你意识到之前，或许奇迹就已经发生了。

另外，我听到很多人说："金钱并不能给你带来幸福。"这句话有一定道理，但是我认为，金钱最大的好处是为我们带来了更多自由，为我们带来了做自己喜欢事情的时间。因为可以让别人来代替你做自己不喜欢做的事情。

第2章
为什么要提早退休

1994 年，在经过了近 10 年的努力工作之后，我终于获得了财务自由，那年我 47 岁。我的朋友奈尔提醒我："一定要在出售公司后休整一年。"

"一年?"我有点不以为然，"我打算退休，而且再也不想重新回来工作。"

"不，你不会的。"奈尔好像满有把握。奈尔曾经是一个商业团队的成员，那个团队 80 年代初建立了好几个公司。音乐电视（MTV）和乡村音乐电视（CMT）就是其中的两个。在建立和出售了一些企业后，41 岁的他就毅然退休了。我们后来成为很好的朋友，现在他将自己关于退休的体会不断向我传授，"不到三个月，你就会感到无聊透顶，然后乖乖回来在另外一个公司工作。对你来说，最艰难的事情莫过于无所事事。这也就是我为什么一直鼓动你，在另起炉灶之前至少要好好休整一年。"

我禁不住放声大笑，觉得他显然低估了我不再工作的决心。我向他保证，我是打算永远不回来工作了。我说："我无意再涉足商业活动，我既然退休了，就没有重新回来工作的打算。下次看到我的时候，你肯定难以辨认。我再也不想身穿制服，理着短发，像上班的时候那样。我希望自己成为海滩上的常客。”

奈尔听了我的谈话，还是坚持自己的观点，希望我听从和理解他的劝告。对他来说，我能否理解他自己的观点似乎很重要。经过很长时间的谈话之后，他开始说动我了。最后他说：“只有极少数人拥有你这样的机会，没有多少人可以不工作经济上还能得到支持，没有多少人到了中年就可以真正退休，那应该是你工作赚钱的重要年龄段。大多数人无法承受停止工作后的生活压力，他们不得不终生工作，即便内心也想退休，或者讨厌自己的工作。因此，不要轻视提早退休这个珍贵礼物，得到这个礼物的人少之又少。因此要珍惜这个机会，离开工作岗位后好好休整一年。”

奈尔接着解释说，许多企业主卖掉自己的公司后，往往过不了多久就又开始经营另外一个。他说：“我习惯于创建一个公司，然后出售，接着又创建另外一个。我在35岁之前已经倒手了三个公司。我拥有很多金钱，但却无法停止工作，我不知道停止工作的滋味。如果停止工作，我会感到自己已经无用，是在浪费时间，因此我工作越来越勤奋，这也剥夺了我同家人在一起的许多时间。后来，我意识到其中的问题，决定做一些与过去不同的事情。等到我卖掉自己最后一个公司时，银行存款已经超过了数百万美元，我打算停止工作一年，将那整整一年的时间交给家人和我自己。这是我迄今为止一生中最伟大的决定。那段时间我独自一人，无所事事，感觉真是太妙了！我们从五岁开始上学，毕业后就开始工作，你是否也感到其中辛劳？只有极少数人能够拥有至少一年的休闲时间，独自坐下来静静思考。”

他告诉我，国内的生意一处理完，他就和家人来到了遥远的斐济海滩。他说：“一连好几个月，我常常静坐在海滩上，注视着湛蓝湛蓝的大海，看着孩子们嘻闹，享受着向往已久的生活。”充分享受了斐济的阳光和海滩之后，他们又赶到意大利住了好几个月。“在我重新成为一个健康人之前，那的确是我度过的非常充实的一年，”他说，“我发现，不让自己早早起床，不去考虑做任何事情，比如不去参加会议、赶班机、赚钱支付账单等，原来也不是一件很容易的事情。整整过了一年，我才去掉了自己身体中的兴奋因子，慢慢放松下来。我感到自己再次成为身心健全的人。现在我41岁了，其中有36年我整日被一种无形的力量驱使着，现在我终于找到了归宿。”

我必须面对的最困难的事情

奈尔说对了，退休之后最难应对的事情就是无事可做。经过了多年辛劳的上学、考试、会议、航班以及应付各种事务的最后期限之后，我已经完全习惯了起身跑步去处理事情的生活。退休前，我还记得自己曾经抨击面临的各种工作压力和担忧，“再过六个月我就要完全自由了，我将要退休，不用再做任何事情。一旦公司出手我就会马上离开，我要告别这种疯狂忙乱的生活。”

1994年9月，我完成了公司转让手续，将赚到的一部分钱存入银行，投资了一些公寓和商场，然后正式宣布退休。那时我47岁，金37岁，我们已经完全获得了财务自由，剩下的时间可以充分享受生活了。正如奈尔所警告的，在刚刚出售了公司的几周内，我常常心神不安。我依旧每天很早就醒过来，然后意识到其实那天没有任何工作安排。没有人找我，我也没有人可找。我无处可去，孤独地待在屋里。不久我变得焦躁不安，脾气暴躁，感到自己成了一个多余的人。我感到光阴被虚度，非常希望能做点什么，但事实上却没有事情可做。奈尔说的对，对我们来讲，无事可做是最难的。

金还有业务，她投资和管理着自己的不动产组合项目。金享受着工作的快乐，并且以自己特有的方式处理这些工作。她看到我在厨房敲敲打打，制造出很大的声音，却没有干什么活，就赶过来问我：“你是否正在找事情做？”

“不，”我回答说，“我正在寻找无事可做的方法。”

“好吧，当你找到时告诉我一声，我们一块去做。”金粲然一笑，“为什么不去找你的朋友一块儿做些什么？”

“我已经找过了，”我有气无力地说，“他们都忙于工作，没有空闲时间。”

这样度过了几个月，金和我决定去斐济度假。奈尔曾经想在那里度过退休后的第一年。我很乐意出门，即便仅仅是为了打发时光。

作出度假决定后不到三周，我们乘坐水上飞机抵达了斐济。戴着花环、捧着热带饮料的斐济人满面笑容地欢迎我们。当金和我穿过湛蓝海水旁的长长码头时，我感觉好像置身于魔幻岛一般，矮小、胖乎乎的小孩子在一边喊着："老板，飞机！飞机……"

斐济岛比奈尔描述的还要美丽，简直让人不敢相信。由于我出生在夏威夷，心中禁不住暗暗对自己说："夏威夷过去曾经是这样，现在也应该是这样。"然而，这座令人惊叹的神秘小岛的生活节奏对于我来说实在是太缓慢了。我不相信那个天堂般的环境会让我焦躁难耐，起床后用完健康水果早餐，慢步跑一段，接着就在海滩上打发整整一天的时间。一个多小时后，我的心头又升起了一种冲动。虽然岛上的海滩美丽无比，我还是准备回美国重新开始创办自己的公司，我不明白当初自己为什么向奈尔许诺会远离工作一年以上。我在那个天堂般的小岛上待了整整两个星期，金依然意犹未尽，我却想回到亚利桑那。回国的原因我自己也说不清楚，不过最后我们还是离开斐济回到了美国。

闲坐在家里的情形并没有比呆在海滩上好多少，但至少我现在有自己的汽车，有自己熟悉的地方，这对平息我的烦躁很有好处。有一天，一个新来的邻居跑过来自我介绍。他也刚刚退休，不过比我大了二十多岁，已经 68 岁了。他曾经是一家《财富》500 强企业的高级经理。每天，他都跑过来谈论新闻、天气和一些体育话题。他是个很有意思的老头，但是与他坐在一起无所事事，却是我所经历的最为糟糕的事情。他想做的就是在家里的后院工作或者打高尔夫，对他来说退休纯粹就是来到天堂。他并没有完全脱离外面公司的活动，只是喜欢休闲和无事可做。我感到如果自己长期同他待在一起，肯定也会变成那样。当他鼓动我参加他们的乡村俱乐部时，我意识到为了不做事，我必须另外找些其他事情做。

最后，我终于待不下去了。一天，我对金说："我打算去比斯彼，我需要到一个忙碌却不做事情的地方。"不久，我搬到了金和我拥有的小农场。这是个美丽但却封闭的土地，坐落在一个山谷下，到处都是高大的橡树林，一条小溪蜿蜒穿过，有很多鹿，偶尔还能见到凶猛的美洲狮。整个农场位于墨西哥、新墨西哥州和亚利桑那州交界的高山上。我终于找到了可以打发一年时间的去处了，一个忙着不做任何事情的地方。在没有电视、收音机的木屋里待了几天后，我终于平静下来，慢慢习惯了离开工作的生活。我的呼吸减缓，整个生活节奏也慢下来了。平和宁静成为我每天生活的重要组成，各种会议和最后时限的压力已经不复存在，我远离工作的生活正式开始了。正如奈尔所说，“这的确是极少数人才能够享用的礼物，一定要珍惜。”这个过程整整用去了近六个月的时间。

新生活重新开始

独自坐在山中木屋，我有了反省自己生活的时间。我回想起年轻时做过的许多鲁莽冲动的事情，想起过去的许多选择和每次作出选择时的情形，即便那不是明智的选择，却对我最终人格的形成至关重要。我有了机会回忆中学时光，回忆一起成长的朋友们，他们中不少人现在都很难见到了。我还回忆起大学时代的朋友，猜想他们现在都在干什么。可以说，这段独处给了我反思年轻时代的朋友影响自己人格形成的机会。

坐在小木屋中，好多次我内心升起一种冲动，真希望自己能够有机会与童年的小伙伴在一起。我只想有笑声，只希望自己还能够再次年轻，但现在我只拥有珍贵的回忆。真希望自己当初能多拍些照片，多写些信，多联系一些，但我们都整日为生活劳碌，最终各自走上了不同的生活道路。静坐在高高的山上，面对熊熊燃烧的炉火，追忆年轻岁月，感觉比看电影还好。这种远离尘世的生活给了我时间和空间仔细回味过去记忆中的细节。有趣的是，即使是过去一些不愉快的回忆，现在也给我带来了快乐。我开始欣赏自己的人生，欣赏我生命中遇到的每一个人，不论他们是好是坏或者还影响过自己的生活。我赞赏自己独特的人生！

在平静的时刻，我意识到我们每个人都有成为好人或者坏人的可能，都有成为伟人的可能，但是伟大却不是我们年轻时必然的一部分。我不是那种很有天分的孩子，不是音乐神童，不是体育明星，也不是公众人物或者各种晚会争相邀约的人。回顾过去，我意识到自己的生活普通平凡。不过，那天坐在山上静静回味的时候，我感到其实那些看似平凡的生活对于自己却有着独特的意义。

那段日子，我有时间回想我的家庭、朋友、运动时的伙伴、过去的女朋友以及商业伙伴。我回想起自己曾经做过的选择，设想如果当初做出另外一种选择，结果又会怎样？如果我同大学时的女朋友结婚，安居，生小孩，就如同她所向往的那样，结果又会怎样？如果我决定不去当飞行员远赴越南，我的生活又会怎样？如果我像周围的许多朋友一样不去越南参战，又会发生什么？如果我按照穷爸爸的劝告攻读硕士学位，而不是创立尼龙和维可牢拉链钱包公司，又会发生什么？如果我在最终找到一份工作前没有损失那两个公司的话，又会发生什么？如果我没有遇到金并和她结婚，又会发生什么？如果金在我最困难的时候离开我，又会发生什么？最重要的，如果没有生活中经历的那些成败得失，我最终又会学到什么？又会成为一个什么样的人？

的确，每个人都无法改变自己的过去，但是你可以改变对过去的看法。在那天与金、拉里畅谈之前，我的过去可以说是一团糟。那仅仅是自己度过生命中每一天时，一系列人物和事件的简单组合。山中独处给了我停下来回顾自己过去的机会。我过去也曾经做过许多不大光彩的事情，以后不会再做了。我也曾经犯过许多错误，说过一些谎话，真希望当初没有那样去做。我也曾经在生活中伤害过一些朋友和自己深爱的人，没有对自己深爱的人表白过。在远离尘世的那一年，我发现这些事情对我的生活原来是这么重要。独自静坐山上，回想起过去的朋友、家庭和自己的生活，我对他们成为自己生活中的一个重要组成部分深怀感激。独自静坐山上，我有了机会对过去轻轻说声“谢谢”，也为未来作好了准备。

今天，当对很多人提起退休后第一年的生活时，我总是说：“人到中年就提前退休并远离工作的最大好处，就是给了我重新开始生活的一个机会。”

> 在卖掉公司退休后18个月，我才离开了亚利桑那南部山区。开车走的时候，我不知道自己的下一站在哪里，只知道想做另外一些事情。我的电脑中存放着《富爸爸穷爸爸》一书的草稿，公文包中放着现金流101游戏的草图。我生命中的另一段开始了，这一次才是真正属于自己的生活。现在，我已经变得更加成熟、聪明、智慧和沉稳，同时也更加令人信赖。
>
> 当驾车离开亚利桑那山区时，我开始了另一段生活，我不再为父母、老师、朋友或自己童年的期望和梦想而活着。我要过完全属于自己的生活。
>
> 这也是我鼓励大家提前退休的主要原因：提前退休给了你重新开始自己生活的机会。

建议

不论能否提早退休，我还是建议你：最好每个月至少用一个小时来反思自己的生活。我在提早退休之后，通过反思发现：

1. 过去看重的事情原来并没有那么重要。
2. 我们现在的处境比心中的目标更为重要。
3. 自己当时身边的人最重要，好好同他（她）在一起。
4. 时间非常宝贵，好好珍惜它，千万不要浪费。
5. 有时候，不做事情比劳碌还要困难。

对我来说，提早退休的最大好处是有机会领略和品味生活，即便生活是劳碌繁忙、压力很大或者问题重重。当无事可做的时候，我才明白自己其实并不知道怎么应付这种状况。现知道了无所事事的滋味，我才真正学会如何欣赏纷繁扰攘的平淡生活。因此，不论现在的生活怎样，你一定要抽出时间来欣赏它，因为到了明天它留给你的只有回忆。

玛利·佩特笔记（现任现金流技术公司业务主管）

在我的职业生涯中，曾经有一段时间在宾夕法尼亚州退休者协会下属的一个残障临终看护中心工作。我清楚地记得，不到20岁的我为那些病重的退休者提供临终看护时的场景。坐在那里每天翻阅成堆的死亡证明，我被其中一个发现所震惊，很多人退休短短几个月后就因各种疾病死亡。当我困惑不解地问周围人，为什么有那么多人退休后很快会去世？为什么有人辛劳一生，刚刚过上舒适安逸的生活就自杀了？他们回答说，对于一些人来说，工作就是生活的全部，别无他求，如果不再工作就等于失去了生活的全部。另外一个原因是，很多人终生工作，希望退休后依靠退休金生活，但真正退休后才发现那点可怜的退休金根本不够度日。他们又处在人生的两难境地，现在终于有了时间做自己喜欢的事情，但手头却没有钱。

我曾经天真地认为，这一切肯定不会发生在自己身上。接着，我也一门心思地走上了他们曾经走过的道路。在以后的19年中，我经历了一系列职位的升迁，才发觉这一切并不是我和我的家庭真正想要的。我和丈夫都想彻底改变自己的生活，我们搬到了亚利桑那州，花了好几个月时间整理自己的思想，顺便重新寻找工作。其中一个工作就是来现金流技术公司，他们给了我一本《富爸爸，穷爸爸》。回家后，我用了不到一天时间就读完了这本书。能有机会进入现金流公司，我深感荣幸！更重要的是，我现在终于明白自己需要做什么，使自己不会再像记忆中那些不幸的人们一样结束生命。

第3章

我怎样做到提早退休

1999年春天，我赴洛杉矶为大约250名银行家发表演讲。因为被安排在上午第一个演讲，我不得不提前一个晚上从居住的凤凰城赶到了那里。用过早餐后，我站在宾馆房间中匆匆整理了一下思绪。我平时演讲中关于财务报表、财务知识，以及资产和债务的区别等内容，对于这些人来说可能远远不够。因为他们不是普通的银行家，而是做抵押贷款业务的银行家。我想他们肯定熟知我经常提到的财务知识，或者至少希望他们如此。

我的演讲计划在上午9点30分开始。8点钟的时候，我还在寻找适合他们角度和概念的内容。坐在宾馆的书桌前，我匆匆看了一眼当天的晨报。报纸头版是一对幸福的夫妇站在高尔夫球车前的照片，照片上醒目的标题是："我们打算提早退休"。

文章介绍说，在股票市场整体上扬的时期，这对夫妇的401(k)退休金计划过在去10年中表现很好，因此他们决定提前6年退休。先生59岁，太太56岁。文章引用他们自己的话说："我们的共同基金表现如此之好，我们感到或许有一天自己也要成为百万富翁。我们不想再继续工作了，决定退休。后来我们卖掉了房子，在退休者村里换了个小房子，并将剩余的钱作为高收益存款，按比例缩减各种开支。现在，我们每天都可以打高尔夫球。”

我从这篇文章中找到了今天演讲的灵感。写完演讲提纲，并洗漱、换装完毕，我走向了那些正在等待的抵押贷款银行家。9 点 30 分，我被介绍给大家，然后走上了主席台。我扬起手中的晨报，指着这对刚刚退休的夫妇的照片说道：“我们打算提早退休。”便开始了自己的演讲。接着我读出这对夫妇的年龄，又读了报纸中的一些评论。然后我放下手中的报纸，说道：“我和金同样很早就退休了。那是 1994 年，当时我 47 岁，她 37 岁。”我扫视了整个大厅，想让他们注意到这个年龄上的差别。沉默了十秒钟后，我接着问道：“现在让我来提一个问题，为什么我能比这位先生提前 12 年退休？我的太太为什么能比这位女士提前 19 年退休？究竟是什么造成了我们之间的不同？”

大厅里出奇的安静，看来这次演讲的开场不错。我明白这才刚刚开始，就用提问引发他们思考，而不仅仅是倾听。我明白这样做有些狂妄自大，把自己与报纸上这对夫妇相比较。不过，我只是想向这些银行家们提出一个观点，然而似乎已经有点晚了。我觉得自己就像刚刚表演完拿手节目的却没有获得观众笑声的喜剧演员，心里没有谱儿。我接着又问了一句：“你们当中有多少人打算提前退休？”

这一次同样没有任何回答，也没有人举手。大厅里寂静的气氛还在持续，我的演讲看来快要搞砸了，我知道自己必须尽快做些什么。可以看出，眼前这些人多数比我年轻，但少数几个同我年龄相仿的人对我所说的提早退休也没有任何感觉。我很快又提出了另外一个问题：“你们当中小于 45 岁的人有多少？”

大厅里马上有了回应。好多只手慢慢地举了起来。我估计有 60％的人举起了手，这表明他们都小于 45 岁。听众大多还很年轻，至少相对于我来说。接着我改变了策略，问道：“你们当中多少人希望 40 岁退休，而且在以后的日子里获得财务自由？”

这次举手的人热情似乎更高了。我感觉交流的气氛好些了，听众也活跃起来了。年龄稍大的听众慢慢也被触动，他们看着身边那些举手表示不愿工作到老的年轻同伴。我感觉到这些年龄稍大听众的不安，意识到需要尽快说些什么安抚他们。

当人们放下手以后，我微笑着停顿了一会儿。看着那些同我年龄相当或者年龄更大的人，说道："我想对世界上的抵押贷款银行家表达谢意，是你们使我早日退休成为可能。如果没有房地产经济人和股票经纪人，没有财务顾问，没有会计师，就没有我的今天。正是你们——抵押贷款银行家，才让我比父亲早退休了大约20年。"

看到他们的不安正在消失，我又继续自己的演讲。看来对他们的感谢产生了作用，接着我又重复了一遍开始时提到的问题："为什么我们可以比报纸上提到的那对夫妇早些退休？在座的各位怎样才能帮助我提早退休呢?"

接着又是一阵沉默，我慢慢明白他们不知道如何作答。尽管仍然没有多少反应，他们还是比几分钟以前活跃了。我决定不再提出那些让他们犹犹豫豫、不好回答的问题了。演讲继续进行，我取出了活动挂图，在上面写下了几个粗大的单词：

债务

与

产权

我转过身来对着他们，指着"债务"一词说："我能够早点退休，就是因为我用债务来支持自己退休；报纸上介绍的这对夫妇依靠401（k）退休金计划，是依靠产权来支持他们退休。这也就是他们比我们晚退休的原因。"

为了让他们注意到这个不同点，我又故意停顿了一会儿。忽然，一个人站起来问道："你是说，报上介绍的那位先生依靠自己的钱退休，而你依靠我们银行的钱退休吗?"

"对，正是这样，"我回答说，"我用你们银行的钱，负担越来越多的债务，而报纸上介绍的那位先生却总是设法消灭债务。"

"因此，他比你晚退休，"旁边的一个人接着说，"他比你多用了12年时间，因为他用的是自己的钱、自己的产权退休。"

18 年的生命

我笑了，不断地点头称是，“如果同许多 65 岁退休的人相比，47 岁退休多给了我 18 年的时间。18 年的生命价值该会有多少？注意，那是你年轻时的 18 年啊。对于金来说，那就意味着她多了 28 年青春可以享受。在座的各位有多少人愿意早点退休，享受年轻、活力和自由的生活，享受不为金钱所累的自由？”

伴随着笑声和激情，大厅里几乎所有人都举起了手。人们好像刚刚获得了新生。但是，正如我预想的那样，他们的手脚都被束缚着，我的演讲并没有被他们完全接受。因为什么样的人就是什么样的人，我并没有完全说服他们。但是，至少我的演讲的开场不算太坏，而且一些人开始站在了我这边。

前排的一个年轻人举手问道：“你能否再解释一下，你是如何利用债务比那位利用产权的先生提早退休的？”

“当然可以。”我很高兴有机会进一步解释这一点。我拿起报纸，指着他们的照片说：“如果 65 岁是退休年限，这位先生因为股票上扬提前了 6 年退休。可以说他干得不错，因为他将自己的钱投进了股票市场。如果他借了你们银行的钱，并将这些钱也投进股票市场，请各位设想一下他干得是不是更好？”

大厅里一阵骚动，显然我的回答在他们中间有了反应。刚才提问的那个年轻人脸上露出困惑的神情，他说：“但是，我们不会将自己的钱借给他，让他投资股票。”

“为什么？”我问道。

“因为风险太大了。”他回答。

我点了点头，接着说：“而且，因为风险太大，这位退休的先生只能用自己的钱和资产。他的退休金计划 401（k）表现良好，股票投资也很有收获。可以说，他所有的收益都是因为整个股市增势强劲。而股市之所以上扬，是因为成百上千万的人和他一样抱着同样的目的投身股市，因此他能够提早退休。但是，他用的时间比我长，这是因为他基本上只使用自己的钱和资产来购买其他投资。有趣的是，因为存在一定风险，银行不愿为他的投资贷款。你们银行家不愿借钱给人们去股市投机，对吗？”

很多人点了点头。

“你的意思他撞到了好运气，是吗？”另一个人问道。

“可以这么理解。他只是在恰当的地方，恰当的年龄，遇到了股市涨跌的一个恰当轮回。如果整个形势不是这样，他或许会祈祷幸好没有早退休。”我回答说。

“你用我们的钱投资什么项目？”又有一个人问道，显然他对我的投资项目很关切。

“房地产，”我回答说，“除此之外，你们不会借钱给我。你们是抵押银行家，而不是投资银行家，是吗？”

那个年轻人点点头，低声回答：“我们是抵押银行家，我们借钱支持的是房地产项目，而不是股票、债券、共同基金等项目。”

“但是，过去10年股票市场升值率不是远高于房地产的升值率吗？”坐在稍后位置的一位年轻女士问道：“我的401（k）比我见到过的许多房地产项目经营状况都要好。”

“或许是这样，”我回答说，“但是，你的401（k）升值仅仅是因为市场动力和资本升值。你会长期仅依靠市场动力和资本升值的情况投资吗？”

“当然不会。”那位年轻女士回答。

“我也不会那样做，”我说，“我不会仅仅为了资本升值投资。我从来不需要通过市场升值来为自己赚钱，尽管我的一些资产升值也很大，但不存在许多股票和共同基金贬值的问题。”

“如果你投资不是为了资本升值，那究竟是为了什么？”那位年轻的女士接着问道。

“我是为了现金流而投资，”我轻轻地回答，接着反问了一句：“你每月的现金流是多少？或者说，你的401（k）带来的收入减去支出后是多少？”

“没有多少，”她说，“我参与退休金计划的目的就是为了免掉资本所得税，让自己的钱都留在退休金账户上。我的401（k）本来就不是为了给自己每月带来现金流的。”

“我还想问你一句，你的房地产投资每月带来的现金流会增加自己的税务支出吗？”

“没有，”她说，“我只有共同基金一项投资。”

“那你是抵押贷款银行家吗？”我笑着问道。

“让我们说得更直接些吧，”她说，“你从我们手里借钱，购置了房地产，每月给你带来现金流。你有了现金流，所以能和太太提早退休，而我们大家完全将希望寄托在共同基金的资本升值上，所以希望自己能够晚一些退休。当我们退休的时候，我们总是希望股市不要出现震荡。那也就是说，我们帮助你提早退休，但我们却不知道帮助自己。”

“从一定意义上讲，的确如此。”我回答说，“我感谢你们以及你们整个行业帮助我获取退休金。你们帮助我拥有了数百万美元，因此能够提早退休。自然，我希望你们自己也能这样做。”

演讲结束的时间快要到了，当我走下主席台时，大厅里响起了一片掌声，气氛也一下子活跃起来，尤其是年轻听众被我的观点振奋起来了。当穿过人群握手的时候，我有机会听到他们对我演讲的评论。但是，尽管他们都是抵押贷款银行家，我依然听到了类似于过去很多普通听众的议论，比如：

1.“他所讲的事情风险太大了。”

2.“我永远不会借钱给他。”

3.“他不知道自己在说些什么。”

4.“现在你不能那样做了，市场已经发生了变化。”

5.“他太走运了，不过只要等到市场崩溃，他就会跪在我们面前祈求。”

6.“我无法确定，这是我从不购置房地产的原因。”

7.“房地产市场严重过剩，马上就要崩溃。”

8.“你知道有多少像他那样的人最终栽倒在房地产市场上？”

9.“如果他的债务这么多，我就不会借给他任何钱。”

10. “如果他真的退休了，为什么还给我们做讲演?”

穷爸爸的教诲

穷爸爸常常建议我：“上学，争取好成绩，找个安全可靠的工作，勤勉努力，好好储蓄。”他还经常引用一些俗语教育我，比如：“永远不要借债，也不要借债给别人。”“攒一分钱等于挣一分钱”，“不买买不起的东西，一概支付现金，永不赊账”等等。

如果完全按照他的建议，穷爸爸的生活或许应该不错。但是，同大多数人一样，他说着自己认为正确的话，但却没有做出正确的事情。他借钱买房子、汽车，从不投资，他认为“投资风险太大”。他也设法积蓄，但每次遇到紧急情况，总是入不敷出。他借钱购买的东西使自己更为贫穷，不愿借钱购买的东西却有可能使自己致富。这些细小的差异，使他的生活有了很大不同。

这些根深蒂固的观念和处理金钱的方式，决定了他65岁还不能退休，无法享受平静的生活。这也是直到癌症完全击倒他之前，不得不一直工作的原因。他终生工作勤奋，在生命的最后六个月，又在病房中同癌症抗争。他是一个正直、善良、勤勉的人。一生工作努力，尽力避免债务设法积蓄，这些都是他想传授给我的有关生活和金钱的教诲。

富爸爸的教诲

富爸爸是我最好的朋友迈克的父亲，他教给我一个截然不同的理财建议和金钱观念。他经常这样问我：

1. “你积蓄100万美元需要多长时间?”或许他还会接着问，“你借来100万美元需要多长时间?”

2. “谁最终会更富裕？是终生工作试图积攒100万美元的人，还是懂得用10%的利息借100万美元，接着又投资获取25%回报率的人?”

3．“银行家更乐意将钱借给哪些人？是为了金钱而努力工作的人，还是懂得如何借钱、让钱安全勤勉地为自己工作的人？”

4．“你将会成为什么样的人？如果你给银行家打电话说：‘我想借100万美元。’银行家很快回答说：‘好的，我20分钟后为你准备好签字文件。’为了成为这样的人你应该如何做？”

5．“为什么政府一方面征收你的存款利息税，另一方面却可能因为你负债而给予你一个税务减免？”

6．“谁拥有财务智慧并且受过良好理财教育？是一个有100万美元积蓄的人，还是有100万美元债务的人？”

7．“谁更有财务智慧？是努力工作赚钱的人还是让钱为自己努力工作的人？”

8．“如果你有选择教育的机会，你选择学习如何努力工作挣钱，还是选择学习如何让金钱为你努力工作？”

9．“为什么银行家乐意借钱给你进行房地产投机，却不愿意借钱给你进行股票投机？”

10．“为什么工作最卖力、储蓄最积极的人，要比工作放松、借款很多的人纳税还多？”

当我们谈起工作、金钱、储蓄和债务问题时，我的两位爸爸显然观点不同，但是最大的不同却正如富爸爸所说：“穷人和中产阶层致富之路充满艰辛，因为他们想运用自己的钱致富。如果想致富，你需要学会如何利用别人的钱，而不是你自己的。”

本书不讨论债务

提醒：尽管本书将要讨论如何运用债务工具实现年轻富有地退休，但是本书不想过多地讨论如何借贷，以及债务缠身的问题。正如我在导言中所说，杠杆是一种力量，这种力量可以被正确运用，也可以被滥用，或者招来无端的畏惧。我们应该谨慎地使用债务，就像使用填满子弹的枪一样，因为它可以帮助你，也可以毁灭你。因此，要像提防枪带来的危险一样，一定要小心债务带来的危险。

我反复强调这一点，因为前不久在我们网站上有一个年轻人写道：他刚刚辞掉了工作，刷爆了好几个信用卡，为购置房地产负债累累。他说："我想按照你的建议去做，拥有大量优良债务。"

首先，我从来没有建议任何人用信用卡购置房地产。如果懂得如何投资，你无论如何也不能用这样危险的方法筹集资金。

尽管我知道有人用信用卡投资房地产，但我仍然不推荐这个做法。这极其危险！一些用信用卡投资房地产的人已经破产。因此我的建议是，第一步是培训和提升运用债务的智慧。

与本章开始讨论的债务与资产不同，本书的关注点不仅仅是债务，更为重要的话题是：如何年轻富有地退休。

第二个重要的词语

在本书的导语中，我曾经引用富爸爸的话，"在金钱世界中最为重要的词语是现金流，第二个重要的词语是杠杆。"

我在对洛杉矶抵押贷款银行家的演讲中，曾经说过我用他们的钱做到了提早退休，这里其实就是说用他们的钱做杠杆。从小跟富爸爸学习，他就花了很多时间教导儿子迈克和我认识杠杆的重要作用。

在前面的导语中，我说过富爸爸最喜欢的关于杠杆作用的故事，就是大卫和歌利亚的故事。只要我们愿意听，富爸爸不知道讲了多少遍。他会说："孩子，一定要记住，大卫击败歌利亚就是因为他懂得杠杆原理。"

"我认为他使用的是投石器。"我说。

"对，"富爸爸说，"对于一个高手来说，投石器就是一种杠杆。等到你掌握了杠杆的力量，它会随处可见。如果想致富，你必须学会运用杠杆的力量。假若你懂得运用杠杆的力量，你这个小孩子也可以打败大孩子。"

随着我们一天天长大，富爸爸不得不寻找关于杠杆作用的其他例子，他想让儿子迈克和我能够对他的金钱教导一直保持兴趣。比如，当20世纪60年代披头士乐队风靡美国时，我们这一代人都陷入疯狂。富爸爸就让我们计算他们获利多少，他说："披头士乐队赚大钱的原因就在于他们拥有更强大的杠杆。"富爸爸接着解释说，披头士乐队赚的钱远远超过了美国总统，也超过了医生、律师、会计师以及富爸爸本人，就是因为财务杠杆的作用。富爸爸说："披头士乐队运用电视、收音机和录音机作为他们的杠杆，那是他们致富的原因。"

富爸爸的儿子迈克问道："电视、收音机和录音机是否就是杠杆的惟一形式呢？"

不等富爸爸回答，我也忍不住问道："我们是不是必须成为摇滚歌星才能致富？"16岁的我明白唱歌并不是自己的特长，也不会玩任何一件乐器。

富爸爸笑着回答道："致富的路子并不是只有成为摇滚歌星一条，杠杆的形式也并不只有电视、收音机和录音机。但是如果想致富，你必须设法使用某种形式的杠杆。富人、穷人和中产阶层的不同，就在于他们使用了不同的杠杆形式。富人更富裕，仅仅因为他们使用的杠杆与众不同，而且他们使用的杠杆更多而已。"

本书探讨的就是杠杆问题

富爸爸反复对他的儿子和我说："相对于穷人和中产阶层而言，富人拥有的最大优势是财务杠杆。"他还会说："财务杠杆也是能越来越快地致富的工具。"因此，在"富爸爸"系列丛书的第一本中，我们集中探讨了现金流，本书则将探讨的重点放在杠杆上。因为要想使自己退休时年轻而富有，你必须使用一些杠杆形式。运用杠杆的力量，而不是通过辛勤工作，是我和金能够提早退休的原因。在下面一章中，我们将集中分析几个杠杆作用的例子。

在本章开始，我回忆了对洛杉矶抵押贷款银行家的一次演讲，讲述了自己如何运用他们的钱致富，而不是我自己的钱，并且提早退休。那是运用债务杠杆的一个例子。

运用杠杆面临的一个问题就是杠杆本身就像一把双刃剑，能够伤害任何一方。也就是说，一个人可以运用杠杆加快致富步伐，也可能因为错误使用杠杆而加重财务困难。

中产阶层和穷人工作勤奋，工作时间漫长，他们努力偿还债务，同时承担了更多的税金，因为他们缺乏一种特别重要的杠杆，那种杠杆就是财务教育。因此，在资金已经用尽，借钱投资新的资产以前，请你务必首先清楚：债务只是杠杆的一种形式，而所有的杠杆都是一把锋利的双刃剑，可以帮助你也可以害你。让我们再次回顾一下富爸爸的一些观点：

“谁更具有财务智慧，受过更好的财务教育？是那些拥有100万美元储蓄的人呢，还是那些有100万美元债务的人？”

我想重点强调的是，本书关注的主要是财务教育，而不想讨论使用何种杠杆。当然，我首先鼓励大家熟练掌握自己感兴趣的杠杆。

建议

富爸爸讲过：“如果想成为一个富人，你需要知道优良债务和不良债务的区别，以及优良开支和不良开支、优良收入和不良收入、优良负债和不良负债的区别。”

由于本章主要探讨债务杠杆，你也可以列表对照一下自己的优良债务和不良债务。如果你不大熟悉它们的区别，也可以简单地这样理解，优良债务就是那些每个月可以往你钱包里送钱的债务，不良债务就是那些每月还要从你钱包里掏钱的债务。比如，我投资公寓的债务每个月都能给我带来钱，而我购买住宅的债务（我的抵押贷款）每月从我的钱包往外掏钱。

优良债务	不良债务

检查完上面的表格后，或许你应该思考一下，如何处置自己的债务。或许你想减少不良债务，增加优良债务。如果优良债务增加了，你年轻富有退休的几率就会大大增加。但是，切记要小心谨慎地对待债务，就像对待填满子弹的枪一样。

第4章

你怎样才能提早退休

在穷爸爸和富爸爸的身上，我看到了两种截然不同的杠杆。穷爸爸受过良好的高等教育，工作勤勉努力；富爸爸则善于运用多种杠杆，那就是他工作较少，挣钱却远远超过穷爸爸的原因。如果你想年轻富有地退休，掌握杠杆作用就显得尤为重要。

从广义上讲，杠杆作用就是“四两拨千斤”，以少胜多。提起工作、金钱方面的杠杆作用，富爸爸这样说：“如果你想致富，就要少工作、多赚钱。为了做到这一点，你需要一些杠杆形式。”他接着用对比来说明杠杆的重要性，“只知道老老实实工作的人，拥有的杠杆很有限。如果你干活很卖力，财务状况却不见好转，那么你有可能正在充当别人致富的杠杆。如果你有钱存在银行账户或退休金账户里，就有人用你的钱作为他们获取财富的杠杆。”

杠杆无处不在

富爸爸画了下面这张图，来给当时年龄还小的我们说明杠杆原理：

不用杠杆的人

使用杠杆的人

富爸爸说："杠杆无处不在。人类比动物有优势，因为人类找到了愈来愈多的杠杆。开始时，动物比人类跑得快，但现在人类却可以比动物跑得更快更远，因为人类发明了诸如自行车、汽车、火车、飞机等交通工具作为杠杆。开始时，鸟可以飞翔，人类却不行。现在，人类可以比任何鸟类飞得更远更快。这些都是人类使用杠杆的结果。”

杠杆就是力量

大多数动物只能运用大自然赋与的杠杆，基本上无法获得更多的杠杆，那也是它们最终失去自身优势，而人类主宰地球的原因。当某些人使用比其他人更多的杠杆时，同样的事情也就发生了。富爸爸说：“拥有杠杆的人比没有杠杆的人占有很大优势。”也就是说，正如人类通过发明各种杠杆超越了动物，而使用杠杆的人比没有使用杠杆的人更具优势。简单地说，“杠杆就是力量”。

在解释人类怎样获取愈来愈多的杠杆这个问题时，富爸爸说：“鸟儿利用天生就有的翅膀作为惟一杠杆。人类通过观察鸟类飞翔，运用自己的大脑发现了如何才能飞翔的秘密。一个从美国乘飞机抵达欧洲的人，比划着小船横渡大西洋的人拥有更强大的杠杆。”富爸爸还说：“穷人比富人更少使用杠杆。如果你想致富而且长久拥有它，就需要掌握杠杆的力量。”

人类发明的杠杆工具越来越多，比如计算机、互联网等等，这是令人振奋的好消息。能够尽快利用这些杠杆工具的人，往往就是走在社会前列的人。没有学会使用这些杠杆工具的人，往往就会财务状况不佳，或者需要通过更辛劳的工作勉强度日。如果你每天上班仅仅是为了得到一份薪水，而不是为了获取人生的某些杠杆优势，那就意味着你正在逐步落后于时代。新杠杆工具的诞生速度之快是前所未有的，使用这些新杠杆工具的人就会领先，就会避免像动物那样落后的命运。

与生俱来的杠杆

在纽约学习世界商业史时，我发现 5000 年前人类就开始利用帆和风能，推动船只渡过宽阔的水面。在这里，风和帆就是杠杆，它们可以让船只走得更远、装载的东西更多，而人类的劳动强度却大大降低了，因此，使用大帆船的人也比其他人富裕。这让我明白，发明工具或者利用自然工具的人更容易致富。今天，我们只需点一下鼠标，就可以比过去任何船只装载多得多的货物和财富，这是因为我们使用了各种新式杠杆。

没有杠杆的人为拥有杠杆的人工作

在人类历史上，落伍者总是那些不能有效利用新式杠杆工具的人。没有这些杠杆工具的人，往往为那些使用这些杠杆工具的人工作，而且他们体力劳动的强度超过了后者。正如富爸爸所说，“没有杠杆的人为拥有杠杆的人工作。”

陈旧过时的杠杆

因为技术源于人类大脑，我们选择的作为交通和交流工具的杠杆形式也与祖先大为不同。今天，除了步行，我们还可以骑自行车，开汽车或者搭乘飞机。我们也可以运用电视、电话或者电子邮件与远方的朋友交流。

正如在交通、交流的杠杆形式上有了更多选择一样，我们现在也有了更多的财务杠杆可以利用。能够利用更多财务杠杆工具的人，就有可能在经济上居于有利位置。运用陈旧过时或者不恰当的财务杠杆工具的人，就有可能在财务安全和财务前景上处于危险境地。现在数以千万的人利用共同基金作为自己的财务工具，准备今后的退休金。共同基金虽然不是一种陈旧过时的工具，但也绝非一个成熟投资者理想的财务杠杆。这些也正是本书想要讨论的问题。如果想年轻富有地退休，人们或许需要用一种更快捷、更安全、信息来源更丰富的财务杠杆，而不是共同基金。

为什么人们不愿使用财务杠杆

具有讽刺意味的是，穷人和中产阶层认为财务杠杆工具充满风险。因此，多数人不愿意使用富人使用的杠杆工具，不愿意使用更快的财务杠杆工具，而更倾向于使用体力杠杆改善自己的财务状况，也就是通过努力工作来获取更多的报酬。富人更富有的主要原因是他们使用财务杠杆工具，而穷人和中产阶层不愿使用，至少他们使用的方式大大不同，

债务能成为成功者的杠杆，也能成为失败者的杠杆

在前一章中，我谈到了运用债务杠杆可以获得带来收益的房地产项目。其中，债务就是我的杠杆。因此，与那些整日劳作、用积蓄或其他资产进行投资的人相比，我能够更大地投资、更快地发展。懂得如何运用债务获取资产的人，比起那些不懂得运用债务获取资产的人具有明显的财务杠杆优势。富爸爸说："富人运用债务获取财务上的成功，穷人和中产阶层运用债务得到的是财务上的失败。"但是，为了更好地利用债务杠杆工具，人们需要更多财务教育。下一章将集中讨论如何获得这种财务教育。

穷爸爸常说："不要做债主，也不要做欠债者，尽快付清账单和各种抵押贷款，负债很危险。"这些观念和信条就是穷爸爸终生辛劳，财务状况没有根本改善的部分原因。富爸爸比穷爸爸工作量少了很多，但在晚年的时候却获得了越来越多的财富。富爸爸与穷爸爸的生活截然不同，因为富爸爸懂得如何利用财务杠杆，而穷爸爸却认为那充满风险。

更具讽刺意味的是，穷人和中产阶层认为运用债务购置资产风险太大，但是他们自己却往往用债务买来债务。穷人和中产阶层因为运用不良债务的力量，从而在生活中落伍。富人运用优良债务的力量，促使自己更加成功。工作勤勉、积极储蓄、坚持偿清所有债

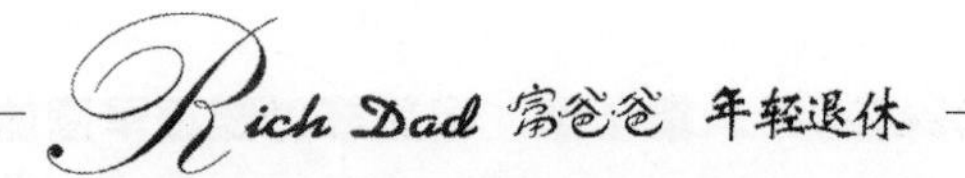

务的人，在财务上远远落后于掌握利用债务杠杆的人。一般人认为有债务是坏事情，或者根本不利用债务，因此他们大多为了退休而努力消灭债务、增加储蓄。对他们来说，有积蓄却没有债务是一个明智而安全的生活方式。其实，对他们来说更明智的选择应该是对自己进行财务教育。

其他的杠杆形式

为了提早退休，除了债务我和金还曾经利用其他杠杆形式。为了建立一家有 11 个办公室的公司，我们不得不利用其他人的时间（other people's time，OPT）建立另外一种资产，这种资产就是公司。在这个例子中，杠杆就是雇员，目的就是使资产产生得更快、发展得更大，也更有价值。

很多人不能更快地富裕，仅仅因为他们存在银行的钱、时间和劳动都只是富人获取资产致富的工具。在很短的时间内，如果不能利用别人的时间（OPT）和金钱（other people's money，OPM）这两种杠杆，我们就无法获取那样多资产。

除了别人的时间（OPT）和金钱（OPM）这两种可以给你带来资产的杠杆，还有其他形式的杠杆，这确实是令人振奋的好消息。正如 5000 年前人们利用风帆推动船只航行一样，你也能找到许多能给自己带来帮助的杠杆形式。等到你掌握了杠杆原理并且去努力寻找的时候，就会发现有很多杠杆形式。富爸爸多年前曾经说过："人类有不断寻求更新、更好的杠杆形式的本能。"仔细想想渔夫花很长时间织编渔网这件事。拥有渔网的渔夫显然比徒手捉鱼更有利。拥有 1000 英亩土地的农场主，比只有 100 英亩土地的农场主拥有更多的杠杆，当然也是在他能够管理更大农场这个前提下。电脑更是一个威力强大的杠杆工具，但同样要看是用来做什么事情。

下面就是其他的杠杆形式，你的健康、时间、教育和社会关系等杠杆形式都可能帮助或者阻碍你达到年轻富有地退休的目标。

健康

显然，健康是一个极其重要的杠杆形式，但人们常常只有在失去它的时候才认识到它的重要。如果你身体孱弱，无法享受生活的快乐，那么提早退休又有什么意义？

时间

时间也是一个重要的杠杆形式。人们一旦在财务上落伍，常常很难有时间赶上。如果一个人正在应付财务状况上发生的困难，也就很难抓住突然出现的机会。我常常听见有人说："他太幸运了！他在恰当的时间处在了恰当的位置。"但我认为，更准确的说法应该是："他很幸运，因为他受过教育，经验丰富，作好了抓住眼前机会的准备。"

退休以来的休闲生活，甚至大大增加了我的财富。现在我有充裕的时间寻找和发现机会了。

教育

教育也是一个重要的杠杆形式。如果以一生为单位进行衡量，中学毕业后就参加工作与大学毕业后参加工作的人相比，收入差距超过了数百万美元。一个接受了大学教育却没有多少财务知识的人，往往会比那些接受过财务教育、上过或者还没有上过大学的人的财务状况差很多。我曾经遇到过很多大学刚刚毕业就陷入助学贷款债务危机的年轻人。比助学贷款债务危机更糟的是，他们急于找到一份工作，接着又陷入更深的消费债务危机中，这就是虽然受过高等教育却缺乏基本财务教育的代价。拥有高薪职位却没有受过财务教育的人，因为消费债务问题，往往会比低薪的人更快更深地陷入债务怪圈。这些都是不大明智的做法。

财务教育不仅可以帮助你提早退休，还能帮助你长久地拥有财富。

社会关系

商业关系和个人关系也可以成为你的杠杆。下面就是社会关系中存在的一些杠杆实例：

• 许多人因为就职公司的老板或经理无能而备受煎熬。另外一些人财务状况良好，因为他们同拥有很多财务知识的人在一起。

• 一些工会，比如教师工会或者飞行员工会就是社会关系杠杆的一种形式。一些专业协会，比如美国医疗协会也是社会杠杆的一种形式。工会或者专业协会都是那些具有专业杠杆的人，为了免受具有强大财务杠杆的人的侵害而联合起来建立的。

• 许多人财务状况良好，因为他们聘请了优秀的财务顾问。也有些人财务状况不佳，因为他们的财务顾问自己就很无能。正如富爸爸所说："许多财务顾问被称为掮客，因为他们常常很无知，所以听取他们的建议一定要小心仔细。而且，最昂贵的建议往往就是那些所谓的免费建议。这些建议常常来自于你贫穷的亲友，内容涉及金钱、投资和企业运作。"

• 很多人听说过强强联姻，它由两个实力强劲的人结合在一起，从而更加强大的一种婚姻组合。我们也看到过许多夫妇陷入财务困境，因为他们的婚姻不是挚爱、和谐与繁荣的组合。如果没有太太金——我最好的朋友和商业伙伴，我今天肯定不会这样富有。

• 说到婚姻，我曾经听人说过："如果你的配偶不想致富，你们就不可能致富。"我不敢断定这句话百分之百正确，但可以肯定它确实有些道理。

因此，不论作用是积极的还是消极的，你周围的人都是你重要的杠杆资源。也许你还可以扪心自问一下，周围有多少人拖延了你的财务发展，多少人帮助你改善了财务状况。说起金钱，你的社会关系就是一种重要的杠杆资源。富爸爸常说："致富最重要的不是看你知道'什么'，而是看你认识'谁'。"

工具

水暖工人使用合适的工具找到自己杠杆；医生使用医疗器械完成工作；汽车是我们许多人的交通工具，通过互联网我们可以与世界其他地方的人做生意。这些都是非常重要的杠杆工具。

休闲时间

在休闲时间你也可以找到杠杆。很多人通过看电视、购物打发时间，也有很多人在休闲时间致富。惠普公司、福特汽车公司是从车库起家，戴尔电脑公司从学生宿舍开始创业。我有一个朋友，工作日时是律师，周末则成了房地产投资商。他 39 岁就退休了，现在无偿担任一个慈善机构的法律顾问，然后整日陪孩子玩，或者打高尔夫球。

寻找为你工作的最好杠杆

我想反复强调：今天你可以利用很多杠杆形式获取或创造资产，更快地改善自己的财务状况。如果不愿意，你也可以不必利用别人的金钱（OPM）或别人的时间（OPT）致富。但是，如果想年轻富有地退休，你就需要寻找为自己工作的最好的杠杆。

我还想再次强调富爸爸的话，因为它基本概括了本书的主要观点："只知道老老实实工作的人，拥有的杠杆很有限。如果你干活虽然很卖力，财务状况却不见好转，那么你有可能正在充当别人致富的杠杆。如果你有钱存在银行账户或退休金账户里，就可能作为别人获取财富的杠杆。"

词语"越来越"的重要性

杠杆的一个定义就是以少胜多，做到"四两拨千斤"。富爸爸补充说："杠杆就是可以用越来越少的力量，做越来越多的事情。"在

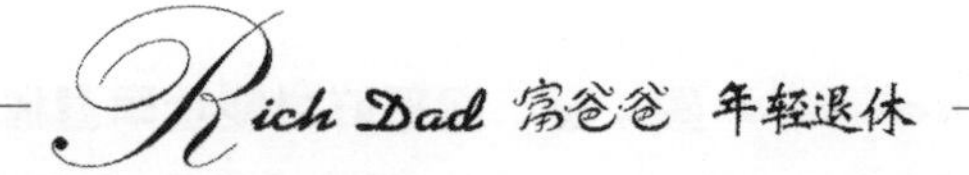

这里，“越来越多”与“越来越少”是非常重要的一点。富爸爸说：“富人与穷人、中产阶层的不同就在两个‘多’之间，连接着两者的词就是‘越来越’。”

富爸爸进一步解释说：“富人不断增加杠杆使之越来越多，那就是他们越来越富有的原因。穷人和中产阶层不愿意增加更多的杠杆，而正是这一点决定了他们一生的财务状况。”也就是说，当一个人不愿意再增加更多杠杆时，他就会变得贫穷起来。中产阶层也是这样，真正的富人永远不会停止增加自己的杠杆。

一个很典型的例子就是穷爸爸，他曾说：“争取接受一个好的教育，这样就可以找一个好的工作。”对于很多中产阶层的人来说，他们的学术和专业教育随着毕业就结束了。富人却不是这样，他们还要通过接受财务教育使自己拥有更多杠杆。

穷人和中产阶层的不同在于，前者一般比后者接受的教育少。穷人常常连基础教育也没有，也不像中产阶层那样受过专业教育。虽然穷人接受了一些教育，中产阶层所受的教育稍微多一些，但尚不足以使他们致富。

在前面几本书中，我曾经说过有三种不同的教育，它们是：

1. 学术理论教育

2. 专业教育

3. 财务教育

穷爸爸接受了专业教育，但对于财务教育却毫无兴趣。这一点决定了他一生的财务状况。富爸爸从来没有停止过财务教育，这也决定了他一生的财务状况。穷人之所以很穷，因为他们缺乏上面三种基本教育。

现在，生活中的很多落伍者还包括那些获得了一些杠杆，却未能获得更多杠杆形式的人。即使你 10 年前大学毕业，也不意味着你可以不再设法获取更多的杠杆。正如富爸爸常说的：“大学学位并没有赋予你停止学习、获取更多杠杆的特权，银行的 100 万美元存款同样也不能让你停止学习。事实上，如果停止学习，你的钱或许马上就会转移给继续学习的人。他们懂得真正的杠杆永远都是用‘越来越少’的力量做出‘越来越多’的事情。”

杠杆的未来

今天，有些中学生将自己的公司卖了数百万美元，还没有开始工作就可以退休了，因为他们运用了与自己父母截然不同的杠杆形式。另一方面，婴儿潮中诞生的不少美国人却需要回去上学，以保住手中的饭碗。如今“杠杆”和“越来越”这两个词有了新的涵义，竞争也不再限于你所在的城市甚至国家之内。财务上的成功者往往都是那些愿意用“越来越少”的代价，获得“越来越多”收益的人，而不是那些用“越来越多”的代价，获得“越来越少”收益的人。

在下面一章中，我所提到的一些数字可能听起来有些令人难以置信。毕竟，在你工作非常辛苦却只有五万美元年薪的时候，很难想像年收入上百万美元却不用工作的滋味。我强调要争取拥有“越来越多”的杠杆，因为不论你现在挣多少，只要你想用“越来越少”的代价获得“越来越多”结果，那么年收入上百万美元却不用工作就完全有可能。如果你不愿这样考虑，那么每年获得五万美元都将很困难。

更具讽刺意味的是，那些不相信用“越来越少”的代价获得“越来越多”结果这句话的人，往往都是那些用“越来越多”的代价获得“越来越少”结果的人。等到你接受我们的观点，你就真有可能用“越来越少”的代价获得“越来越多”的结果，这才是最好的结果。你所要做的就是将这句话铭记在心，那么，年轻富有地退休对你来说就变得容易多了。

建议

找一张纸，写出你对下列问题的答案。

我怎样才能以更少的劳动为更多的人服务和获得更好的价格？

如果你找不到任何答案，那就继续思考。这是一个非常重要的问题，如果能找出答案并且严格执行，你就有可能成为百万富翁，甚至亿万富翁。这也就是富爸爸称之为“百万美元问题”的原因。

下一章，我们将讨论作为杠杆工具的心智的力量。回答上述诸如此类的问题，对于能否年轻富有的退休至关重要。

第5章 心智的杠杆

为什么有人可以做到，有人却做不了

在《富爸爸投资指南》中，我曾经提到了富爸爸曾经给我上过的一课。现在仍然值得一提。

那天，富爸爸、他的儿子迈克和我一起走过一个美丽的海滨地产。忽然，富爸爸停下来指着那块儿地方说："我想买下这块地产项目。"

我很吃惊，他能买下这么昂贵的地产吗？虽然当时我很小，但我知道夏威夷靠海的房地产项目都是相当昂贵的。因为富爸爸那时还不很富有，我怀疑他能否承受这样庞大的投资。看来，富爸爸准备与我分享这个秘密，就是他如何投资自己买不起的项目。当然，那也是他致富的秘密之一。

不同的现实

简单地说，富爸爸能够买得起一块昂贵的地产，尽管他那时并没有多少钱，因为“买得起”已经成为他现实中的一部分。穷爸爸却不是这样，尽管那时他的薪水较高，他常说，“我买不起。”因为购置这样昂贵的地产已经远远超出了他的现实能力。

最重要的一课

多年以来，富爸爸给了我很多重要的教诲，那些教诲深刻地影响了我的生活方向。这些教诲对于我个人现实的作用是最重要的一个方面。读过《富爸爸，穷爸爸》的朋友，或许还记得富爸爸禁止他的儿子和我说“我买不起”。富爸爸懂得个人现实的威力，他的教诲就是：

“你认为真实的就是自己的现实。”

作为一个有信仰的人，富爸爸常常引用《圣经·旧约》中的话——“言即肉身”，也就是自己的想法意念都会成为现实。他几乎每天都说那段话，因此我虽然很小却可以理解。他一直对迈克和我说：“‘言即肉身’的意思是：凡是你认为正确的，最终将成为你个人的现实。”当他路过那块美丽的海滨地产时，他不会说“我买不起”，即便他那时并没有多少钱。他用数月时间作出如何买下这块地产的计划。他勤勉努力，将“超出自己现实的部分”终于化为“自己现实的一部分”。让富爸爸更加富有的不是金钱，而是他不断扩展自己现实的能力。

投资有风险吗

许多人常说：“投资充满风险。”对他们来说或许如此，因为他们认为那句话是正确的。这将成为他们的现实，即使投资未必总伴随风险。在实际生活中，风险无处不在，就像你穿过马路或者骑自行车时一样。许多人认为投资充满风险，因为他们认为自己的想法是正确的。

几个月前，我和一个著名银行的资深投资顾问一起参加电台的节目。那位资深投资顾问首先向我在《富爸爸，穷爸爸》一书中的观点发起挑战，他说："罗伯特·清崎说，如果一个人想致富，就应该创建自己的公司。清崎先生或许没有看到，实际上很多人无法创建自己的公司，创建公司风险太大了。统计表明9/10的公司在建立后五年内倒闭。我认为清崎先生的观点很危险，想请他能进一步作出解释。"

电台主持人很高兴在自己的节目中出现争论，他希望我能够心平气和地面对挑战，他说："好吧，清崎先生，你如何对上述现象作出解释？"

诸如此类的质疑以前已经遇到过好多次了，我早已习以为常。当然这次节目刚刚开始就直接遇到了这样一个棘手的问题，还是稍稍有些意外。停了一会儿，我清了清嗓子说道："我以前曾经看到、听到过刚才提到的那组统计数据。根据我的经验，上述数据是可信的。我看到过许多公司在创办五年内倒闭。"

"既然如此，那你为什么鼓励人们创建自己的公司？"那位资深投资顾问显然有些不满。

"首先，"我回答说，"我并没有一味鼓励人们创办自己的公司，我是说每个人都应该关注自己的事业。当我说'关注他们自己的事业'时，是指他们应该关注自己的投资组合，那并不意味者一定要创办自己的公司。尽管一个经营状况良好的公司常常是富人变得更加富有的资产。"

"那么，风险状况怎样？"那位资深投资顾问问道："你怎么看待9/10的新办公司倒闭这一现象？"

"是的，你怎样看待？"主持人看到讨论并没有预想的那么激烈后，略微有些失望，但还是接着追问。

"首先，"我回答说，"9/10的新办公司倒闭，那就意味着1/10的公司成功了。当我注意到9/10的公司倒闭，我就明白自己需要作好至少赔9次的准备。"

"你打算在10次里面赔9次？"那位资深投资顾问略带嘲讽地问

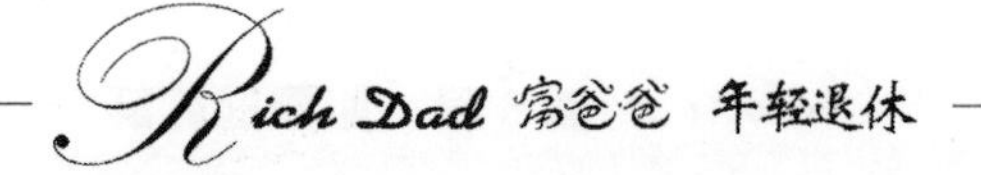

道。

“是的，”我回答说：“事实上，我们都曾经是那9次失败中的一部分，我个人就曾经连续失败了两次，但我接着又作出了第三次努力。”

“你失败的感觉如何？有必要那样吗？”那位资深投资顾问问道。他本人只是银行的雇员，并不是一个公司的老板。

“第一次失败时我感觉糟透了，第二次失败时的感觉更糟，但对我来说，这是值得的。如果没有前两次失败，我就不会提前18年退休，也不会拥有今天的财务自由。”我回答说，“每次失败后我需要一些时间恢复，即便如此我还是感觉不好。如果有必要，我在精神上已经作好了失败10次、甚至20次的准备。我不想失败那么多次，如果真的出现那种情况，我也会坦然面对。”

“对于我和大多数人来说，这听起来有些太危险了。”那位资深投资顾问说。

“我也这样认为，”我回答说，“如果你不想失败或者仅仅只想失败一次，这确实很危险。如果你认为失败是很糟糕的事情，那就更麻烦了。富爸爸曾经教导我，失败是成功的一部分。即使我过去很成功，我仍然认为这个比率不会改变。每次创办公司，我都提醒自己9/10的新公司可能会失败。”

“你为什么那样说？”主持人问道。

“因为我需要审慎和尊重那个比率。我看到过太多的人创办了公司，挣了些钱，接着狂妄自大，认为机会就在自己一边，又创办了新的公司。因为有过去的经验和取得的成就，他们成功的机会可能要高一点点，但我们还是需要谦逊、审慎的态度，懂得9/10的新公司都没有成功。”

“那很有意义，”主持人说：“因此，现在你创建一个公司时就会继续保持谨慎，并尊重1/10的成功率。”

“对，”我回答说：“我有好几个朋友就曾经很自负，将原来公司的所有资金全部投入到新公司中，最后满盘皆失。如果你想成功，就需要一直尊重这个比率，不论你过去有多么成功。每一个专业桥牌选手都知道，不会因为自己刚刚捡到了一张好牌，就会改变捡到下一张好牌的几率。”

“我会牢记这一点。”主持人说。

“我仍然认为那太冒险了，”那位资深投资顾问插话说，“你本人和书中的观点都很冒险。大多数人不会那样去做，他们不会准备创办自己的公司。”

“你同意这位先生的观点吗？”主持人问我。

“他说的有一定道理，”我回答说，“我们现行的学校教育体系培养的是雇员，而不是公司老板，这就是多数人不准备开办自己公司的原因。我同意这位投资顾问先生的观点。”

我停顿了一下，以便让大家都听清楚自己刚才的观点。我虽然也感到了那位资深投资顾问在挑衅，但仍然想避免一场论战。我接着说：“不过，我想提醒您注意，一百年前，很多人是自由作坊主，很多人都有亲戚是农场主或小企业主。可以说他们都是企业家。尽管也有风险，他们仍可以自己经营。直到亨利·福特创办巨型企业，许多人才开始成为雇员。即便在有了像福特汽车公司、通用电气公司这样超大型企业之后，独立小公司还是很兴旺。”

“事实上，小公司带动了几乎所有就业机会的增长，占了国家税收的相当比例。尽管有一定风险，越来越多的人还是选择继续创办自己的公司。如果没有这些公司，失业率将会大大攀升。如果没有这些人主动承担风险，美国只能是一个经济落后的国家。这些企业给了我们所有冒险和增长的机会，如果这些人不来冒险，美国就不会像今天这样繁荣。可以说，甘冒风险的人带来了我们社会的繁荣。”

那次访谈大概又持续了十几分钟，最终也没有形成一致的看法和观点。显然，我们来自不同的现实生活。随着这场争论的继续，我似乎感到富爸爸在说：“生活中的许多争论都源于每个人不同的现实。”

风险回报率在你这一边

我很想对那个资深投资顾问说一句话：风险回报率或许就在我这一边。但那必然又会引起一场无休止的争论。我不想在电台宣讲我的观点，但现在我愿意与大家分享。做任何事情都会有风险，但并不是每次都需要冒险。

多年前，富爸爸对他的儿子和我解释风险、投资回报知识以及取胜战略的重要性，其中取胜战略就包括失败。富爸爸已经注意到9/10的新公司会失败，不过，他还注意到1/10公司的回报远远大于9/10公司的损失。富爸爸接着解释自己的观点："多数人仅仅思考什么是明智的，什么是风险；财商高的人思考的是风险与回报。也就是说，他们不直接说某件事情风险太大、对与错、好与坏，而要衡量风险与回报的多少。如果回报足够多，他们就会为提出一个战略或者计划增加成功的机会，不论在成功之前失败多少次。"

赢家战略

我有一个朋友，他运用自己的风险回报战略，每天进行股票交易。他坚信在每天的20次交易中总能找到属于自己的1次机会，因此他建立了一种自称为金钱管理的战略。如果他用自有资金20万美元的1/10进行投资，那么他实际动用的资金就是2万美元，而他每次交易金额为1000美元。他的战略就是，总有在20次交易中失败19次的足够资金。我曾经见他在14次交易中损失了1.4万美元，接着突然在后面的市场波动中赚了5万美元。尽管它从来没有连续失败那么多次，但他的获胜策略确实验证了在20次中失掉19次的理论。每次赢了后，他马上又回来按照同一个原则，那就是总有1/20的获胜率。他懂得成功率不会随着资金多少而改变，他还是准备好失掉20次中的19次。

输家战略

那些避免失败、希望百分之百获胜的人，常常有个输家战略。百分之百获胜、从不失败，这就是输家幻想的世界。富爸爸曾说："赢家战略中必须考虑到失败。"现在多数人的退休计划中却未考虑失败的可能。大多数人简单寄希望于股票市场的持续走高。当他们退休时，养老储蓄金会维持自己以后的生活。那是一个没有给失败留出空间的计划，因此就是一个输家的计划。赢家们明白失败是任何计划的组成部分。在海军陆战队时，我们常常要执行一些临时应变的计划，这些计划主要是在事件的发展超出我们预期的范围时制定的。现在，大多数人没有退休后的临时应变计划，没有考虑到可能出现的严重市场恶化，或者用尽他们的养老储蓄金。可以说，制定退休计划时，大多数人实际抱有输家战略的想法，没有为失误留下任何空间。

输掉98%的机会

在直销市场，许多人都知道他们发出的信件中98%将不会成交。因此专业直销商估算他们市场活动的回应率为2%，有时候甚至更低。这些2%的交易需要承担没有回音的98%的邮寄资料费用。一旦直销商发现邮件的回应率只有2%，或者稍高一点，他们只是增加邮寄数量，虽然他们明白还将损失掉98%。他们知道如何争取到2%的回应率这个道理，并最终致富。

输家总认为失败是坏事

富爸爸说："输家就是那些总认为失败是坏事情的人。输家不能容忍失败，常常不顾一切地避免失败。很多输家仅仅在有把握的事情上下赌注，这些有把握的事情包括安全的工作、稳定的薪水、有保证的退休金、银行存款利息等等。输家总是输个不断，赢家也总是赢个不停，只是因为赢家懂得输本身就是赢的一部分。”

富爸爸在我们还是小孩子的时候常常问：“你愿意在100次中输掉99次吗?”

他想从我们身上得到的答案是：“如果成功1次的回报，超过了失败99次的风险和代价，那我们就愿意。”他希望我们能进一步解释：“如果我们知道能够赢得100万美元，风险回报率是1∶100，最小赌注是1美元，我们就会拿出100美元。按照我们的策略，每次下注1美元，赌100次。等到我们赢了1次，我们就会运用同样的几率重新开始做，因为这个几率几乎不变。或许我会增加赌注，但只会在100次中连续输掉99次之后。”

富爸爸憎恶赌博，不许我们参与赌博。他仅仅是用这个简单的事例，教育我们运用风险与回报的方式进行思考，而不是用正确与错误、冒险与安全的方式思考问题。

为什么莱特兄弟是对的

富爸爸曾经对他的儿子迈克和我说起自己的基蒂豪克之行，那个地方位于北卡罗来纳州。二战结束时，他刚刚离开军队。他回忆说：“孩子们，有朝一日你们应该去一趟基蒂豪克，看看奥维尔·莱特和威尔伯·莱特兄弟的智慧。他们兄弟俩明白首次飞行肯定有风险，但最终做到了让自己的飞行试验实际上没有多大风险。”为此，莱特兄弟找了一个平坦开阔的松软沙地进行试验，这是一块相对安全的着陆地点。他们并没有像常人那样选择大桥或者悬崖上开始飞行，而是一块平坦开阔的沙地，再加上有助于飞行的强风，不断试验直到成功。

“正因为莱特兄弟乐于智慧地冒险，所以他们彻底改变了世界。如果可能，你们应该找机会去看看那个地方。莱特兄弟俩选择在那里进行试验，并勇敢、明智地面对可能出现的失败，为的是我们今天能够飞翔。现实生活中，很多人不能在财务上实现腾飞，因为他们选择了一味地逃避失败。”2000年8月，我终于站在了那块松软开阔的土地上，再次看到了富爸爸五十多年前目睹的一切：那的确是试飞的最佳地方。

我又想起了富爸爸给我们讲述的莱特兄弟的事情，他当时为我们画了一个图。

富爸爸接着解释说：“当一个人经常说出下面这些话：

1. 我买不起。
2. 你做不了。
3. 我做不了。
4. 那是不可能的。

那么，他们往往是从自己的现实情况出发，是对超出自己现实的想法发表评论。”

他接着说：“当莱特兄弟宣布他们准备进行人类首次飞行时，大多数人说：‘人类永远不会飞翔’。事实上，说这种话的人中间就包括他们的父亲——一位受人尊敬的教士。”看看富爸爸画的草图，你就会发现对于大多数人来说，人类能够飞翔的理想早就超越了现实。因此，他们的评论都在认知范围内。

那么多人说“人类永远不会飞翔”，就是因为人类飞翔的想法远远超出了当时大多数人的想像范围。但是对于莱特兄弟来说，人类飞翔的理想并没有完全超乎自己认为的可能性范围。他们多年来致力于将这种可能性转化为现实的工作。说到金钱的时候也是如此，富爸爸像莱特兄弟那样做了，而穷爸爸没有去做。现在，人们常说：“打破一切常规”、“跳出框框想问题”。富爸爸认为：“‘打破一切常规’、‘跳出框框想问题’的确说得不错，大多数人在一两天内可以这样做。但是问题在于，你可以坚持一年甚至一辈子吗？如果你能坚持做下去，你就会变得越来越富有。”

在前面提到的那次电台访问中，我对那位咄咄逼人的资深投资顾问说，只要最终的回报远远大于风险，自己准备在 10 次投资中输掉 9 次。直到现在，我仍然怀疑他当时很可能根本就没有听懂我的意思。而且可以肯定，他没有听懂我接下来的话：“我在创建新公司的时候，就明白自己很可能失败。我不大考虑自己将要成功的可能性，我认为自己应该从失败开始。”这种思维模式肯定与他的想法格格不入。问题的关键不是谁对谁错，而是我们各自对现实的看法截然不同，由此也决定了我们对世界的看法想法相去甚远。

心智的杠杆

我不是鼓励大家辞职，盲目地开始损失资金或者参与赌博活动，因为这样做其实与希望通过撞大运、中大奖获取退休金一样愚不可及。下面将主要探讨个人现实的差异问题。

我们认为，心智是人类最强有力的杠杆工具。在大多数情况下，凡是我们认为真实的东西最终就成为我们个人的现实。那些认为投资充满风险的人，常常会找到很多事实证明自己的论点。打开报纸，会读到许多人在投资上损失了金钱。这也就是说，人的心智具有选择的能力，可以让人关注自己认为真实可信的事情，而对其他事情熟视无睹。正如当时很多人对莱特兄弟说：“人类永远不能飞翔。”对于克里斯托弗·哥伦布，他们更是质疑：“难道你没有看到世界是平面的吗？”可以说，人们永远认为自己的观点是真实的。

为了能够年轻富有地退休，掌握自己的现实是你所能做到的最重要的事情。如果你能做到这一点，用“越来越少”的努力，争取“越来越多”的结果就会变得非常容易。如果你不能控制和改变自己的现实观点，致富所用的时间之长就会超出自己的想像。最终促使富爸爸走上了富有之路的，不是前面提到的诸如海滨地产一类的东西，而是不断拓展改变自己现实的能力。正是这种不断拓展的能力改变了富爸爸的现实。在购置了那块海滨地产以后，他很快又继续寻找更大更好的地产项目的来检验自己的想法。

另一方面，正是由于穷爸爸缺乏改变自己现实的能力，造成了他工作虽勤勉努力，但财务状况却迟迟得不到好转。也正是穷爸爸的口头禅“我买不起”，最终导致了他的生活状况。其实，穷爸爸是一个非常聪明的人。如果他愿意改变自己的现实，也一定能够买得起那块海滨地产。但是他本人不知道，正是自己的现实阻碍了致富的脚步。他确实认为自己买不起价值数百万美元的地产，这种想法决定了他的现实情况。

归根结底，富爸爸和穷爸爸的主要不同就在于他们各自拥有不同的现实观念。一个愿意不断拓展、改变自己现实的人，即便手头并没有多少资金，他也可能会说："我怎样才能买得起那块海滨地产？"一个不愿拓展、改变自己现实的人只会说："我买不起。"的确，正如我反复讲到的，决定他们两人贫富的因素不是海滨地产，而是他们自己对现实的选择。

1号杠杆

1号杠杆是你的心智杠杆，因为你的现实就在那里形成。我和金为了年轻富有地退休，需要不断控制、改变和拓展我们的现实。现在，我常对人们说："从年薪5万美元辛辛苦苦工作到年薪100万美元是从改变你自己的现实起步的。"

现实的改变不一定意味着就要有大的动作，也许就是个人观念的改变。例如，不必对投资新手说"投资风险太大了"，而是问："风险回报率是多少？"或者"赚钱之前我需要赔多少次？"也不必再简单地说："那块地产价格太贵了！"而是阅读有关地产的书，或者请教那些能买得起的人，看看他们是怎样买下来的。实际上，最重要的事情不是那块地产，而是如何改变你自己的现实。

为什么富爸爸越来越富有，穷爸爸越来越穷困

富爸爸拥有不断改变、控制和拓展自己现实的能力，因此他虽然工作越来越少，却变得越来越富裕。相反，穷爸爸选择了生活在自己的现实里。这个现实在他看来是正确的，也是他惟一可能的现实。他勤勉努力地工作，退休时却很贫穷。他有一个固定不变的现实，不知道如何控制、改变或者拓展它。他常常说"我买不起"，

"我永远不会富裕"，"我对钱毫无兴趣"，"如果退休，我的收入就会下降"，结果，他所说的都变成了现实。

如果你想年轻富有地退休，或许需要改变、拓展自己的现实并且养成这样的习惯，那么正如富爸爸常常提醒他的儿子和我时所说的那样"你的思想和语言最终将成为你生命的一部分。"

多年来不断开拓我们的现实

那个新年夜坐在加拿大寒冷的山上，我意识到需要思考自己现实之外的一些问题。我不断地思考，直到那些可能的想法最终变成了自己的现实。正如莱特兄弟、金、拉里和我多年来也生活在许多人的现实之外。事实上，我们不得不生活在自己的现实之外。我们常常同别人争论，偶尔也会受到各种指责，比如梦想家、笨蛋、莽汉、冒失鬼等。金、拉里和我认为，至少四年内，我们难以看到个人现实的显著改变。也就是说，将可能达到的目标转化为现实需要经过四到八年的时间。

现在，当很多人问我们什么东西可以带来财富时，我常常说："那就是你拓展个人现实的能力。如果你不愿意拓展自己的现实，致富之路将变得无比漫长。"

建议

富爸爸让他的儿子迈克和我拓展自己现实的一个方法，就是让我们大量阅读自己偶像的传记，比如约翰·洛克菲勒、亨利·福特等人的传记。最近，我还阅读了介绍比尔·盖茨、理查德·布兰森、乔治·索罗斯等人的书。

当听到有人说："我已经太老了。"我就会问他们是否愿意读读桑德斯上校的故事，他直到60岁时才成为富翁；当我听到有位女士说："我不会致富，因为那是男人们的专利。"我会问她是否读过

Body Shop 创始人安妮塔·若迪克，或者进入纽约股票交易所的首位女性穆里尔·希弗的故事；而当有人说自己太年轻了，还没有到赚钱的时候，我就会请他们去读读介绍比尔·盖茨的书，他不到 30 岁就已经成为世界首富……如果这些故事还不足以拓展他们的现实，我就怀疑还能有什么东西能够说服他们。

另一本伟大的书是《养生之道》(Body of Life)，作者是比尔·菲利普斯。一个朋友看到我的腰围逐渐变粗，就向我推荐了这本书。我刚刚读完这本书，正在按照书中介绍的计划锻炼身体。比尔·菲利普斯在书中讲了很多类似富爸爸曾经说过的话，当然他讲的是关于身体健康的内容，富爸爸讲的是财务与财富。

如果不考虑书的主题，我发现其实这两个过程非常相近。例如，比尔·菲利普斯写道，首先应该明确为什么要减肥，然后才正式开始减肥。富爸爸同样十分重视这一点，将这个首先要解决的问题称为"为什么"问题。比尔·菲利普斯对于梦想和目标也有十分精辟的论述，详细阐明了两者对于整个减肥过程的重要性。而且，我还发现健康与富有、饮食与超越自我之间都存在着紧密的联系。

比尔·菲利普斯鼓励人们多吃，而不是少吃。如果你想减肥、增强体质、恢复健康，他建议每天最好能吃六餐。他认为，许多想通过节食挨饿减肥的人，其实只能饿很短时间。在这期间，他们肌肉萎缩，脂肪减少，然后又会狂吃一顿，结果适得其反，比以前更胖了。因为饱餐之后，他们有了更多卡路里（热能），却缺少锻炼肌肉来消耗新增的卡路里。作为一个曾经为肥胖而苦恼的人，我太熟悉这个过程了！

富爸爸曾经说，同样的事情还发生在那些通过节衣缩食、降低生活水平、减少各项开支的人身上。不幸的是，很多采用这种行为方式的人，最终却并没有在财务上有多大改善。如果想致富，需要花费很多，但是他们必须清楚怎样花费，在什么东西上花费。正如富爸爸所说："开支也有好坏之分"。同样很多人懂得食物也有好坏之分，就像有人想通过挨饿减肥一样，如果想通过节俭致富，只能在财务上愈来愈脆弱。接着，他们可能会突然陷入一种狂热，当然不是狂吃，而是疯狂购物。结果，也正如狂吃者吃掉了好多没有营养的食品，狂购者买回来的也多是一些没有价值的商品。

比尔·菲利普斯还说：最大的冲动发生在你已经“意识”到失败的时候。我认为比尔·菲利普斯真实的想法是：只有你跑不动了，身体出现了问题，才有可能好好进行治疗。从此以后会注意使自己的身体更加健康。也就是说，让自己的体力超过了极限，你才会慢慢变得更加健康。致富的路上也是如此。很多人没有成功，因为他们不惜一切代价地回避失败。正如前面那位资深投资顾问因为9/10的新办公司失败，就反对人们自己创办公司，大多数人将失败仅仅看做是坏事情。富爸爸教导我，失败是进步和成功之母。我本人从失败中获取的东西，远远大于从别处学到的。尽管有时失败也会给你带来伤害，但失败后的恢复振作过程将会给你的精神和财务带来更多力量。

我遇到过许多人，他们未能获得成功，仅仅因为他们成功地避免了一切失败。

他们避免超越自己认可的现实，因此也就失去了发现自己生活中新机会的可能。正如我一直所说的，正是富爸爸不断改变和拓展自己现实的能力，最终使他获取了很多财富。比尔·菲利普斯谈到健康时说到了同样的道理：呆在自己如何强壮的现实中，你就永远不会更健康。如果想变得更健康、更富有，你就必须不断超越自己的现实，需要不断置身于最新的可能出现的现实中。如果持续不断地超越自己的极限，你就获得了最好的杠杆，获取了变得更健康富有、青春常驻甚至更加美丽的杠杆。对我来说，那就是梦寐以求的杠杆。

如果你乐于拓展自己的现实，可以通过阅读图书、聆听录音和学习那些已经成功拥有你所向往的东西的人。穷爸爸鼓励我阅读像林肯总统、肯尼迪总统、圣雄甘地、马丁·路德·金等伟人的书。事实上，穷爸爸和富爸爸都鼓励我通过阅读拓展自己的现实，只是由于他们来自不同的现实，所以推荐给我的书也就不相同，我也乐意有机会亲历这两个现实。

如果你真想年轻富有地退休，就应该从拓展、改变个人现实入手。

第6章

什么才是真正的冒险

有两个能干的男人做我的父亲，给了我了解不同现实的机会。尽管有时会发生混乱甚至冲突，但是能听到两个不同现实的声音，对我个人的长远发展十分有利。我意识到他们两人都认为自己是正确的，有时还会认为对方错了。

穷爸爸在州政府升迁得很快，不久就从一名教师提升为夏威夷州教育局长。看到这一切，人们就开始议论，有朝一日或许他会参加州长竞选。

在穷爸爸仕途发达的时候，富爸爸却在为摆脱贫困、实现自己的富裕梦想而辛勤工作。等到他的儿子迈克和我上了中学，他已经成了当地有名的富人，并且还在越来越富有。他奋斗了二十多年的计划还在继续。一夜之间，人们开始关注他，关注他的一举一动，他再也不是那个默默无闻的人了。人们想知道，这个忽然在夏威夷购置房地产的人是谁？富爸爸开始时也是一无所有，他制定了一个长期计划，努力按照计划去做，现在终于成为夏威夷州富有而有影响力的人物。

40岁时，富爸爸从我们生活的小镇搬走，接着又在著名的怀基基海滩做了好几桩大生意，当地报纸上有关他这位新贵的文章连篇累牍。不久，他控制了怀基基海滩的大块地产，包括一些外岛的海滨地产。富爸爸不再是生活在荒僻小岛上的穷小子，他逐渐进入了主流社会，慢慢成为一个公众人物。

当穷爸爸和富爸爸的职业生涯取得重大转机时，我正在纽约的军官学校读书。迈克也一下子成了富家子弟，住进了怀基基海滩的一个豪华顶层公寓。他一边在夏威夷大学读书，一边试着管理父亲日益庞大的商业王国。他所住的豪华顶层公寓让人惊讶羡慕，实际上，在上学之余，迈克还要经营他居住的整个公寓。

圣诞节在家休假时，迈克和我在富爸爸的办公室聊起了大学里学到的东西，以及新结识的朋友。我的新同学来自美国各地。我对迈克和富爸爸说："我注意到，人们对金钱的看法有很大分歧。我的同学有些来自非常富有的家庭，有些来自非常贫穷的家庭。尽管大多数人在功课上都很聪明，但穷人和中产阶层家庭出身的同学与富家子弟对金钱的看法相去甚远。"

富爸爸的反应很快，他说："他们的看法不是不同，而是截然相反。"他坐在桌子前，抓起黄色的便笺，写了下列这几组对比资料：

相反的观点

中产阶层	富人
工作安全	创办自己的公司
大房子	公寓
储蓄	投资
富人很贪婪	富人很慷慨

写完之后，富爸爸回过头来看着我说："你的现实是由你认为什么是明智的、什么是有危险的认识所决定的。"

看着他刚刚写出来的几组对比资料，我问道："你的意思是，中产阶层认为工作安全就很好，而创办自己的公司则太冒险了？"我很熟悉这种看法，因为穷爸爸一直这样认为。

“很对，”富爸爸说，“你怎么看待工作安全？”

我想了一会儿，却一无所获。我说：“我不知道你想知道什么。的确，我爸爸和很多人都认为有一份稳定、安全的工作就是很合理的安排。还有哪些方面我没有想到？”

“你遗漏了我本人的现实，”富爸爸接着说，“我曾经说过，中产阶层和穷人有关金钱的看法不仅不同，甚至是相反的。我与你爸爸相反的现实是什么？”

富爸爸的很多现实一下子涌上了我的心头，我说：“你认为创建自己的公司很好，而追求所谓的工作安稳实际上却很危险。这是不是就是你的观点呢？”

富爸爸点了点头。

“你是说建立自己的公司并不危险吗？”我问道。

富爸爸摇了摇头，他说：“不，学习建立自己的公司就像学习做其他事情一样，也会有风险。但是，我认为一生只追求工作安稳，比冒着一定风险学着建立自己的公司更危险。在这里，一种风险是暂时的，另外一种风险则是终生的。”

当时正值60年代后期，大家都还不知道“缩小规模”这个词的含义。我们中的绝大多数人都只知道上学、找工作，而且终生工作。等到退休之后，公司或者政府将会照顾你的生活。学校和家庭都在教育我们：接受良好的教育，使自己成为一名好雇员。虽然没有明确说，但暗示着：上学、成为一个称职的雇员，就是一件很聪明的事情。现在，很多人终于明白，过分追求所谓的工作安稳已经不合时宜，但在当时人们非常看重工作的稳定性。

我看了富爸爸在纸上列出的“富人很贪婪”与“富人很慷慨”的比较，也就明白自己当时的现实是什么。在我们家里，富人一直被看做是冷酷贪婪的人，他们惟利是图，眼中只有金钱，对穷人冷漠无情、毫不关心。

富爸爸指着他写出来对比资料，说道：“你能理解他们认识上的不同吗？”

“他们的看法完全相反，”我轻声说：“不仅不同，那是很多人为什么很难致富的原因。致富不仅仅需要认识上的改变。”

富爸爸点点头，显然对我的回答比较满意，并希望进一步加深我们的印象。他说：“如果你想致富，那么你就需要学会用与现在相反的思维方式去思考问题。”

“仅仅是思维方式的不同吗?”我问道，“做事情时是不是也要有所区别呢?”

“并不一定，”富爸爸说：“如果为了工作安稳而工作，你将辛劳终生；如果为了建立自己的公司而工作，或许在起步阶段更辛苦一些，但是你后来的工作时间会越来越少，而且将比前者多赚 10 倍、100 倍甚至 1000 倍的钱。你说哪个更好呢?”

“怎么看待投资呢? 我的爸爸妈妈一直说投资风险太大，他们认为储蓄更好一些。当你投资时，你的做法有什么不同?”

富爸爸被我父母的那种看法笑得合不拢嘴，“储蓄和投资需要完全一致的行动。尽管你们的想法完全相反，你也可以做同样的事情。”

“同样的事情? 是不是风险更大的事情?”

“不，”富爸爸又笑了，他说：“让我给你上人生中最重要的一课吧，但在讲之前我能不能问一个问题?”我们当时已经长大了些，富爸爸可以讲很多过去没有讲过的事情了。

“当然可以，你可以问任何问题。”我回答。

“你的父母是怎样节约钱的?”富爸爸问道。

“他们努力去做很多事情。”我想了想，然后回答说。

“好的，能不能举出一个例子，是他们花费了很多时间去做的事情。”富爸爸说。

“可以。每周三等到超市宣布食品特价时，我的父母就会找到超市的宣传单制定本周食品预算。他们一直寻找商家的食品优惠政策，那是他们花掉好多时间去做的一件事情。事实上，我们家购买何种食品完全取决于每周超市的优惠项目。”我说。

“接着，他们会怎样去做?”富爸爸问道。

“他们到镇上的各个超市去看，买回超市宣布低价处理的东西。

他们说，购买这些特价食品节省了不少钱。”我回答。

“我对他们的这种做法并无异议，”富爸爸接着问道：“他们购买特价衣物吗?”

我点了点头，“是的，他们买汽车时也是如此，不论东西新旧都是如此。他们花了很多时间购物，为的是能够节约开支。”

“因此，他们认为节约是很好的事情?”富爸爸问道。

“是的，”我回答说，“事实上，当他们找到特价食品时，一下子会买很多，放进家里的大冰箱里。过了几天，他们发现猪排特价，就买下足够吃六个月的猪排。他们热衷于到处寻找这样节约开支的方式。”

富爸爸忍不住放声大笑，“猪排?他们买的猪排多少钱一磅?”

“我不知道，但他们的确买了好多，我们的冰箱常常被装得满满当当的。还有，冰箱里不仅仅有猪排，还有他们从另一个商场买来的正在特价销售的汉堡包。”

“你是说，他们买来冰箱，仅仅是为了存放各种特价销售的食品吗?”富爸爸笑着问道。

“是的，”我回答道，“他们努力工作，积攒每一分钱。他们用很多时间收集各种优惠券，购买各种特价商品。你说说，他们这样做难道错了吗?”

“当然没有错，”富爸爸说：“他们没有错，只是因为他们拥有一个不同的现实。”

“你做不做这样的事情?”我问道。

富爸爸笑着说：“我一直等着你问这个问题。好吧，让我来给你开始讲最重要的一课吧!”

“关于你从来不做像我父母做的那些事情的一课吗?”我再次期待着富爸爸的回答。

“不是，”富爸爸回答说，“是关于我如何做与你父母所做的完全相同的事情。事实上，应该看到过我做的那些事情。”

“什么?”我不禁一惊，“你也买特价品，然后把自家的冰箱塞满吗?我好像并没有看到过你这样做。”

“不是你没有看到过，”富爸爸说，“我购买那些正在出售的东西，扩充自己的组合投资。”

听到这句话，我愣了半天，接着问道：“你购买东西是为了扩充自己的组合投资，而我父母购买是为了填满自家的冰箱？你的意思是你也做类似的事情，但是购买、填满的东西不同？”

富爸爸点了点头，他想让自己的教诲能够进入我21岁的大脑。

“你们做着同样的事情，但是，我的父母越来越穷，你却越来越富。你所讲的就是这样的一课吗？”我问道。

富爸爸点点头，他说：“这些只是其中的一部分。”

“另一部分是什么呢？”我接着追问。

“好好想一想，”富爸爸说，“想想我们一直在说什么？”

我想了好一会儿，这节课的另外一部分慢慢在脑海中浮现。“哦，”我说，“你和我父母虽然做着同样的事情，但你们的现实却不同。”

“哈，看来你快要理解了，”富爸爸说，“他们认为怎么做是聪明的，怎么做是又是冒险的呢？”

“噢，”我大声说，“他们认为节约、储蓄是聪明的，而投资是冒险的。”

“已经接近了。”富爸爸说。

“他们认为投资是冒险行为，因此他们努力工作，节俭储蓄。事实上他们在做着与你相同的事情。如果他们改变了自己的现实进行投资，像购买猪排一样精打细算，他们一定会越来越富有。你和他们做了同样的事情，但是你购买公司，投资房地产、股票、债券，以及其他商业机会。你为了自己的投资组合而购买，他们为了自家冰箱而购买。”

“他们做着同样的事情，但是从不同的现实出发。”富爸爸接着说，“决定他们长期陷于贫穷或中产阶层的因素是自己的现实，而不是行为本身。”

“他们精神的现实使自己陷入贫困，”我轻声说，“也就是说，正是对什么是聪明什么是冒险的不同认识，决定了我们一生的经济地位。”我使用了刚从大学经济学课上学到的新词语。

富爸爸接着说：“虽然我们做着同样的事情，但是我们的出发点不同。我从一个富人的立场开始行动，你的父母从一个中产阶层的立场开始行动。”

“这就是你一直所说的‘你认为什么是真实的，你的现实就是怎样的’的原因吧。”我轻轻地加了一句。

富爸爸点点头，接着说：“因为他们认为投资充满风险，所以常常注意那些已经或即将损失资金的例子。他们的现实使自己对其他现象熟视无睹，只看到了自己认为正确的事情，即便那并不完全正确。”

“因此一个认为工作稳定是最明智选择的人，很容易找到证明自己观点的例子，也很容易找到建立自己的公司充满风险的例子。人们都可以找到证明自己观点的证据。”迈克好不容易插了一句。

“很对，”富爸爸说，“这样做有意义吗？你有什么感受吗？”

我点点头，心中还在慢慢回味着富爸爸刚才所讲的内容。接着，我指着便笺上富爸爸写的“大房子”和“公寓”，问道：“我的父母一直梦想着购买更大的房子，而你一直在购买更大的公寓。你们都在做着相似的事情，是吗？”

“是的，”富爸爸接着问我：“为什么你的父母一直想买更大的房子？”

“因为我爸爸的薪水在不断上升，需纳税额也在不断增加。会计师就劝他购买更大的房子，以便享受因偿还抵押贷款而获得的税收减免。”我回答说。

“而且，他自己也认为这是一个明智之举，对吗？”富爸爸问道。停了一会儿，他接着说：“因为他认为房子是自己的资产，他可以从中获得不少政府的税收减免。”

我点了点头，说道：“他们认为购买公寓充满了风险。”

“我们都得到了同样的税收减免，不过我因此越来越富有，而你的父母却使自己的生活更紧张，工作压力更大。我是由于优良债务获得了税收减免，这些债务让我更加富裕，而你的父母是因为不良债务获得了税收减免。现在，你领悟了每个人对‘明智’与‘冒险’的不同理解是如何决定了自己的现实了吗？”富爸爸问道。

迈克和我都点了点头。“我现在更明白了。”迈克说。

“但是，如何理解‘富人很贪婪’与‘富人很慷慨’呢？”我问道。

“首先，你不能将穷富与个人的贪婪、慷慨与否联系起来。世界上有许多贪婪的穷人，也有不少慷慨的穷人，反之亦然。正如我经常向你们所说的那样，致富之路有很多。你可以通过购买便宜东西积累个人财富，问题是你最终只能不断购买便宜东西。你可以通过与人联姻致富，这非常普遍，但我们都知道那会让你付出什么代价。招摇撞骗也可以致富，但是如果致富比蹲监狱容易得多，为什么要冒蹲监狱的风险呢？靠运气有时也可以致富，问题是如果还想更富裕，你就只能依靠智慧而不是运气了。”

以前曾经听富爸爸讲过好多次，这一次我真希望富爸爸能够讲讲怎样慷慨地致富。我不禁又追问道：“‘富人很贪婪’与‘富人很慷慨’之间到底有什么区别？”

“你们还记得我曾经说过的，用‘越来越少’的劳动换取‘越来越多’的结果吗？”富爸爸反问道。

我和迈克都点了点头。

“好吧，用‘越来越少’的劳动换取‘越来越多’的结果，就是一种慷慨的形式。事实上，慷慨是致富的捷径。”富爸爸说。

“你是说，可以通过为更多人服务而致富？”迈克有点困惑。

“对，”富爸爸说，“当我想赚更多钱时，所要做的第一件事就是问自己，我怎样才能为更多的人服务。”

迈克转过头来对我说：“爸爸从来没有说过这些，不过我想今后你得准备好听他详细解释了。我们现在已经不是小孩子了，可以更好地领会他的观点。”

“领会什么？”我问道。

“还用我告诉你吗？”迈可一脸的坏笑。

“其实你已经开始理解了，这样你就可以结束学习了。”迈克回过头来，低声对我说："你爸爸常常对你说富人贪得无厌，是吗？"

我点点头，肯定地说："他曾经说了好多诸如此类的话。"

"他那样说的原因是，他认为富人应该给那些在某个职位上干了很长时间的雇员支付更多的薪水。他称之为资历或岗位津贴，对吗？"

我点了点头。

"你能理解对于大多数人来说，通常一个人的工作量是有限的，或者只能做同样的工作，是吗？"迈克轻声问道。

"我理解，"我回答说，"但我爸爸不这样看，他相信薪水应该随着忠诚度和工作年限资历的增加而增加。"

"因而你爸爸认为富人很贪婪，因为他们不愿为雇员的忠诚和工作年限资历付费。是那样吗？"

"是的，"我回答道。

"你认为做同样的工作，却希望得到更多的薪水是贪婪吗？"迈克问道，"或者，如果所做的工作超出了范围，就应该支付加班费或额外的费用吗？"

"但是，那正是我爸爸和许多人赚钱的主要途径呀，"我说："那也是他们的现实。"

"还是那个问题，"富爸爸说，"还是'现实'的问题，我们来自不同的现实。在我看来，干同样的工作却希望得到更多薪水就是贪婪。我认为如果想得到更多的钱，首先就要用越来越少的代价，干越来越多的工作，并且为尽可能多的人服务，那样我才可能最终致富。"

"这就是爸爸让我们阅读亨利·福特传记的原因，"迈克说，"亨利·福特成为世界上最富有的人之一，是因为他为越来越多的人提供了价格越来越便宜的汽车。在我爸爸看来，亨利·福特是一个非常慷慨的人。然而，很多人认为亨利·福特是一个非常贪婪的人。在他们的现实里，他剥削工人。可以看出，这种分歧源于他们各自不同的现实。"

"可以理解，"我说，"随着一天天长大，我已经注意到，愿意用越来越多的劳动和服务换取相对少的收入的人，与那些愿意用越来越少的劳动换取越来越多收入的人之间的显著区别。在我爸爸看来，大学教授讲授的东西应该最少，获取的报酬却应该最多。他们被称为‘终身’教授，那是他们向往的职位。”

“而且他们认为那是很‘明智’的事情，”富爸爸说，“但那不是我所向往的方式。”

“那就是你爸爸的房子比我爸爸的价位的房子更宽敞的原因，”迈克说，“我爸爸花去好多年时间购买和建造公寓，以便为更多的家庭提供他们可以承受的房子。他建的公寓越多，房租也就降得越多。如果没有一大批像我爸爸这样的人，公寓就会很少，那些低收入者将因此而负担更多的房租。公寓越多，就意味着房租越低，这符合经济学中最基本的供需平衡原理。你爸爸努力工作，为的是自己和家庭拥有更大的房子。他想到更多的是自己的家庭，不是为别人提供房子，但是他却认为富人很贪婪。那是你爸爸的现实，不是我爸爸的现实。”

我静静地坐着，为迈克和他爸爸能够与我如此平静坦然地面对这个话题而高兴。他们竭尽全力为我指出‘贪婪’与‘慷慨’的区别。在20岁那年，我的现实开始有了一个很大的转变。我明白自己应该选择自己想要得到的现实，那也正是富爸爸的现实。在那种现实中，大多数富人都很慷慨。从此以后，我明白了如果想要致富，首先必须设法变得更慷慨些。我懂得了可以尝试少工作多收益而致富，但是，我更懂得可以通过为更多人做更多工作而致富。我选择了那种现实，正如富爸爸所说：“这两种想法不是有区别，而是截然相反。”20岁那年，我开始运用与自己家庭完全相反的思路考虑问题。我意识到自己家庭的思考模式实质上是很贪婪的。为了年轻富有地退休，需要做的就是让自己变得更加慷慨，而不是越来越贪婪。

在“富爸爸”系列丛书第二本《富爸爸财务自由之路》中，我曾经讲过，不同的人处于不同的象限，那张图表如下：

不同的象限代表不同的现实。一个人如果想改变自己所处的象限，或者想要两个或者更多的象限，就必须改变自己的现实。例如，E象限代表雇员，他们往往从工作安全的现实看待世界。

S象限代表了小企业主或者自由职业者，他们用个人独立、自由或者坚忍不拔的精神看待世界。即便在S象限与B象限的对比中，你也会看到杠杆的力量。小企业主与大企业主的主要区别在于他们服务对象的多少。大企业主竭尽全力建立一个系统或制度，为尽可能多的人服务，小企业主常常依靠自己个人的力量为他人服务。S象限存在的问题是小企业主即使整日劳作，也不会像大企业主那样为那么多人服务。因此，小企业主与大企业主的一个区别，就在于小企业主用个人的力量为人们提供服务，而大企业主则利用系统、制度为更多的人提供服务。

I象限代表投资者，那是富人的训练场。投资者依靠钱生钱，他们不必工作，因为他们的钱在为自己工作。

建议

也许你想对自己进行一个测试，测试的内容通常如下：

你的家人对下列问题所涉及的现实是如何回答的？

	明智		冒险
1. 工作安全	____		____
2. 建立自己的公司	____		____
3. 一幢大房子	____		____
4. 公寓	____		____
5. 储蓄	____		____
6. 投资	____		____
7. 富人是 贪婪的	____	慷慨的	____

好了，现在或许你想在自己的现实上进行同样的测试。我请你首先对自己家庭的现实进行测试，因为家庭现实影响力非常巨大。在对比了自己和家庭的现实之后，你或许就会理解同一个家庭的成员之间，现实其实也有很大不同。

为了年轻富有地退休，我在决定自己的现实之前，不得不首先彻底抛开自己家庭的现实。为了我和金能够年轻富有地退休，我们不得不寻找为越来越多人服务的途径，而不是相反的途径。

第7章

怎样才能少工作多赚钱

“如果你想致富，”富爸爸说，“就不要期望加薪。相反，你要开始思考怎样才能为更多的人服务。事实上，如果你急切盼望致富，就真的不要寄希望于加薪。如果获得了加薪，你可能就是为一种不适当的钱而工作。”

在前面几章中，我曾经讲过如何通过增加债务致富，而不是像很多人那样消除债务。这种思想背后的逻辑基础是，债务也有优良债务与不良债务之分，而大多数人背负着不良债务。收入也是如此，有优良收入与不良收入之分，很多人没有注意到这一点。大多数人未能致富，因为他们勤勉工作，得到的仅仅是不良收入。当你要求加薪时，实质上就是在追求一种不良收入。如果想年轻富有地退休，你就需要为一种优良收入而勤勉工作。在富爸爸系列的前几本书中，我曾经将收入分成三种不同类型，它们分别是：

1. 工资收入。工资收入就是你为钱而工作得到的收入，它以支票的形式付给你。当你要求加薪、奖金、加班费、佣金或者小费时，你还可以得到更多。

2. 组合收入。组合收入通常来自于有价证券，如股票、债券和共同基金。将来，绝大多数退休金将要依靠组合收入。

3. 被动收入。被动收入通常来自于房地产投资，它也可以来自于个人专利或者知识产权，比如歌曲、图书或者其他知识产品的收入。

富爸爸为什么不喜欢工资收入

在富爸爸的头脑中，最不好的收入莫过于勤勉工作带来的工资收入。对他来说，那是最差的收入，主要因为以下四个原因：

1. 它是课税最重的收入，而且你对纳税多少最没有发言权，也无法自行确定纳税时间。

2. 你不得不整日为此劳作，耗费了自己一生最宝贵的时间。

3. 几乎没有什么杠杆可以利用，多数人增加自己工资收入的主要途径仍然只能是更卖力地工作。

4. 你的工作很难有什么剩余收入。也就是说，你工作拿到薪水，接着又得为了拿到薪水而去工作。这种反复轮回，在富爸爸看来，意味着个人几乎没有什么可利用的杠杆。

随着年龄的增长，我总感到富爸爸不喜欢工资收入是一件很有趣的事情。他常常说："对孩子最糟糕的建议，莫过于让他上学读书，以便谋得一份高薪工作。"那样说并不意味着他对学校本身很反感，其实他反对的是让孩子终其一生，仅仅是为了拿一份薪水而工作。我知道，大多数人向往那种能给自己带来很多工资收入的高薪职位。这也正如我前面所说的，很多人的现实不仅仅是不同，而是截然相反。富爸爸也说："让人终生为了一份工资而工作，就像教人做一个生活的高薪奴隶。"

为什么富爸爸喜欢被动收入

尽管拥有全部三种收入方式，但如果让富爸爸从中选择一种自己喜欢的收入方式，他肯定每次都会选被动收入。这是为什么呢？因为那是他付出劳动最少的一种收入，纳税也最低，而且长期以来它一直为自己带来的收益最高。也就是说，他努力争取被动收入是因为从长远来看，他付出的劳动越来越少，服务的人却越来越多，等他年老之后得到的收入也会越来越多。

为了年轻富有地退休，我必须懂得要努力赚哪一类钱。我和金能够提早退休，就是因为我们制定了努力工作获取被动收入的计划，而不是像大多数人那样争取工资收入。另外一个不同就是，我们打算退休时拥有更多被动收入，而不是简单的组合收入，而后者正是大多数人退休后依赖的。大多数人退休后主要依赖的组合收入，并不总是一种最好的收入，因为在三种收入中，它负担的税率居于第二位，而税务负担往往是个人一生中最大的一笔开支。我们下面将要进一步做出解释。

富爸爸拥有上述三种收入，因为每种收入都有优点和不足。穷爸爸辛勤劳作一生，仅仅依赖一种收入。当我们分析他们的一生时可以看到，正是这个小小的不同造成了他们最终财务状况的天壤之别。

富爸爸穷爸爸为不同类型的钱而奔忙

富爸爸穷爸爸都整日奔忙，但却不是为了同一类型的钱。穷爸爸反复强调说："好好上学，那样你才能找个一个高薪工作。"富爸爸则说："不看你挣多少，而看你最终拥有多少。得到工资收入最辛苦，最终留下来的却最少。"

第一种　50%的钱

富爸爸常常将工资收入，也就是从工资卡里得到的收入称为"50%的钱"。因为不论你挣了多少钱，政府总是通过一种或多种方式至少从其中拿走50%。如果你现在年薪5万美元，那么至少2.5万美元最后要被政府拿走，而且大多数在你接到这笔钱之前，就已经被扣除了。即便你拿到了剩余的2.5万美元之后，各种税还会接踵而至。正如很多人所了解的，当你赚钱、消费、储蓄、投资甚至当你死亡时，都不可能摆脱纳税。事实上，如果没有作好准备，去世时你所承担的税费将会非常之高。正如富爸爸常说的，“如果你对去世后自己的钱没有一个计划，那么政府就会替你想办法了。”

在富爸爸看来，个人辛辛苦苦地工作，最终却被政府拿去至少50%的收入，实在不是一个很明智的决定。

(几年前，各项税率甚至超过了50%。最近几年税率相对较低，但为了补偿损失，许多税则漏洞被堵塞了。事实上，在富爸爸主要依靠工资收入的那些年代，他常常称自己的工资收入是80%的收入，因为当时政府拿走了高工资收入者80%的钱。)

穷爸爸从来不懂不同类收入之间的区别，因此他为了那50%的钱辛勤工作，接着听从会计师的建议购买更大的房子，以便获得从来没有真正享受过的税收减免。他从不深入了解不同收入之间的区别，往往重新回到学校进修，以便获得晋升和加薪。也就是说，他努力工作，努力学习，挣的多，纳税也就越来越多，因为他是为了50%的钱而工作。

富爸爸很难理解那些终生寻求高薪工作或者不断希望加薪的人，他经常说：“当你获得加薪时，政府同样也会得到更多钱。”对他来说，用终生辛劳得到50%的钱，在财务上实在不是明智之举。

第二种 20%的钱

大多数人想利用富爸爸所说的20%的金钱，也就是资本收益、股票增值或者有时还包括房地产收益来维持退休生活。仅仅几年前这个比例还很高，也就意味着为了资本收益而工作现在似乎显得更明智一些。如果你听到政客们说：“我的对手正在给予富人税收减免。”他们其实往往正在给予投资收入一些税收减免。

许多人在财务上更聪明些，不愿意为了工资收入而卖力工作。许多人寻求认股权，如果公司经营成功，他们将获得20%的钱。(其中一部分被当做工资收入，但随后的增值部分将是20%的钱。)如果

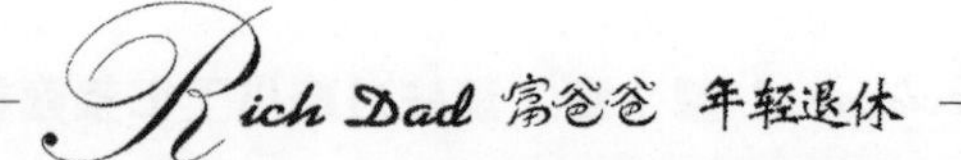

公司的市值没有提升，那么认股权可能也就一文不值。关键在于人们能否理解税收优势，以及不同类型收入的杠杆能力不同。富人与穷人之间差距不断加大，因为很多人没有注意到收入类型的不同。他们辛勤工作，得到的却是一种并不适当的收入。

第三种　0%的钱

我和金提早退休的一个原因是我们利用了纳税延迟资金——他被富爸爸多次称为0%的钱。纳税延迟资金是资本收益中没有马上纳税的钱，而且只要我们选择纳税延迟，一般都可以得到。

例如：我们首付5千美金，买下了价值5万美元的房子。两年后，我们以10万美元的价格转让。我们得到的资本收益应该是5万美元，但我们选择不缴付资本收益的20%，也就是1万美元。如果从股票或者共同基金中获取同样一笔钱，大家可能只有马上纳税，而我们则在这次交易中可以延缓缴纳收益所得税，并且用5.5万美元投入到下一个项目中。这5.5万美元中，包括这次5万美元的收益，以及当初5千美元的定金。也就是说，我们两年之中获得了5万美元，也就是1000%的收益，并且没有马上纳税。在法律规定的范围内，我们纳税延迟，而且用从技术上讲属于政府的钱作为首付款，投资购买一个价值33万美元的公寓。接着，我们利用银行的钱和卖家的部分资产，填补了自己剩余的27.5万美元资金缺口。我们不仅运用了其他人的钱，还运用了政府的钱，从而使自己能够年轻富有地退休。从1988年到1994年，我们多次运用了这种投资和纳税策略。

在美国，与投资有价证券相比，投资房地产的一个优势是可以合法获得免税代码。政府这样做的目的是鼓励投资者继续将资金投到房地产项目上，从而为那些不买房或者买不起房子的人提供住处。这些税收减免让我和金这样的投资者不断提供大量出租房屋，抑制了房屋租金的上扬，使许多无房者的租金支出大大降低。因为房地产业是美国经济的重要组成部分，上述纳税优惠让美国的房地产业充满生机，促使国家经济一直保持强劲增长。如果房地产业受到打击，美国经济势必受到严重影响。

免税的钱

获取免税的钱的途径也有不少，其中一个就是投资免税的市政债券。比如，一个人用1000美元投资年利率为5%的免税债券，意味着这个人每年可以获得50美元的免税。尽管这听起来并不十分令人振奋，但是很多时候这样的结果也是人们所渴望得到的。

免税的0%的钱

另外一个获得延迟纳税的途径，就是从改造现有房产中获得。比如，购买10万美元的租赁房产。其中土地价格是2万美元，房屋价格是8万美元，政府允许每年有一定比例的房屋折旧费，而且这笔折旧费不用纳税。如果政府答应我们总共20年8万美元的折旧计划，那就意味着，每年我有4千美元额外收益不用纳税。当你的组合投资额达到数百万美元的时候，4千美元不是一个大数目，那仅仅是折旧费，如果与其他并非真正损失的损失加起来，就有可能是很可观的数目。

富人合法获得税务减免的一个办法，就是不断延迟自己的房地产收益，直到他们去世前，再将那些房地产变为一些类似于慈善基金的东西。如果那样做的话，他们可能就不必为过去所有延迟并使用了大半生的资本收益或折旧费纳税。正是由于这些法定的税收减免，许多富人在生命结束前，往往捐出他们的公寓或者房地产。通过捐赠资产的税费延迟，他们家族往往变得更为富有，甚至无需资产。他们有了足够的钱获取其他资产，可以再次慷慨出手了。

称职的顾问

这个时候，对你最好的建议就是寻找能干称职的顾问。我不是税务律师，不是税务会计，也不是房地产律师。这些高度专业化和非常复杂的法律领域，需要你寻找最好的顾问，尤其是在你已经或准备致富的时候。正如富爸爸常常提醒的："最昂贵的建议往往都是所谓免费的建议，它往往来自于那些现在没有也从不准备致富的亲戚朋友。"

糟糕的顾问

糟糕的建议不仅可以来自于朋友和家庭，也可以来自于所谓的专业财务顾问。很多人被告知说，家庭是他们获得税务减免的最好途径。但在我看来，这种建议却属于糟糕建议之列。在美国，个人用来支付利息的钱中，政府允许你得到30%左右的税务减免。这意味着，如果你缴纳给政府1美元，政府会允许你个人保留其中的30美分。但是，假如这样做对你有什么意义的话，那你就先送给我1美元，然后我可以送还给你50美分。

另外一个问题是，很多财务顾问没有告诉你，如果你的工资收入超过了12.5万美元，你将开始失去房子的利息税减免。因此，我认为不能辛辛苦苦拿工资收入，然后为了所谓税收优惠而购买一所大房子。

获得税收减免的最好办法

在前面几章中，我已经讲过人们对于明智和冒险的不同认识。在我的第一个例子中，我提到穷爸爸认为看重工作安全最为明智，创建自己公司就是冒险。富爸爸的观点恰恰相反，他说："如果你为了工作安稳而工作，那么你工作得越来越多，得到的却会越来越少。

对我而言，为了获得所谓的一点点安全，付出这样的代价就太大了。”

现在的情形同我小时候没有多少变化，少工作多赚钱的最佳途径仍然是首先拥有自己的企业。创建自己的企业也一直是世界上获得税收减免的最好办法，开创自己企业的一个原因是：

缴税时，你就会与过去有所不同。

雇员	**企业主**
收入	收入
纳税	消费
用纳税后剩余的钱消费	为消费之后剩余的钱纳税

现在，雇员们用一生中最宝贵的东西去换来税后的收入。比如，大多数雇员不得不用税后收入来买车。对于企业主来说就大大不同，如果他的车用于商业，或者为了某些特定的用途，那么他就可以用税前收入购买。当你为了50%的钱工作时，你的汽车比老板的汽车实质上昂贵了好多，即便你的车价本身便宜。企业主还可以在很多场合下使用税前收入交易，比如足球票、旅游费用、餐费、孩子看护费等。企业主可以用税前收入支付上述费用，而员工们只能用税后收入支付。（当然，企业主的财务支出必须符合企业财务规则，也可能要受到另外一些限制。）因此在美国，不仅大多数人为了50%的钱而工作，而且他们还得用剩余的收入购买相对昂贵的东西。当我跟着富爸爸探讨这个问题时，我也很快意识到追求所谓的工作安全，所付出的代价确实是太大了。

特别提醒

> 本书不是一本法律教科书，只是提醒大家注意收入上的不同。因为在你赚钱的过程中，那是减少税务支出的合法途径。如果你利用同样的策略，只是想方法设法减少税务支出，那么你就很有可能触犯法律。这是非常重要的一点，也是我鼓励大家寻求最好税务顾问的原因。我遇到过很多人，他们做事的惟一目标就是减少税务支出，最终受到了政府的严厉惩罚。再次提醒大家，寻求这个法律领域最好的专家帮助弥足珍贵。

如果希望得到更多有关税务和其他合法税费减免策略，那就敬请登录 www.richdad.com 网站，查看我们价格 10 美元的录音带以及富爸爸顾问系列图书。录音带是我与顾问们关于一些操作技巧的访谈，图书则是我们的顾问对于各自专业领域的分析。切记，它们仅仅是教育产品。采取任何财务行动之前，都应该首先向专业顾问咨询。

极少的税收减免

当你学习掌握了现金流象限，你可能就会很快意识到对于雇员来说税法简直糟糕透顶。事实上，正是这些低收入的雇员承担的税率最高——我们的政府就是这样“保护”工薪阶层的。即便是处于 S 象限的自由职业者，也要比处于 E 象限的雇员拥有更多的税收减免机会。

最好的当然是 B 象限，因为 B 象限允许你充分利用不同象限的不同法律优势。比如，作为处于 B 象限的人，我可以利用 E 象限、S 象限以及 I 象限的各种税收优惠。对于 E 象限和 S 象限的人来说，却无法做到这一点。也就是说，在美国，如果你是一个雇员，或者是一个像律师、医生那样的自由职业者，你就永远无法享受到B象限的人所拥有的很多税收减免。而B象限的人却可以方便地得到E象限、S象限和I象限的各种税收减免。需要再次提醒的是，如果你想运用法律允许的各种税务优惠，寻求优秀的财务、税务建议和计划都是十分重要的。

你辛辛苦苦究竟是为了哪一类钱

问题在于，你整日辛辛苦苦地工作，究竟是为了哪一类钱？如果你是为了50%的钱而工作，你就必须比别人更努力，因为E象限人拿到的钱是最为昂贵的。如果你向任何一个财务顾问请教，等到的回答可能会很让你失望，仅仅因为你处于E象限，他们能为你做的事情非常有限。实际上，政府已经封堵了这个象限的许多税收优惠。

对于处于E象限，也就是雇员象限的人来说，你获得的最大税务优惠就是你的401（k）。我也有一个。不论你正计划着变得安全、舒适或者富裕，每个人都会充分利用自己的401（k）优惠。对于E象限的很多人来说，这是惟一真正能得到的优惠。

401（k）存在的问题

如果符合条件，虽然我鼓励大家充分利用401（k）优惠，但是，我发现401（k）其实也有一个重大缺陷。你将部分工资收入存入其中，增值情况良好，并且在退休取出时获得了20%的资本所得税减免，但是，实质上你已经是二次纳税，因为你的工资收入本身就已经承担了很重的税率。尽管你认为自己正在进行组合投资或者投资20%的钱，但是，提款时你会发现，你还要缴纳与工资收入一样的税费。也就是说，即便你投资了可以获得税务延迟的20%的钱，但是当你需要现金时仍然要缴纳50%的税。那意味着你为了50%的

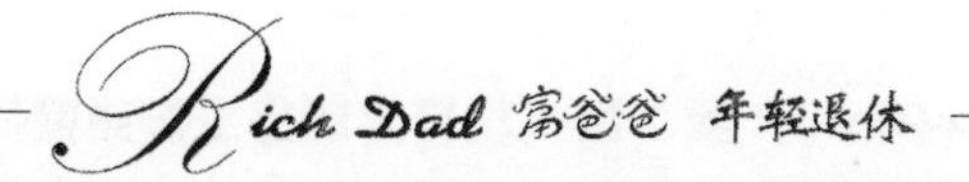

钱辛劳终生，当你退休时，你仍然要缴纳50%的税。

401（k）存在的第二个问题是，它仅仅为打算终生贫困的人服务。如果你退休后收入仍然很高，你将继续为退休金缴纳高昂税金，因为你的收入提高了，而不是降低了。

让我们讨论三种不同层次的财务计划，一种安稳，一种舒适，还有一种富有，切记每一种计划都有不同的投资工具。401（k）计划和储蓄是实现安稳和舒适计划的有机组成，却不是致富计划的一部分。

社会保险存在的问题

社会保险存在的问题在于，它只是为那些想做穷人的人服务。如果退休后忽然发现社会保险不足以维持自己的生活，你又会出去为薪水而工作，政府就会开始减少你的社会保险金。也就是说，在大多数情况下，获取全额社会保险金的惟一前提是你选择做一个穷人。

储蓄存在的问题

对于那些坚信所有的钱都应该存入银行的人来说，储蓄是一件明智的选择，他们的钱为50%的钱工作。我在银行也有存款，但我并不觉得储蓄像很多人认为的那样明智。我有银行存款，那是作为自己安全、保险的财务计划的一部分，而不是致富计划的一部分。尽管我认为让自己的钱去赚50%钱的同时又遭遇通货膨胀，并不是一个是明智之举。

最糟糕的现实

在接下来的几章中，你就会明白为什么从税务角度讲，最糟糕的建议莫过于："读书上学，找个工作，工作勤勉，积极储蓄，然后将钱投入到401（k）计划中”。这条道路上的每一步建议都在鼓励人们为了50%的钱而辛勤工作。穷爸爸之所以贫穷，就是因为这是他对自己和孩子的建议。在说到金钱的时候，这是他惟一的现实。

如何获得更多有税收优惠的收入

如果你也想年轻富有地退休，你就需要听从富爸爸的建议。他的建议也是从建立自己的企业开始的。

通过创建一个小型家庭型企业，购买特许经营权，或者加入网络销售公司，你就会获得很多税收优惠收入。如果你压缩开支，利用税收优惠的收入，你可能就会在财务上占据主动。但是，切记你的目标应该是多赚钱，而不是仅仅少纳税。它们的区别是：一个是税务计划，一个则是逃税。

如果对寻求如何获得税收优惠的收入感兴趣，你可以访问我们的网站，寻求我们为大家提供的更多培训产品。比如，由我的个人税务会计师戴安·肯尼迪设计的两种产品，分别是：

1.《走向财务自由之路的第一步》（*Your First Step to Financial Freedom*）：一个四盒装录音带，练习簿。

2.《致富的窍门》（*The Loophools of the Rich*）：富爸爸顾问系列丛书之一，华纳出版公司出版。本书详尽阐述了如何拥有一个公司来帮助自己获得更多的税收优惠。

但是一定要注意，即便是像上述这样可以信赖的图书产品，也无法取代你的专业顾问。对于那些急切渴望致富并且想长久拥有财富的人来说，税务战略可不是自己动手就可以解决的问题。上述两项产品会对你寻找称职的顾问提供很大帮助，让你明白寻找什么样的人，如何寻找这样的人，也可以让你提出更有智慧和分量的问题来。

不为赚钱而工作

在《富爸爸，穷爸爸》中，我曾经讲了一个故事：富爸爸每一个小时就拿走我10美分，让我不为赚钱而工作。很多人认为那是一个有趣的事情，但是不为赚钱而工作却不是他们现实的一部分。我想告诉大家这样一种思想：如果你想为税务延迟或免税的钱而工作，那就意味着在大多数情况下，你需要不为赚钱而工作。

付酬劳动收入的税费一般是最高的，因此在学校遇到聪明能干的年轻人为找到高薪工作欣喜若狂时，我常常为他们暗暗担心。一个抱有这种思想和现实的年轻人，就是那种将来为了50%的钱工作越来越辛苦的人。直到他们40岁了，也拥有了高薪工作，忽然有一天感到很困惑：为什么一些朋友在财务状况上已经远远超过了自己？不辞辛劳的员工财务状况最终落后于别人，主要因为他们赚的是工资收入，他们勤勉工作仅仅是为了加薪或者奖金。

即使穷爸爸底薪高于富爸爸，富爸爸还是最终赶上并超过了穷爸爸赚钱的极限。富爸爸说："你一定要投入时间，无论你是否为工资收入、组合收入或者被动收入而工作。为工资收入而工作的人面临的困境是他们不得不终日辛劳，最终自己的最高收入也要远远低于那些为组合收入或被动收入而工作的人。因为当你为组合收入和被动收入工作时，将会工作少收益多，而且缴纳的税费也越来越少。"

下列这组对比数据也可以说明这一点：

工资收入	50%的钱
组合收入	20%的钱
被动收入	0%的钱

穷爸爸被富爸爸在财务上最终超越，仅仅因为工资收入常常源于劳动，而其他两种收入源于资产。随着时间的推移，为富爸爸工作的资产数量和规模在缓慢、稳步地增加。对于穷爸爸来说，仅仅

知道通过自己更加辛勤地工作获得更多50%的钱。

E象限的人几乎无法控制自己的税费，因此不得不承担最高的税费，即便退休也是如此。如果你现在的收入主要来自于E象限，你或许真应该考虑设法从其他象限赚钱了。S象限比E象限多了一些优势，主要就在于能够从税前总收入中扣除某些支出。E象限和S象限共同存在的问题在于，个人劳动的杠杆因素非常小，而承担的税费仍然较高。最能够自己控制税费、具有最大不劳而获的杠杆潜力，而且有最合法的税务优惠的是B象限和I象限的人。

如果你迫切希望能够年轻富有地退休，你或许应该考虑如何不为赚钱而工作。当你扪心自问："我怎样才能通过不为赚钱而工作致富?"这一刻你可能开始将你的思想带入了另外一个现实。如果你的脑海中还是茫然一片，不知所措，那就要设法改变你的现实，花些时间和精力研究一下B象限和I象限人的致富之路。

富爸爸说："为了钱而工作很难致富，如果你想成为真正的富人，那就好好学着如何建立、购买或者创造自己的资产。只是为了加薪而卖力工作是很危险的。"因为人们为了加薪而工作，就像深深陷入老鼠赛跑的怪圈一样，而另外一些人则在财务上遥遥领先。

许多非常富有的人，在他们自己的休闲时间还可以变得更富裕。因此，如果你有了工作，那就继续工作，但是一定要利用好自己的业余时间。当朋友们在打高尔夫、钓鱼、看电视体育节目的时候，你就应该开始自己业余的商业活动了。惠普公司、福特汽车公司都是从一间车库开始起家的，切记现在你从贫穷到富裕的步伐必须比以往任何时候都要快。迈克尔·戴尔从大学生到亿万富翁仅仅花了三年的时间，当同学们做家庭作业或者在街上喝啤酒时，他正在自己的宿舍创建价值上千亿美元的企业。现在他的大多数同学也都到了三十多岁，整日劳碌奔忙，为的是得到50%的钱。也有不少人现在又重新回到学校，希望通过进修获得加薪，他们仍然在喝着啤酒，看着电视体育节目。最后，他们也许会有自己的大房子，新式多功能箱式跑车，孩子也在私立学校就读，他们希望自己的401（K）能够在自己退休时提供足够的资金。或许他们中间有些人还会默默地惊叹迈克尔·戴尔这个大学未读完就辍学的人，怎么能如此幸运！是的，戴尔的幸运开始于他不同的现实，他努力学习，但不是为了分数，而且他乐于不为赚钱而工作。

我和金之所以能够提早退休，是因为我们费尽心思创建自己的企业、购买房地产。那个规划让我们的工作越来越少，得到的却越来越多。我们不为钱而工作，但是勤勉努力，建立、购买或者创造自己的资产，正如富爸爸曾经建议的那样。我们对所谓的高薪职位或者加薪毫无兴趣，对没有多少杠杆形式的工作，以及只有50%杠杆收入的工作，也都是兴趣索然。对我们来说，那是不聪明的选择，而且从长远看，那也相当危险。在后面的章节中，我将讲述如何用最小的风险获取更多的资产，获取更多的财务收益。不过我还是要提醒，或许你们需要不为赚钱而从事研究和工作，以便学会如何获取这些资产。不为赚钱而从事研究和工作的人寥寥无几，这也是年轻富有的退休者少之又少的原因。

> 我并不反对纳税，税金是生活在文明社会的一项必要开支。如果没有税金，我们就不会有警察、消防队员、教师、清洁工、法院、道路、红绿灯，当然也不会有政治家。本章的重点在于探讨如何合法而聪明地控制自己的税费负担。

建议

请列出你现在每月各种类型的收入：

1. 工资收入 $______
2. 被动收入 $______
2. 组合收入 $______

在大多数情况下，如果想退休，那么你就需要被动收入和组合收入。掌握获取被动收入和组合收入越快，年轻富有退休就会来得越快。不仅仅可以提早退休，你或许还会感受到更多的财务安全。你或许会感到自己原来也很聪明，因为你将要获得20%甚至税务延迟的收入，而不是大多数人孜孜以求的50%的收入。

本书的最后一个部分，将集中讨论如何更安全、更高效地获得更多的组合收入和被动收入。但是再次提醒大家，在你得到那些收入之前，或许更需要不为赚钱而学习和工作。经过了严格认真地不为赚钱而学习和工作，才能到达另外一个现实。如果你决定开始获取更好的杠杆收入的旅程，就牢记莱特兄弟的故事吧。他们是那些因为自己乐于而不是为了分数而从事研究的人的典范。他们不为赚钱而工作，没有任何保障，聪明地应对风险，从而最终使他们乃至整个世界进入了另外一个新天地！

第8章 快速致富的捷径

“富爸爸”系列丛书第四本《富爸爸 富孩子，聪明孩子》出版不久，一份很有影响的报纸上就刊登了一篇评论文章。当时，几乎所有的媒体都极其赞赏“富爸爸”系列丛书的新作，对我的书进行了公正、客观的评论。不过那份有影响的报纸上关于《富爸爸 富孩子，聪明孩子》评论的却不是如此。他们一开始就攻击我不会写作，而且或多或少暗示我应该重新返校学习写作。具有讽刺意味的是，我已经在书中坦言，由于不会写作我中学时的英文课有两次没有及格。

从那以后，我从来没有说过自己可能会成为一个作家。写作可能是我最差的技能，因此我在中学度过了一段难熬的时光。在“富爸爸”系列丛书的第四本《富爸爸 富孩子，聪明孩子》中，我讲述了自己如何克服阅读写作的低能，如何从大学毕业的经历。探讨了如何发现和培养孩子的独特天分，当然这种天分不仅仅限于阅读和写作，还可以培养他们财务生存技巧等。那篇评论的批评看来是针对我的写作技巧，而不是书的内容，这也是我整个中学时代一直面临的问题。

那篇评论即将结束的时候，对我的书也作了一点肯定，可能想使评论显得客观公正一些："该书将帮助你的孩子在将来走上社会后，更容易得到雇用。"在这之前，我感觉他对我写作技巧的批评还算公正，但是在文章末尾加上这样一句，说该书惟一的正面意义是让你的孩子更容易得到雇用，的确让我愤怒。我怀疑作者是否真正读过我的书，《富爸爸 富孩子，聪明孩子》从来没有说让你的孩子更容易得到雇用，它是在鼓励孩子成为不受雇用者。如果你希望年轻富有地退休，就需要思考如何才能成为不受雇用者。

如何才能成为不受雇用者

在心智杠杆的概述中，需要再次重申，个人现实简单地说就是你认为什么是真实、正确的。或者也就是大家常常说的，个人感知就是你的现实。当有人问我："改变一个人的现实很难吗?"我回答说："那要根据个人情况。"对我来说，那就是自己内心的一场争斗，就是用富爸爸认为聪明的事情，取代穷爸爸认为聪明的、值得一做的事情。在许多方面，将一个人的现实从中产或穷人转化到富人的现实，就像多年用右手吃饭的人有朝一日突然改为用左手吃饭。虽然不难做到，只要坚持就能如愿以偿，但也不是一件很容易的事情。

致富的最快捷径是尽快改变你的现实。对大多数人来说，这一点易说难做，因为他们更愿意呆在自己原有的现实里，即便那是一个财务吃紧、入不敷出的现实。富爸爸说："大多数人倾向于生活在自己原有的天地里，而不是拓展自己的空间。"他认为，大多数人更愿意舒适地工作一生，而不愿过几年不舒服的日子来努力改变自己的现实，让自己一生的剩余时间实现飞跃。用前面的比喻来说，那就是大多数人宁愿用右手吃饭、贫困终生，也不大愿意学习使用左手吃饭、快速致富。在很多方面，那也是改变大脑现实所需要的。

内容与环境

《高速发展的公司》（*Fast Company*）是一本著名杂志，我在此

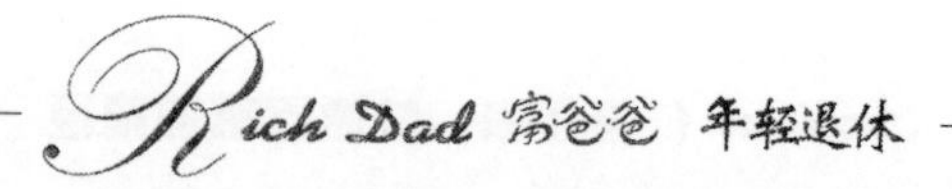

推荐给大家。该杂志最近一篇题为《学习 101》的文章中写道：

在新经济时代，对于任何想永远保持高速成长的个人、团队或者公司来说，学习都是一个最重要的工具。

接着，文章引用 InterWise 公司战略学习顾问埃斯特·所罗门·格雷的观点：

因此，在旧经济时代，内容是主宰；在新经济时代，环境是主宰。

也就是说，学会从右手为主到左手为主，比习惯于使用何种餐具本身更为重要。

现在的学校教育，仍然在对学生苦苦灌输更好的“内容”，而不是让他们留意信息时代来临，已经给我们生活世界的“环境”带来了根本性改变。就像前面提到的那篇书评中所说的，我的书惟一值得肯定的地方就是让孩子们更容易受雇用，大多数教师都想设置能让孩子更容易受到雇用的课程内容。那也是为什么学校教育一直关注内容，而不是环境的原因。

世界的环境已经发生了改变。在我们父母成长的大萧条时代，环境是工作职位很少，工作安稳与否便是最重要的事情，那也是我的父母强调好分数和工作安稳重要性的原因。在我父母生活的时代，如果你在一个大公司找到一份安稳的工作，公司将会负责你退休后的财务安全。你也可以全身心投入工作，勤勤恳恳不知疲倦，但那完全是生活所迫。今天，经过 20 世纪 90 年代以来的经济持续高速发展之后，很多人意识到，我们的环境或者雇工规则已经发生了彻底改变。

内容、环境和能力

尽管富爸爸不大使用“内容”、“环境”，而是使用“现实”这个词，有时也使用“能力”这个词。他常常说，“穷人不仅有一个穷的现实，穷的现实还意味着他没有能力让钱留在自己身边。”

他的意思是，当人们说“我永远不会富裕”、“我买不起”或者“投资是很冒险的”时，实际上已经剥夺了自己致富的能力。他说：“当一个拥有穷人或者中产阶层现实的人，突然一下子得到大笔金钱，他们在思想和精神上往往没有能力去把握。因此，那些金钱就会泛滥成灾，最终丧失殆尽。”这也就是为什么常常听到有人说：“金钱仅仅从我的手头经过。”或者说：“不论能赚到多少钱，每到月末我总是感到手头很紧张。”“等到有了多余的钱以后，我再去投资。”

偶尔，我也会引用富爸爸在家里对他儿子和我讲道理时所做过的实验。富爸爸先准备一只空水杯，然后拿起一只又大又满的水缸往这个空水杯倒水。自然，很快空水杯就溢出了水。只要继续往里倒水，水还会继续溢出。富爸爸说：“世界上有很多财富，如果你想致富，首先必须拓展自己的现实环境，以便能长久拥有那份财富。”在培训班上，我也用这个例子说明内容、环境和能力的关系。我分别将水倒进一盎司的小量杯，然后倒进一只小水杯和大水杯，依此简单说明穷人、中产阶层和富人拥有金钱能力的不同。

如何拓展你的能力

当有人问我：“我应该如何拓展自己的现实和环境？”我常常回答说：“通过观察自己的想法。”我也想起了富爸爸喜欢的一句话：“金钱就是一种思想。”我用富爸爸的这句话回答这个问题，他还指出下面这些话存在的问题。

1.“我买不起。”

2.“我不会做。”

3.“那错了。”

4.“我已经知道了。”

5.“我试了一次，不是那样。”

6.“那不可能，不会是那样。”

7.“你干不了。”

8.“那不合规则。”

9.“那很难办到。”

10.“我对了，你错了。”

富爸爸说：“愤世嫉俗者与傻瓜是来自现实和可能性两端的孪生兄弟。”他接着说：“傻瓜相信任何虚无飘渺、不切实际的计划，而愤世嫉俗者对超乎自己现实之外的东西都嗤之以鼻。愤世嫉俗者的现实里容不进任何新东西，傻瓜的现实里又满是愚蠢的想法。如果想真正富足起来，你就需要一个开放的思想，一个灵活的现实，以及能让新思想变为现实和利益的能力。”

在此，可以引用《高速发展的公司》杂志的一段话：“在旧经济时代，内容为主宰；在新经济时代，环境为主宰。”

用富爸爸自己的话来说，也就是：“如果你想快速致富，那就需要有一个开放的大脑去接受新思想，就需要有不断提升自己能力的技巧。为此，你就需要一个可以改变、拓展和快速成长的现实。用一个穷人的现实，或者一个存在很多弱点和局限的现实，致富就永远是一个不可能完成的使命。”

为什么不能致富

1985年，我和金以及朋友拉里坐在加拿大的惠斯勒山上。为了年轻富有地退休，我们决定甘愿忍受许多不适和痛苦，让自己进入新的现实。的确，有时那是很痛苦的事情。当有人问我如何才能快速致富、如何才能提早退休，我往往简单回答说：“我一直在改变自己的现实。”当有人接着问如何改变一个人的现实时，我就会直接引用肯尼迪总统最喜欢的一句话：“一些人看到本来存在的事物也会问‘为什么？’我梦想到从未有过的事物，却会问：‘为什么不能这样？’”

如果你想快些致富，就应该超越现在舒适的现实，进入新的可能的领域，也就正如肯尼迪总统所质疑的："为什么不能这样？"

拥有一个能够快速拓展现实或环境的大脑，就是一种重要的杠杆形式。事实上，那也许就是你最重要的杠杆形式，尤其是在这个快速变化的世界。对于富爸爸来说，有一个可以快速拓展现实的大脑非常重要。我认为那是他最伟大的个人技能，也是他不断取得商业成功的原因。现在，随着年龄增长，我也比过去懂得了好多道理，更加感激富爸爸当年从来不让我们说"我买不起"的良苦用心。在未来的日子里，改变和拓展个人现实的能力会成为你最重要的杠杆形式。在未来的日子里，那些善于改变和拓展自己环境的人将会把不具备这种能力的人远远抛在后边。正如《高速成长的公司》杂志所说："在新经济时代，环境为主宰。"

如果你想不断发展，年轻富有地退休，就需要不断快速改变自己的环境，因为环境决定了内容，而且环境与内容结合就构成了个人的能力。

有关心智杠杆重要性的讨论就要结束了，不过，我们在后面的章节中，仍将继续引用这个关于个人现实力量的重要概念。

下一部分将讨论个人财务计划杠杆的重要性。制定个人财务计划之所以重要，是因为大多数人有空泛的梦想，却没有实际可行的计划。拥有年轻富有退休的梦想固然重要，但为了让梦想变为现实，搭建沟通梦想和现实的桥梁——计划就显得尤其必要。

你的心智的杠杆将要在后面的章节中接受检验，因为我们涉及的金钱数额超出了大多数人的现实。如果金钱数额超过了你的现实或环境，那么这些金钱数额将永远只能是梦想。正如前面所讲，通常来说，很难让一个年薪不足5万美元的人，想像不久就会拿着100万美元的收入退休。然而，很多美国人梦想着有一天能够带着100万美元退休，但是只有不到1%的人真正实现了。对于其余99%的人来说，那永远只能是一个的梦想。

如果懂得了拥有正确现实或环境的重要性，懂得了制定一个计划的重要性，那么，你年轻富有退休的机会将会大大增加。

如果能够改变自己的现实，而且制定了一个切实可行的计划，你就会发现不用工作赚100万美元甚至更多的钱就会非常容易，比为了5万美元年薪终生奔忙也要容易得多。在这里起决定作用的是一个不断拓展变化的现实或环境，以及随后制定的计划。下一部分将集中讨论如何制定一个让你年轻富有退休的切实可行的计划。

Section 2

第二部分　计划的杠杆

下面是曾任克林顿政府劳工部长的罗伯特·赖克接受一次访问时的谈话片断：

> “日益扩大的贫富差距向我们提出了一个严肃的问题。”
>
> “作为劳工部长，我的目标就是让美国人得到更多更好的工作。经过在那个岗位上辛苦工作多年之后，你可能发现工作和薪水已经成了自己生活的全部。但是，实际上并不是这样。”
>
> “那不仅仅是有一个工作，也不仅仅是有很高收入的问题。”
>
> “在有不可预知收入的新经济时代，出现了两条道路：快车道和慢车道，没有中间路线。”

问题是：你和你制定的计划是在快车道，还是在慢车道？

第9章

你的计划有多快

"给我速度!"

——汤姆·克鲁斯在《壮志凌云》中的经典对白

工作终生、储蓄并将钱投进退休基金账户是一个十分缓慢的计划。对于现在90%的人来说，那似乎是一个很明智的计划。不过，这却绝非那些希望能够年轻富有的退休的人的计划。如果希望退休时年轻而又富有，那你就需要一个比绝大多数人快很多的计划。

如果有机会，请你租来电影《壮志凌云》的CD看看，看看那些年轻的飞行员必须飞行，必须做出生死抉择的经历。对于他们来说，控制速度的能力十分重要，因为他们的生命完全依赖于自己控制的速度。在今天的社会生活和商业活动中也是如此。对于每一个梦想商业成功的来说，为了适应商业领域的变化，改变和拓展自己环境的速度已经显得至关重要。现在，中产阶层和穷人之间的鸿沟已经不复存在，中产阶级和富人之间的鸿沟发生了急剧变化。坦率地讲，如果你拥有的是一个工业时代的计划或环境，那你将会在财务上被远远抛在后面。不是被你的同龄人，而是被那些更加年轻、思维敏捷、创意迭出的人超越。由于这种不断加速的环境变化，我们中有些人25岁就成了百万富翁，而有些人到了50岁还在到处寻找年薪5万美元的工作。不幸的是，很多像这样50岁的人还在鼓动自己的孩子步自己后尘，坐着父辈们坐过的慢车上路。

在“富爸爸”系列丛书的第三本《富爸爸投资指南》中，我曾经一开始就明确提出：投资是一个计划。我也曾经说过，大多数人计划终生贫穷，很多像穷爸爸那样的人一辈子都在说：“当我退休之后，我的收入就会下降。”也就是说，他们计划工作终生，而且会变得更加贫穷。富爸爸说：“如果你想年轻富有地退休，你就必须制定一个快速的计划，那个计划可以让你用越来越少的工作，换来越来越富有的生活。”

如何制定一个快速计划

富爸爸关于金钱的一个基本观点是：“金钱就是一个思想观念。”接着，富爸爸可能还会说：“思想观念有快慢之分，正如火车有快慢之分。在金钱上来看，大多数人还是处于慢车道，眼睁睁地看着快车从自己身边超过。如果你想快速致富，那么你的计划必须包括一系列快速的思想观念。”

如果我们准备修建一座房子，大多数人首先会请一个建筑师，大家一起制定一系列计划。但是，当同样的这些人开始修建自己的财富或者未来计划时，很多人却不知道从何做起。很多人从来没有自己的财务计划，没有一个自己的财富蓝图。提到金钱，大多数人照搬父母的财务计划，而那个计划往往就是努力工作，积极储蓄。按照这些计划，成千上百万人在工作之余，透过自己乘坐的火车车窗呆呆地看着各种豪华轿车、私人飞机、豪华住宅等从自己身边掠过。

如果不打算一辈子坐在火车、飞机、汽车上盯着车窗发呆，或许你应该制定一个更快速的财务计划。下面就是如何开始建立发展一个快速计划的一些建议。

建议1 首先要选择好自己的退出战略

经常有人问我："我怎样开始投资?"或者还有"我应该投资什么?"面对这些困惑，我往往反问他们："你的退出战略是什么?"有时，我还会紧接着提出第二个问题："你想在多大年龄退休?"

富爸爸反复强调："一个资深投资者在进行投资之前，一定会制定一个退出战略。"制定退出战略是投资的前提，因此富爸爸常说："开始总是从结束起步的。"也就是说，在投资之前，你需要首先明白怎样、何时、何地、赚多少钱的时候退出。例如，如果有人对你说："打算度假之前，你首先要做的事情应该是什么?"一个可能的答案是："确定你的目的地。"如果有人问你，"我应该学习些什么?"一种可能的答案是："结业之后，你想达到什么样的目的?"其实，在投资问题上何尝又不是如此。在做出投资什么的决定之前，你首先也应该明白从何处结束，因而富爸爸反复说："确定自己的退出战略是一个重要的投资前提。"

现在，很多人感到他们供职的公司或者政府将来有可能不再照顾自己退休后的生活，因此很多人进行投资，都是为了自己长远的财务安全。很多人涉足投资自然是个好事情，但是我还是担心，他们中间的好多人并没有首先很好地考虑清楚自己的退出战略。

你在结束工作之前想赚到多少钱

好几年以前，有人从联邦政府带给了我下列统计资料。尽管这项统计已经过去好几年了，但是，我认为其中的比率或钱数不应该有多大变化。

如果65岁就是很多人打算退出或退休的年龄，那么你到了那一天的时候打算赚到多少钱?美国国家健康与教育署对20岁到65岁的一些人进行了跟踪调查，结果表明到了65岁，在每100人之中：

36人　　　　已经去世

54 人	依靠政府或家庭支持而生活
5 人	不得不继续工作
4 人	生活过得不错
1 人	生活富有

这项统计证实了我前面的说法，那就是：大多数人好像都有一个辛劳终生，退休后又陷入贫困的计划。或者他们打算退休后贫困，或者对自己的财务计划或退出战略根本毫不在意。

看看这些统计，问题在于当你到了 65 岁就要退休时，你打算或计划成为哪一类人，或者什么样的人。穷爸爸尽管接受了很高的教育，劳碌一生，后来又多次回到学校接受更多的培训和教育，但是到了晚年仍然处于整个社会的底层。富爸爸的情况截然相反，他晚年的富有程度远远超出了富翁名单中的好多人。尽管他们两人基本上都是白手起家，但是他们的计划和退出战略不同，一个人计划贫穷的退休，一个计划富有的退休。他们 65 岁之后都仍然在工作，但一个是不得不工作，一个是想享受继续工作的乐趣。

你的退出战略目标是什么

仔细分析了前面那份政府统计以后，我感到有必要找出更有用的数据，进一步找出他们的不同。在美国政府的这项统计数据基础上，根据 2002 年美元的价值，我加上了他们不同的收入。到了 65 岁退休的时候，他们不工作的收入降到了下列数额：

穷人	每年不足或刚刚达到 2.5 万美元
中产	每年 2.5 万美元到 10 万美元
小康	每年 10 万美元到 100 万美元
富裕	每年 100 万美元甚至更多
极度富裕	每月 100 万美元甚至更多

不幸的是，只有 1% 的美国人结束工作生涯的时候可以达到小康

生活或者更好一些。根据美国国家健康与教育署统计，36%的人已经去世，他们在退休之前离开人世。也就是说，健在的64%的人之中，59%的人没有达到小康水平，只有5%的人达到或超过了那个标准。形成上述局面的一个原因是，他们慢速的财务计划中没有明确定义退出战略。

在投资培训班上，我常常问那些投资者："当结束工作退休回家的时候，你想成为哪一类人？"也就是说，"你们确定的退出标准是什么？"一个很有趣的现象是，大多数人乐于直接将中产阶层作为自己退休目标。我接着说："如果你们热衷于此，就会一直开慢车，最终也确实会到达那里。"接着，我进一步解释说："这个慢车道就是循着找一个安稳工作、踏实肯干、保持较低生活水准、积极储蓄、投资长线项目等这样一条路子，一直走下去。"

当有人问我："在慢车道上我能过上小康生活吗？"我的回答是："可以，你可以通过找到一个安稳、高薪的工作达到这个目标，但是你必须从很年轻的时候开始投资，将收入中的绝大部分用于投资，生活节俭，还得寄希望于市场不会出问题，而且要准备在55岁之后才能退休。"我接着解释说："运用安稳的工作、节俭的计划达到小康生活，需要付出很大代价，其中之一就是运用上述保守的计划，常常很难达到富裕或者极度富裕。"如果你只想在退休时达到中产或小康水平，那或许你就根本不需要阅读本书，因为针对这些人的图书已经很多。中产或小康水平是很多人的退出目标，我感到担忧的是大约50%的美国人还没有达到这个目标。

搭上快车

如果你也像我一样都是白手起家，期望年轻富有地退休，而且还想达到富裕甚至极度富裕，你或许就得放弃工作安稳，搭上快车赶路。为了搭上快车，你需要有开放的思想，思维敏捷，更好的商业和投资培训，以及更快的计划。也就是说，这些人需要拥有不同于常人的思想环境和内容。利用安稳的工作和长线投资计划达到小康生活的人，无需富裕和极度富裕者所需要的内容、环境以及严格的控制能力。也就是说，他们可能会拥有财富，但却绝对不会有富人和极度富裕阶层的人所拥有的现实。正如富爸爸所说："富人并不仅仅是拥有很多金钱的人。"

我和金打算在退出激烈的生活竞争时达到小康水平，这是我们最早的目标。等我们1985年确立了新的目标后，我们就不再那么整日奔忙，而是准备自己的退出战略。等我们有了自己的退出战略，我们就知道应该做什么，从哪里开始。对我们来说，建立自己的企业和投资房地产就等于搭上了快车。那就意味着放弃了不少周末，少看了一些电视，也意味着不断有朋友和亲戚来追问："你们为什么不找一个稳定的工作？""你们为什么工作得这么辛苦？"

工作辛苦，缺乏安全感，按照严格的计划让快车急行。当我47岁、金37岁时，我们通过投资达到了目标。从1985年确立计划，1994年实现计划，总共用了九年时间。开始时我们确立了一个尽快达到小康生活的计划，同时也给我们带来了足以达到富裕和极度富裕生活的培训和经验。这里，"足以"一词非常关键，本章和下面几章将对它作出进一步解释。

因为我们的投资每年带来超过10万美元的被动收入，我们会更加富裕，仅仅因为我们有时间、资金和不断前进的资格和条件。五年后，我们从小康达到了富裕。下一站是极度富裕水平，如果一切顺利，三年内就可以完成。

理论上来说，我们贯穿各个层次的基本计划非常简单，那就是建立自己的公司和投资房地产。现在，我们继续建立自己的公司，投资房地产。尽管计划很简单，我们的教育和经验却大大增加了。这种教育和经验让我们加快了建立自己公司和购买房地产的速度。也就是说，我们也犯过错误，然后不断改正，从中学到了很多东西。通过犯错和学习，我们好多方面得到了提高，比如我们环境的规模、内容或者知识、掌控更大项目和资金的能力，以及处理更大更复杂问题的速度等。乘坐快车赋予我们经营公司和投资的能力，大大不同于那些乘慢车达到小康水平的人所使用的能力。

我们在起步阶段虽然进展缓慢，但是我们却得到了教育、经验以及一大批志同道合的朋友。在我们稳步推进自己计划的过程中，我们的个人环境、内容、能力不断得到提高，我们建立公司或寻求好的房地产项目的速度也在不断增加。当我周围的许多人达到他们的收入巅峰时，我们收入的潜能才刚刚开始发挥。当很多人为8万美元到35万美元的年薪兴高采烈时，我和金的收入也刚刚搭上了快车道。令人欣喜的是，我们工作的时间越来越少，收入却越来越多。一切都按计划有条不紊地进行着。

20世纪60年代，我正在中学就读，穷爸爸当时的收入远远高于富爸爸。等我上大学的时候，情况已经发生了变化，尽管穷爸爸的年薪到了自己职业生涯的最高峰，富爸爸的收入还是一下子达到了穷爸爸的二十多倍。他们到了60岁左右时，穷爸爸在财务上已经出现问题，勉强维持。如果没有社会保险和医疗保险，他或许要流落街头或者不得不依靠孩子生存。另一方面，富爸爸的净资产估计超过了1.5亿美元，而且还在不断增加。等到他们65岁时，富爸爸一年的收入超过了穷爸爸一生的收入。他们两个人都是按照自己的计划行事，正如美国前劳工部长罗伯特·赖克所说："两条道路已经出现，就是快车道和慢车道，没有中间路线。"

建议2 制定一个为你服务的计划

我估计，90%的人拥有同样的计划，那也是超过99%的人退休时生活在小康线以下的原因。也有人想努力达到小康或富裕线，但是他们没有实现自己的计划。

我反复强调了制定计划的重要性，因为我们每个人都需要考虑自己的优势和弱点、希望和渴求。我明白不得不制定自己的财务计划，因为我在学术上不像穷爸爸那样聪明。我的聪明表现在其他领域，而不是学校教育所认可的那些。制定个人计划首先要做的一件事情就是通过寻找自己最擅长的方面，发现自己的天赋。

在《富爸爸 富孩子，聪明孩子》一书中，我讲述了七种不同的天赋，四种不同的学习方法。现行教育制度只承认一种天赋，那就是语言文字学上的天赋，也就是阅读和写作的能力，而学习的方法只有一种。穷爸爸帮助我发现了自己的天赋和学习方法，即便那是不被他所领导的教育管理部门所承认的。现在，我能够赚钱，主要依靠完成自己计划过程中学到的东西，而不是学校学到的东西。

即使你已经走出校门，或者没有孩子，弄清自己的个人天赋和学习风格也是一件很好的事情。如果你想年轻富有地退休，弄清自己的个人天赋和独特的学习风格是整个财务计划的重要组成。

离开工作安稳的老路

我至今仍然清楚记得，20 世纪 70 年代后期拉里和我离开施乐公司的情形。那是很多人羡慕的工作，也是我所做的最后一个传统工作。二十多年后的今天，昔日的好多同事都在为施乐公司面临的技术、财务上的挑战而忧心忡忡。我们之间的差距已经拉大，不仅仅是在金钱上，还有个人现实的差距，是新旧现实之间的巨大差距。

环境的挑战

前面所讲述的并不是我自吹自擂，而是为了说明短短二十多年来我们个人环境的改变。二十多年前，在好多人眼中，找一个安稳的工作，并一步步向上爬是一件明智的选择。我仍然清楚地记得，好多人不能理解拉里和我为什么要离开施乐这样大公司的好职位。毕竟我们当时都是各地分公司销售部门的负责人，公司还在不断成长，我们的未来看起来一片光明。当时，不仅主动要求离开大公司是一件不可思议的事情，放弃一个高薪的职位同样让很多人觉得难以理解。人们普遍认为，应该谋求自己职位的不断提升，直到有一天成为部门经理甚至一个地区的副总经理。

当我对 1975 年以后出生的小伙子讲，我大概在他们出生前后离开了施乐公司，他们不少人似乎可以理解我的行动，他们自己也不愿在公司里做那种“阶梯游戏”。对他们中的许多人来说，值得做的事情是创办自己的公司，通过 IPO（最初公开上市）上市，然后年纪轻轻就退休，或者创办另一家公司接着上市。25 年来人们个人环境的变化真是太大了，现在我的许多同龄人甚至不知道 IPO 是什么，但是他们的孩子知道。他们的孩子热衷于谈论如何成为一个企业家，或者同一个要让公司上市的企业家合作，这些孩子们希望能走上致富的快车道，而不是像父母那样沉浸于严酷的生存竞争之中。这种财务上的严酷竞争，最终将我们那一代人中间的很多人引向困窘不堪的境地。

怎样把握这种变化

我的一些朋友讨厌时尚、音乐和技术的改变，他们不喜欢打击音乐，不想拥有互联网企业，乐于看到很多网络公司纷纷倒闭。他们中的一些人仍然相信工作安稳、社会医疗保险等工业时代的观念和承诺。

一些人主动迎接挑战，也有些人逃避改变。我的一些朋友热衷于寻找不大受互联网影响或威胁的工作，其中有个人找了个教师工作，其实他并不喜欢教育孩子，而是想在急剧变化的世界寻找一个避难所。他想寻找一个安稳、不会被解雇的工作，而现行的教育体系为他提供了这样一个远离世界变化的乐土。

还有一个朋友购买了一个永远不会受到互联网影响的公司。她说："我已经老得无法学会利用互联网进行交易了，因此我想经营一个与互联网没有一点关系的公司。我没有为退休准备任何钱，因此我打算一直工作，直到自己完全干不动的那一天。"

上面都是一些不愿意随着时代变化调整个人现实和环境的例子，在中产阶层和富人的差距日渐扩大的当今社会，他们很可能更加落伍。航船正在缓缓离岸，驶向可能有更多机遇、财富、幸福的新天地，但不少人却选择了迟迟未动甚至逃避，仅仅因为他们不能改变自己的精神环境。他们的思想还是停留在遥远的过去。

预见未来

在伦敦到纽约的航班上，我坐在 IBM 公司的一位高级经理身边。等我们彼此认识后，我问他："你怎样为未来作准备？"他回答说："当成年人用自己的眼光观察世界时，他们肯定就会出错。那也是为什么这么多成年人不能预见到即将来临的变化的原因。如果想看到 10 年后的世界是什么样子，你就去观察十五六岁的男孩子女孩子。用他们的眼光观察世界，你就会准确地看到未来。"

"如果你能从自己的视野中跳出来，真正用年轻人的眼光来观察，你就会看到一个更加博大精彩的世界，一个充满了巨大变革和无数机遇的世界。相对于汽车带给亨利·福特，石油带给约翰·洛克菲勒，计算机带给比尔·盖茨，以及互联网带给 Yahoo、AOL 和 Netscape 创立者们的机遇，未来的社会将为我们带来前所未有的商业和投资机遇。"

我接着问："我们是不是会很快看到，一个高中学生自己创业成为亿万富翁？"

他回答说："是的，我敢打赌。"

如果你由于错过了离开码头的最后一班船，现在还没有致富，那也不必过于担忧，另外一条通向富裕和机遇乐土的船又在准备启航。问题仅仅在于你是否愿意搭乘？

历史在不断重复

我在学校喜欢的功课就是经济学和经济史。经济史汇集了每个历史时期主要的经济学家的主要见解和主张，包括亚当·史密斯、大卫·里卡多、托马斯·马休斯以及约翰·梅纳德·凯恩斯等，他们的生活故事和当时观察世界的方法都十分有趣，尤其在研究技术、人类和经济学的演化发展的时候。

其中一段经济史的命名源于一伙叫勒德分子的人。在 1811 年到

1816年之间，英国手工业工人中一大批人因为担心失去工作，结伙袭击工厂和机器，企图破坏机器运转。现在说某一个人是勒德分子，常常是指攻击技术革新、受到技术革新的威胁或者希望所有新技术都销声匿迹的人。当年的勒德分子虽然已经远去，现代的勒德分子却已经粉末登台。历史总是在不断重演自己的过去。

你是否已经严重落伍

我们中的很多人都曾经看见过“改头换面”这个电视节目，主持人将一个衣着怪异的男人变为女人，将一个小丑变为风度翩翩的情人。一个由发型师、形象顾问和色彩专家组成的团队，可以将一个远离时尚的人变成一个时尚宠儿。其中的一些变化着实让人惊异，甚至是革命性、完全彻底的。

我的一个朋友是高级专业形象顾问，他通过帮助富人改善形象而获取报酬，我是他的客户之一。我付费请人选择合适的衣服，修剪与众不同的发型，就是为了不落伍。我也想与时代同步，让个人的环境、内容同时变化，追随最新的时尚潮流。的确，改变个人形象帮助我站在时代前沿，而不是生活在过去。

这位专业形象顾问也叫罗伯特，他曾经对我说：“当一个人为生活而感到兴奋满足的时候，他很可能就已经落伍。在那种状态下，他感到自己非常成功，充满乐趣，活力四射，十分性感，甚至兼而有之。因此，很多与我年龄相仿的人看起来仍然像个嬉皮士，不少人曾经在反对越战的年代非常活跃。另外一个方面，那也是现在很多老兵仍然穿着旧军服的原因。那场战争中，他们最为深切地感受到了自己的活力和生命的意义。”

当你看到人们穿着自己大学时代的T恤衫，即便他们已经毕业了好多年，其实那也是通过着装怀旧的一种表现。另外，有些人年老的时候，行为、外表和着装开始越来越像自己的父母。还有一个相反的趋势就是有些人开始打扮得像孩子一样，以便使自己显得年轻，重温自己最具魅力的年代。可以说，沉溺于过去的人，远远多于随时间推移而主动改变自己的人，这在他们的衣着上可以看出来。当然这并非仅仅是衣着上的变化，而是对过去一种环境的怀念。他们随着年龄的增长，往往变得更加固执，更加不知道变通。

为什么不想固守过去

现在，我们看到了太多过分追求时尚和过于时髦的人，但那并不是我想说的。正如我的朋友罗伯特所说的，我鼓励大家衣着时尚得体的一个原因，就是因为人们总是渴望与时代同步。如果未能站在时代前沿，你就会永远生活在过去。

如果你生活在过去，那你就会投资过去的一些项目，这些过时项目很可能让你损失金钱，而不会给你带来财富。可以说，人们购买过时投资项目的一个原因，就是他本人依然固守过去。

未来将会出现什么

如果想年轻富有地退休，你就应该投资那些即将出现的项目，而不是已经出现的项目。在投资领域，“早起的鸟儿好觅食”这个俗语一再得到了验证。

预见未来使你致富

富爸爸常常对他的儿子迈克和我说：“如果想致富，你就需要不断开阔视野，需要站在时代前沿，洞察未来。”富爸爸给我们讲述了一连串故事：约翰·洛克菲勒因为看到人们不断增长的汽车需求以及随之而来的巨大石油需求而致富；亨利·福特在只有富人才拥有汽车的时代，看到中产阶层渴望自己拥有汽车的现状而致富；而在更为现代的今天，比尔·盖茨在IBM年迈而聪明的决策者们看好单片机的时候，预测到PC机的美好前景，从而成为富甲天下的超级富翁；年迈的IBM决策者们没有像亨利·福特那样思考问题，所以断送了

IBM 的未来，成就了微软公司。如果我是 IBM 的投资者，我会让那些短视的家伙走人，还要追讨回他们所得的高薪。不幸的是，他们仍然拿着红利，而投资者却失去了未来。那些创建了 Yahoo、Netscape、AOL 以及其他著名互联网公司的年轻人，因为洞察未来，大学未毕业就变成了亿万富翁。

如果你错过了驶向油田的船，或者错过了电脑、网络时代的船，也不必担忧，下一班航船又要启航。如果沉溺于过去，你可能就会错过下一班航船，或者情况更糟，搭上了泰坦尼克号。因为从表面看来它更大更安全，性能外观也更好，尤其是在今天这个内容和环境都急速变化的时代。

在电影《壮志凌云》中，所有战斗机飞行员的口头禅就是："开火！开火！"如果看过影片，你或许还记得，留给他们向敌机开火的时间往往只有几秒钟。如果你等得时间过长，或者没有准备好，那么你就可能失去机会。在赚钱的事情上也是如此，可以捕捉的机遇之门开得很小。如果你不能及时应对，而是沉溺于过去，打扮的像老爸老妈一样，没有任何准备，缺少必要的商业投资技巧，或许你就根本无法看到机会。你不仅可能错过真正的机遇之窗，也有可能抓住已经过时的机会，导致满盘皆输。

1999 年，一个朋友对我说："我听从了你的建议，投资了一处租赁房产。我在一个很好的街区用 15 万美元购买了一套联式住宅(两家合住)。这是一个良好的开端，是吗?"

我没有向他表示祝贺，因为还不清楚是否值得祝贺。这是一个蛮不错的开端，问题在于，他投资的项目早已经过时。他已经迟到了，应该投资的时候却没有投资。当然，不论怎么讲这也应该算是一个好开局，总比迟迟不动强。即便损失些钱，他也至少会获得宝贵的知识和经验。

但是，他并没有在应该投资的时候投资，因为我和金早在 1989 年到 1994 年之间就已经投资了这类项目。我们购买的时候市场正处于低谷，我们也曾经劝他购买，但是他却说："不，那太危险了。我也许会失业，公司已经裁减了不少员工。另外，房地产的价格现在如此之低，如果持续走低怎么办？赶上市场低谷怎么办？”

机遇之门曾经打开过，现在已经关闭。10年后，当房地产价格达到巅峰，股票市场出现波动，我的那位朋友才意识到自己应该出击了。他投资的项目已经过时，就像他本人的观念一样。他已经落伍，现在选择的出击目标也已经过时。当然他毕竟已经开始了投资，但我担心他付出的代价太大，远远超过了那座标价过高的房子实际价格。如果有可能的话，那项资产几乎很难带给他现金流，升值也会很缓慢。当然，至少他已经开始了投资，即便投资的本来就是一个过时的项目。我很高兴他迈出了第一步，这是不同于他们父母、不同于工业时代的一步。

我和金继续投资我们的公司和房地产项目，不同的是，我们看重的是那个项目未来的发展前景，而不是过去。那也是为什么你们应该与未来同步、当机遇之门打开时准备出击的原因，就像在1989年到1993年发生在我们身上的一样。那段时间，我们在房地产和股票市场上都取得了很大成绩。我在2001年开始写作本书的时候，整个股票市场走低，纳斯达克股票指数回落了50%。而1929年经济大萧条发生时，美国整个股市也只是跌了42%。经济缩水在所难免，前面那位购买了房产的朋友开始慌了手脚，他意识到自己在那座联式住宅上付出得太多。但是，对于我来说，新的机遇之门却又一次打开了。

在投资培训班上，我有时候请金讲讲自己的投资经验。她常说我们1989年开始投资，1994年就停止了投资。接着她说，根据计划我们本来打算在1985年到1989年进行投资。那时，我们正在建立自己的公司，研究房地产业投资。大家或许还记得，1985到1989年的房地产价格非常高。因此，我和金一直准备在机遇之门敞开的时候出手投资。当这一天终于来临的时候，我的那位朋友惊慌失措，而我们开始大量买进。我的那位朋友制定的投资计划没有为已经到来的机遇作任何准备。现在，他已经在财务上远远落伍，他投资的项目过分昂贵，更糟的是他还没有为以后即将到来的机会作好的准备。他的衣着打扮像个老人，尽管他实际比我年轻，而他的投资思路则更像一个老气横秋的人。

在美式橄榄球运动中，获胜的四分卫是能将橄榄球投向没有接球手的地方。也就是说，四分卫在脑子里必须清楚接球手即将到达的位置，并且将球投向那里，即便接球手当时不在那里。但是，如果四分卫按照常理去做，他或许就会来一个持球强攻。同样，足球运动员必须将球踢进对方守门员存在疏漏的球门。一个计划年轻富有退休的人也必须做出同样的事情，他们必须制定计划，为尚未出现的机会作好准备。因此，与时代保持同步、预见未来就显得非常重要。

制定未来的计划

如果你真的渴望年轻富有地退休，你就必须为未来制定一个计划，为现在还不存在的未来制定一个计划。就像约翰·洛克菲勒为汽车工业的未来做准备，比尔·盖茨和迈克尔·戴尔为电脑时代的到来作准备一样，你也必须为未来即将出现的机遇作好准备。如果不能这样，你就有可能投资已经过时的项目，而过时的投资肯定没有什么好的前景。

如何预见未来

为了年轻富有地退休，你或许需要为未来，也就是还没有出现的未来做些训练。正如IBM的那位高级经理对我说的：“成年人预测未来时，常犯的错误就是从他们自己的眼光出发，那也是很多成年人无法洞察到即将来临的变革的原因。”也许IBM公司已经从年轻的比尔·盖茨那里接受了教训。那个教训就是：如果想洞察未来，你就需要从一个年轻的视角出发。如何应对时尚、音乐和技术的变化，反映了一个人思考方式和思维环境的灵活性。如果一味固守过去的东西，或者不能与时代同步，你也许会完全失去未来。

预见未来的另外一条途径就是研究过去。在我的现实中，历史总是在不断重复自己，即便重复的方式并不完全相同。很多成年人失去了未来，或者错过了未来，因为他们关于未来的计划丝毫没有考虑过去。

1998年，我在旧金山与一个刚刚从大学毕业的年轻记者聊天。当我对她说，共同基金非常危险，即将崩盘，她一下子变得很生气。过了会儿，她开始引用股票经纪人的词语和观点对我说："我投资的共同基金三年来一直保持了最高利息，平均每年增长25%。股票市场是最好的投资场所，因为即便有1987年的那种振荡，股票市场还是已经持续上涨了40年。那是你投资的最好选择。"她一直没有报道过与我的那次会谈，因为我们对未来的看法相去甚远。今天，她那些神圣的基金已经下跌了50%。

她所提到的现象和数据或许也有正确的地方，问题在于她的数据并没有追溯到遥远的过去。如果她懂得市场的历史，她应该明白平均75年就会有一个衰退周期。当然，这并不意味着每75年就一定要有个衰退，但是这些历史至少对认识市场持续上扬40年有所帮助。最近的一场市场衰退发生在1929年，市场恢复或者说重新达到1929年初的水平花了25年，也就是直到1955年才重新恢复。我和她的谈话是在1998年，她所说的市场上扬40年的说法自然也没有错。但是，因为没有太多考虑历史，她关于未来的预言就不大正确。富爸爸反复叮嘱我，一定要认真阅读经济史。如果你想更好地理解未来，我向大家推荐一本伟大的书——《世界哲学家》（*The Worldly Philosophers*），作者是罗伯特·海尔布鲁诺。对于想通过了解过去而洞察未来的人来说，那真是一本伟大的书。

我在讲授有关投资的课程时，曾经请大家填写一份财务报表。接着，我让他们通过财务报表回顾过去，问他们未来是否也愿意如此？如果他们因为报表中充满了不良债务、不良收入、不良支出和不良欠款，在他们以后的财务报表中看不到光明的未来，那么他们不会喜欢这个财务报表，我会郑重建议他们开始解放思想，追求时尚，扔掉过时的衣服，彻底更新衣橱，改变过去的朋友圈子，寻求新的未来。如果乐意改变自己的现实迎接未来的挑战，年轻富有退休的可能性就会大大增加。

不过，我还是惊讶地发现对于大多数人来说，仅仅就是清理衣橱和更新着装这样简单的改变也是如此艰难。很多人出去购买了新衣，但是样式却没有更新，并不是真正意义上的新衣服。他们仅仅购买的是旧时代的新衣，也就是自己感觉充满乐趣或是最为成功的年代的衣物。许多人害怕未来，害怕未来的快乐或忧伤、平静或热烈，他们宁愿一直生活在过去。

我在导言中写道，年轻富有的退休其实并不难做到，而是非常容易。不过对于好多人来说，放下过去、勇敢迎接充满未知的未来，甚至比做到年轻富有地退休本身更为艰难。对于很多人来说，保持父辈们过去的环境、衣着和收藏似乎更为安全可靠，这也是超过50%的美国人退休时仍然处于或接近贫困线的原因。他们搭上财务“慢车”走向生命的终点，自然也是根据自己的计划。

第10章 预见财富的杠杆

当我在培训班上展示下列退出战略数据时，很多人根本无法想像一个财务自由的未来，也就是无需工作却拥有10万美元的年收入。

穷人	每年2.5万美元或者更少
中产	每年2.5万美元到10万美元之间
小康	每年10万美元到100万美元
富裕	每年100万美元或者更多
极度富裕	每月100万美元或者更多

很多人无法想像会拥有那么多钱，原因在于实际生活中他们没有那么多钱。很多人也许梦想着拥有这么多钱，也许会说自己有朝一日会赚到那么多钱，但是在实际生活中，大多人仅仅是梦想而已，并没有打算真正实现它，上述统计数据再次证明了这一点。

现在创造了未来

很多人没有明确的财务目标，因为他们经常使用“有一天”、

“或许”、“将来”等词语。富爸爸常说：“你的未来决定于自己的今天，而不是明天。”看到前面的统计数据，你或许会扪心自问：“我今天的所作所为，是否会让自己实现明天的财务目标？”

一个无法回避的实际情况是：99%的美国人后来的年收入勉强超过了10万美元。大多数人还是沿着父母的足迹，执行着父母当年的计划，做着与父母同样的事情，结局也相差无几。

记得刚刚从越南回来时，我作为海军陆战队军官的津贴只有900美元，而富爸爸儿子迈克每年的投资收入已经接近100万美元。因为两人之间的巨大差距，我有一种深深的挫折感和失败感。

如果读过《富爸爸投资指南》，或许你会记得富爸爸在我离开海军陆战队之前，同我一起制定个人计划的事情。正如书中所讲述的：“投资是一个计划，而不是一个结果或者过程。”

计划是实现梦想的桥梁

富爸爸给我画了张草图，我们俩站在一条大河河岸上。他说：“计划是实现梦想的桥梁，你的工作就是让计划或桥梁真正实现，使自己的梦想变为现实。如果你只是站在河岸的一边，梦想着另外一边，那么你的梦想就永远只能是梦想。因此，首先要让你的计划实现，你的梦想也就会成为现实。”

1985年到1994年期间，我和金努力实现我们的计划，而不是仅仅沉溺于各种梦想。我们所做的也就是《壮志凌云》中大多数战斗机飞行员所做的。我们每天都在努力，为机遇之门的突然敞开做准备。如果那一天来临时，我们就会放手出击，直到机遇之门重新关闭。

正如富爸爸所说：“你的未来决定于今天的所作所为，而不是明天。”也就是说，今天的所做的事情就决定了你的未来。我和金没有固定工作，甚至身无分文，因为我们从来没有将来要成为一个雇员的计划。相反，我们花了大量时间参加各种培训班，学习如何建立自己的公司，如何投资房地产。即使我们没有钱，我们每天还都练习创立更好的公司，投资更好的房地产项目。现在，我们终于创建了自己的公司，投资了房地产项目。将来，我们或许还会建立自己的公司，投资房地产业。我无意于再去做穷爸爸退休后所做的事情，他当时是去找一份工作，用以补贴自己社会保险金收入。他的人生从寻找一份工作开始，又从寻找一份工作结束。

到了 2020 年，将会有数百万与我同龄的人像穷爸爸那样，退休后再寻找一份工作，用以补贴社会保险收入的不足。他们明天所做的事情，同他们今天所做的事情相差无几。

现实的改变

还有另外一件事情，穷爸爸几乎每天都在做，那就是他常常说："当有了一些钱以后，我就会去投资。"他的口头禅是："我买不起。"而当需要采取实际行动时，他可能会说："你瞧，我今天没有一点儿时间，我们明天再谈吧。"这些都是他平时每天必做的"功课"，到了晚年也是如此。在我看来，造成他贫困的主要原因就是他拥有一个穷人的现实，即使他赚了不少钱，他也不愿意改变自己的现实。

正如我前面所说的，致富的捷径在于不断改变和提升你的现实。但是显然，对于大多数人来说，改变他们的现实，改变他们今天的所作所为，可能是致富路上最艰难的事情。回到家乡夏威夷后，我看到许多朋友还完全在做自己父母当年做过的事情。他们问我现在干什么，我回答说主要在建立自己的公司、投资房地产，他们不少人的反应与我父母当年所说的如出一辙："我买不起。""你也知道我一直想投资，等我哪一天有了钱，或许我也会开始投资。"当我告诉他们应该提前准备和学习投资，他们常常又会说："噢，你知道我现在有多忙吗？我没有时间学习投资，政府应该提供免费的投资培训课程，那样的话我或许还会去听几节课。我为什么要花钱去学习投资？无论如何，投资风险太大了，我还是愿意将钱存在银行里。"如果富爸爸听到这些，一定会非常生气地说："听了他们的讲话，你就可以预见他们的未来。"

如果想年轻富有地退休，你或许应该先回顾自己的讲话，预见自己的未来。你可以先问问自己："如果我一直使用那些词语，那样思考问题，我退休的时候可能会在哪个收入水平？是穷人、中产、小康、富裕，还是极度富裕？"如果你真诚地希望改变自己的人生，首先要做的就是通过改变自己的计划、词语和每天的行为来实现。你的未来决定于今天的所作所为，而与你的梦想无关。正如富爸爸所说："如果你每天所做的事情就是躺在床上，看着电视，吃着糖果，那么你永远不可能遇到美丽的王子或者公主。"

从今天开始自己的未来

为什么那么多人将要贫困衰老的退休？因为，他们不能停止手头正在进行的工作，即使那并没有什么前途。他们不能改变自己的环境，这个环境包括工作安稳、努力工作、积极储蓄等。很多人都会变老，他们穿着过时的衣服，他们固守自己父母或者工业时代的观念，远远落伍于当代社会和未来。这些都不是一个人的生理年龄问题，而是个人环境问题。

那么，现在人们如何开始自己的富裕、自由之路？答案还是从你的心智开始，从你每天的词语、思想、行动开始，从你检查每天所做的工作以及相处的人开始，从你懂得为了搭建一个实现梦想的桥梁，你必须设法使自己的计划更为切实可行开始，脚踏实地，而不是浮想联翩。正如富爸爸所说："梦想家整日做梦，而富人制定计划搭建实现梦想的桥梁。"你应该现在就着手制定一个面向未来的计划，开辟未来。对于很多人来说，首先要做的一步就是不要再做手头那些将来不想做的事情。如果你不想为了一份薪水劳碌终生，那么现在就开始摸索学习如何为了被动收入和组合收入工作吧。等找到了一些答案，就马上将这些答案作为你自己计划的一部分。那就意味着你需要更多研究、更多读书、听更多录音、参加更多培训班、开始创立一个家庭企业、结识新朋友。也就是说，从现在就开始做明天希望的事情。

如何预见未来

常常有人问我："如果现在我还无法看清自己的未来，我应该如何预见未来?"或者"当我现在年薪不足5万美元的时候，我怎么想像年薪100万美元的未来?"

那是一个非常好的环境拓展问题，我在富爸爸多年前的谈话中找到了答案，他曾经用大写字母在黄色的便笺纸上写道：

> 视力是你用眼睛能看到的，
> 洞察力是你用心智看到的。

当我问富爸爸什么东西可以开阔个人的眼界时，他说："词语和数据。"他强调了学会阅读财务报表的重要性，因为如果不能阅读财务报表，你就无法预见自己未来的财务状况，甚至对自己过去、现在或未来的财务状况茫然无知。我设计了现金流游戏，通过教授富人的词语和数据开阔他们的眼界。其中之一就是让一帮朋友一起玩"现金流101"游戏，等到你掌握了这个游戏，你可以向其他人传授，鼓励他们采取行动。或者你也可以继续玩"现金流202"游戏，这是一种更复杂的游戏，正如你所玩的游戏。请记着富爸爸的话："你今天的所作所为决定了你的未来。"当人们问我怎样快速致富时，我说："我每天都在玩游戏。"事实上，你玩那个游戏越多，教给别人越多，让游戏在自己生活中的地位越重要，你关于未来的眼界就越开阔。也正如富爸爸所说："如果你想未来有一副健康的牙齿，那就从今天开始注意好好刷牙吧。"

快速词语与快速计划

如果想制定一个快速计划，你就需要学会运用快速词语。很多人没有快速致富，就是因为他们在计划中运用的是慢速词语，而不是快速词语。如果你想提升自己快速致富的眼界，你就需要运用快速词语。

如果想年轻富有地退休，想快速致富，你就需要用更新潮、时尚、快速的财务和投资词语。没有使用快速、有效的词语，就像一个职业伐木工所说：“我不在乎是否使用电动锯砍伐更多的木材，赚取更多的钱。老爸给了我这把斧头，我打算使用它砍树，直到生命结束的那一天。”现在很多人准备参加工作，却仍然想使用老爸老妈留下的“斧头”去赚钱和投资。

你是否还在挥舞老爸留下来的斧头

讲完愿意用斧头而不愿用电动锯的伐木工的故事后，我问在场的人们：他们是否还在挥舞老爸留下的斧头？

经过了一段令人迷惑的时刻和迷惑的表情之后，忽然有人反问我：“你是不是在问我们在管理财务方面仍然像父母一样？”

我回答说：“是的，那正是我的问题。”接着，我又说道：“现在很多人从事的职业已经同父母大大不同，但是在金钱、投资和退休等重大事务上，他们同父母的处理方式完全相同。在这些方面，可以说很多人仍然是在挥舞父母留下的‘斧头’。”

如果还要进一步解释，我可能会说：“词语作为工具，正如斧头作为工具一样。谈起金钱的时候，无数人运用的词语工具仍然缓慢、陈旧，就像在使用早已过时的斧头来砍树一样，结果也就可想而知了。”

大脑的工具

在我教授的一次培训课上，一位年轻女士问道：“你的意思是说，在谈到金钱的时候，也有一个快速词语和慢速词语的问题？”

我欣然回答：“正是如此。如果金钱是一种思想，那么这种思想是由词语组成的。大多数人使用慢速词语，让他们只能有一个慢速思想，那也意味着他们只能缓慢地获取财富。”

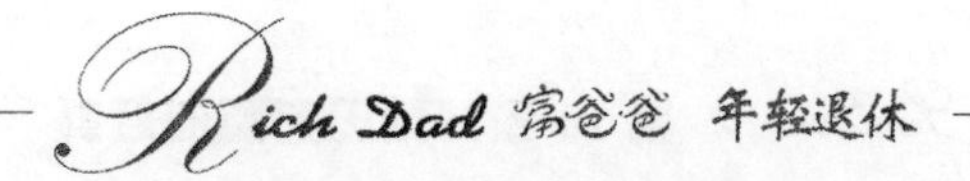

“词语也是工具?”那位年轻的女士轻轻问道，只有她身边的人才能听见。

我点了点头，回答说：“富爸爸曾经说：‘词语是大脑的工具，那么多人陷入财务困境的主要原因就是他们给了自己大脑一个过时、慢速、陈旧的词语工具。如果想致富，首先要做的就是更新你自己的词语工具’。”

“你能给我举出一个过时、慢速、陈旧的词语的例子吗?”那位年轻的女士问道。

“当然可以，”我回答说，“大多数人认为储蓄是一件明智的选择，储蓄本身就是一个慢速词语。通过储蓄你也可以致富，但是代价是时间，是你一生的时间。因此对我来说‘储蓄’就是一个慢速词语。穷爸爸教育我如何储蓄，富爸爸则让我不要储蓄，他教我如何扩大资本。”

“但是，如果一个人不懂得如何扩大资本，那应该怎么办?”另外一个学生问道。

“有时候，相对于储蓄或投资，最好的选择是学习扩大资本的方法。扩大资本是一个很复杂的技能。”我回答说。

“不过，对于个人来说，学习如何赚钱是不是很难?”一个学生问道。

“正如学习任何新东西一样，对我来说开始的时候确实有些难。就像学骑自行车，开始时我很紧张，也犯了不少错误，直到今天我有时还会出错。但是，我从这些错误中学到了不少东西，因此随着年龄的增长，我的教育和经验使扩大资本变得越来越容易。相反，另有一些人年龄越来越大，却仍然想通过勤勉工作和储蓄改善财务状况。这是一个非常缓慢的计划，他们使用的或许是从父母那里继承的陈旧、慢速的财务工具。”我说。

“因此，当我们大家积攒100美元的时候，你可能已经多赚了上百万美元。”另外一个同学插话说，“那也就是你所说的词语是致富的工具，词语也有快速、慢速之分。”

我点点头，说道：“是的，词语是大脑思维的工具。”

计划使用更快速的词语

如果你打算制定一个年轻富有退休的计划，你或许需要更新你的词语，如果你改变了自己的词汇，或许就会加速自己的创意。例如：

慢速词语	快速词语
高薪工作	现金流

穷爸爸常常建议我："想办法找到一个高薪工作。"

富爸爸常常建议我："想办法从资产里找到现金流。"

找到一个高薪的工作，在起步阶段看起来是致富的一条捷径，但是在大多数情况下，最终却可能是一条慢车道。记得刚刚开始职业生涯的时候，穷爸爸比富爸爸的收入高好多，但是到了晚年的时候，情况完全相反，而且两人收入的差距之大就像宽阔无边的太平洋一样。事实上，很少有人通过高薪工作可以致富。下面就是资产带来的现金流及为什么比工作收入更好的一些原因。

先让我们回顾一下三类不同的收入：

工资收入	50%的钱
组合收入	20%的钱
被动收入	0%的钱

工资收入：大多数情况下，它来自于个人的劳动或工作。

组合收入：大多数情况下，它来自于有价证券，如股票、债券和共同基金。

被动收入：大多数情况下，它来自于房地产投资，以及专利、著作权等收入。

通常情况下，在作出任何财务决策前，聘请能干的专业顾问包括税务顾问都是非常重要的。对一个人合法的税费计划，对另外一个人可能就是违法的事情。在这一部分，我们重点强调的是要懂得使用不同的词语，以及工资收入与被动收入之间根本性的区别。至于说到杠杆作用，纳税对于大多数人来说都是反面或者负面的杠杆。一个为了工资收入奔忙的人，至少比为了被动收入奔忙的人要辛苦两倍。为了工资收入而工作的人，就像进两步、退一步，最终步履蹒跚，进展缓慢。

退休之后或许你还得纳税

那些说“好好工作、储蓄，然后投资 401（k）”的人，实际上只能得到 50％的钱。退休之后，你开始从 401（k）计划中领取养老金，但是需要同工资收入一样进行纳税。正如富爸爸所说的，这只是 50％的钱。此外，储蓄利息收入也需要同工资收入一样纳税。

很多退休者说：“我必须继续工作，因为政府提供的社会保险金根本不够生活支出。”但是，如果他重新工作，弥补社会保险金收入的不足，那么政府不仅要征收工资收入税，还要因为他现在工作而调低社会保险金。当富爸爸说：“多数人打算贫困终生。”他自然明白自己在说什么，他已经注意政府法律考虑到一些人退休后的工资收入。如果你不贫困，想赚到更多钱，政府却不愿意帮助你。很多退休者会很快发现，重新工作只能加速贫困，由于纳税的原因，很多退休者最终放弃了继续另找工作。

关键在于，选择使用努力工作、储蓄和投资 401（k）等词语，就是选择了一种很缓慢的词语，它们让你只能有一个很缓慢的财务计划。在财务计划中选择使用这些词语，可能会让你退休后年收入达到 10 万到 100 万美元的小康水平，却无法让你的收入达到富裕或极度富裕水平。正如富爸爸所说的：“富人并不仅仅是拥有很多金钱。”富人使用着一系列词语，这些词语让他们获得了与众不同的人生经验，比如学习如何扩大资产而不是储蓄。

另外一些词语是：

慢速词语　　　　快速词语
储蓄　　　　　　赚钱

富爸爸也曾经鼓励大家学习如何储蓄，但是他本人从来不这样做。他说："关注储蓄花去了太多的时间，而且储蓄本身也没有多少杠杆作用，很多人用来储蓄的资金就是税后收入。"为了得到10美元的储蓄收入，他其实应该得到20美元，因为同工资收入一样，这是50%的钱。另外，你的储蓄利息也需要缴纳很高的税金。

富爸爸没有将目光盯在储蓄上，而是花费了很大精力锻炼自己的赚钱能力。他说；"如果掌握了如何创建自己的企业和进行投资的方法，你就会赚到很多钱，以至于今后的麻烦是钱太多了。当你有了很多钱以后，你可以将多余的钱放进自己的个人银行，而不是去储蓄。"

在《富爸爸投资指南》中，我讲过有关钱的两个难题：一个是没有足够的钱，一个是钱太多。大多数人仅仅知道第一个问题，也就是没有足够的钱的问题，他们干脆就只学习如何储蓄。富爸爸的财务计划是关于如何处理大量金钱的问题，面临的问题是自己手头剩余的钱太多，他一直在寻找将这些钱投资出去的项目。富爸爸的现实和环境就是拥有富足的资金，而穷爸爸的现实就是缺钱，那也是穷爸爸为什么劳碌终生、积极储蓄的原因。

为了钱而工作，与赚钱有什么区别？如果读过《富爸爸，穷爸爸》，你或许还会记得我听了穷爸爸的话准备动手赚钱的故事。我曾经想熔化牙膏管，然后在石膏模子中铸出25美分、10美分和5美分钱来。穷爸爸发现后，不得不给我解释赚钱和伪造钱的区别。穷爸爸无法给我传授赚钱的方法，因为他只知道为了钱而工作。在金钱的世界里，很多富人都是通过设法赚钱而不是通过为了钱而工作成为巨富的。例如，比尔·盖茨成为世界上最富有的人，就是通过赚钱而不是通过为了钱而工作。他建立了自己的公司，然后出售公司股票成为世界首富。

出售公司股票是赚钱的一种重要方式。大体来说，只要有愿意

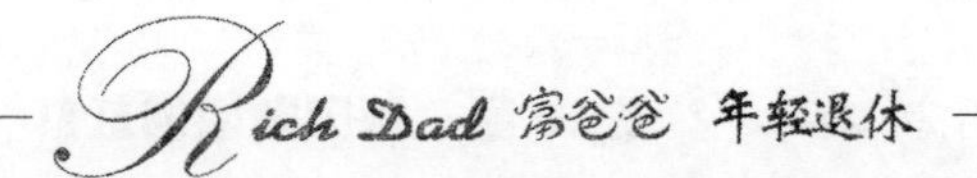

接受你的买家或卖家，有一个完备的市场，在这种环境下你就会赚钱。比如，我的书也是一种赚钱的方式，只要通过出版商有一个市场，那么书为我赚钱就会远远胜过我自己为了钱而去工作。如果我是个需要亲自工作、拿薪水的医生，那我可能就是为了钱而工作的人。如果我是一个发明了新药、并通过药物制造商出售药片的医生，药片可能就是我赚钱的工具，这就远远胜过为了钱而工作。

总之，在大多数情况下，为了钱而工作是一个很慢的途径。如果你明白自己要做什么，那么寻找一个赚钱的新方法可能就是致富的捷径。因此，假若你打算为了钱而工作，努力储蓄，那你可能就还是在挥舞父母留下的又老又钝的“斧头”。

另外，还有些词语可以放慢你致富的脚步，也有些词语可以加快你致富的脚步。

慢速词语	快速词语
升值	贬值

如果你不能全面理解升值和贬值的含义，也不必担心。我本人真正掌握这两个概念也花了些时间。如果你想更好地理解它们，或许应该向会计师或者资深房地产投资商请教。如何将这些概念运用于自己的财务计划，下面这个例子或许可以给大家一些帮助。

几天前，在一个电视节目中，播放了高中孩子们学习如何在股票市场投资的故事。其中一个受访的学生说：“因为购买了某公司的股票价格不断上涨，我赚了很多钱。”也就是说，他做投资游戏是为了获取资本收益或者股票升值，但是，大多数人说：“我们的房子就是很好的投资”，因为他们希望自己的房子能够升值。

我也曾经听一些朋友说：“我在这个新的高尔夫球场附近购买了不少地产，那是一笔不错的投资，我预计五年内价格会上涨一倍。”对他们来说，这是一个很好的投资，他们满怀希望地想在五年内价格上涨一倍。

但是，富爸爸教导他的儿子和我使用不同的词语。当进行任何投资时，他总是说：“利润产生于你购买投资之时，而不是出手的时候。”也就是说，他从来就没有将希望寄托在自己的投资升值上。对他来说，如果真有什么升值，那也属于额外收入。富爸爸为了投资的直接收益，也就是现金流而投资。同时，他常常为了“虚幻现金流”而投资，也就是为了贬值而投资。前面几章里已经提到了有关房子贬值的例子。他喜欢直接的现金流和贬值，因为他不必等着投资升值来赚钱。他说：“等着股票或者房地产项目升值有点太慢，风险也太大了。”

关键在于，如果你想等着将来赚钱，那么这个计划就是个慢速计划，因为你本身在使用慢速词语，随之而来的是慢速想法。我想再次重申富爸爸的话：“利润产生于你购买之时，而不是出手的时候。”我遇到过很多人，他们购置了一块房地产，每个月都在损失钱，他们还对我说：“当地产价格上扬的时候我就会卖掉它，赚回自己的损失。”

在澳大利亚，很多人购置房产，每个月都在损失钱，但是仍然认为是很好的投资，因为政府会给予他们损失部分税收减免。在我看来，那实在是输家的思维方式。我经常问他们：“为什么不去购买那些能给你每月带来收入并且也获得税收减免的产业？”得到的回答往往是：“不，我的会计师告诉我，应该寻找一个每月花钱并且可以带来税收减免的项目。”他们愿意选择搭乘风险很大的慢车，而不愿选择有很大利润空间的快车。

慢速词语	快速词语
避免风险	控制风险

穷爸爸常常说：“那太冒险了”、“小心行事”、“为什么要冒险”。他越相信这些观念，就越容易失去对自己财务状况的控制。作为一名处事谨慎的雇员，他失去了对自己纳税的控制。作为一个将“投资风险太大”、“我对金钱毫无兴趣”常常挂在嘴边的人，失去了越来越多的财务培训机会。最终，即便退休之后，他所要缴纳的税金依然越来越多，投资了几个自己认为稳妥可靠的项目，但是这些项目或者全无回报，或者让他赔钱。

我的一位远亲，在部队干了25年，退休时是一个军官。现在他每天坐在电视机前看财经节目，看着自己持有的股票价格不断下跌。因为无法控制自己投资组合的价值，他感到越来越沮丧。一天，他看到自己持有很多股票的一家公司的总裁有了私人新式豪华飞机，并且说自己的主要经理人都拥有百万美元的红利。虽然他也加入了怒气冲天的股东之列，但他们能得到的实在太有限。

在《富爸爸投资指南》中，我曾经讲过富爸爸的10大投资控制工具。对于那些想对自己现在和未来生活有所控制的人来说，这些工具都至关重要。现在，我担心的是90%的美国人和许多西方国家人对自己的财务未来几乎无法控制。在广大发展中国家，那个比例可能还要更糟。

富爸爸让我制定一个学习掌握控制自己财务未来的计划，他说："为了成为财务快车道上的一员，你需要制定这个计划，那不仅仅是控制金钱的问题。"如果你想进一步了解这10大投资控制工具，可以阅读《富爸爸投资指南》一书。

关于风险和控制的词语，富爸爸说："一个人越是追求安稳，他就越放弃了对自己人生的控制。"现在，我目睹了两个世界的演化：其中一个我称之为"负责型社会"，这些人认为他们自己应该对今天和未来的生活负责；另外一个我称之为"受害型社会"，这些人相信别人、公司或者政府应该对他们自己的生活负责。任何集体，不论是团队、家庭或者公司都有两类社会。他们都从自己的环境和现实出发，都相信自己是正确的。两个社会区分的核心思想在于对风险和控制的认识。受害者为了避免风险，往往将自己生活的控制权拱手让人。不过当他们发现自己早先交出的权力被人滥用时，也会恼怒异常。可以说，受害者其实往往就是自身的牺牲品。

在未来几年中，财务上的受害者会越来越多。很多人将财务控制权交给了专业人士，花钱听取他们的各种建议。很多未来的受害者沉醉于一些老套的说法，比如"长线、多元化投资，不要轻易出手，市场已经连续上扬了40年，谨慎行事。"受害者花钱买来这些建议，仅仅因为他们自己更愿意相信这些建议。如果他们没有明智地选择自己的顾问，他们很可能就会成为财务上的受害者。

慢速词语	快速词语
共同基金	D章程506条款

现在，成千上百万人将自己财务未来和财务安全的赌注押在股票市场和共同基金上，甚至连我本人的退休金计划中也有共同基金。不过，我从来没有打算运用那些共同基金快速致富，也从来不指望那些共同基金来负担我退休后的生活。我个人对股票市场没有多少信心，也发现共同基金成长过于缓慢并且需要用我自己的钱。正如我在本书前面所讲的，如果可能，我宁愿用借来的钱致富，而不愿用自己的钱，但是银行不会借钱给我投资共同基金。

我说共同基金太慢的另外一个原因是，任何有价证券的巨大利润或者升值都源于公司创建阶段，也就是公司上市之前。富有的投资者投资一家公司的股票时，他们往往根据美国证券交易委员会（SEC）制定的D章程506条款（Regulation D，Rule 506）以及其他规定进行投资。也就是说，富有的投资者往往在一个公司还没有公开上市的时候投资，而普通投资者在一个公司上市后才开始投资。两者之间的差距非常大，比如，如果你在英特尔公司上市前投资2.5万美元，今天的市值可能就达到4000万美元。

关键在于，富人已经在普通人注意到那家公司之前赚了大笔钱。那意味着富人的投资风险常常很低，而回报潜力却很大。在共同基金购买公司股权之前，富人的巨额利润已经产生了。接着，人们开始购买持有上市公司股权的共同基金，而其实早在这家公司上市之前，富人已经开始投资。也就是说，富人不是通过投资共同基金或者股票，而是根据D章程506条款通过私下备忘录进行了投资。致富的潜在速度在共同基金与首次公开上市（IPO）或506条款规定的投资之间差距非常惊人。正如富爸爸所说："投资共同基金实际上是投资'食物链'的终端，已经没有多少油水可赚。"

当然，这并不意味着共同基金本身不是好的投资。相反，对大多数人来说，共同基金是一项重大投资。如果你明白自己想干什么，风险是什么，了解股票投资和共同基金投资的整体状况，了解私人公司和上市公司的运作，那么投资共同基金仍不失为一种较好的选择。

我听到有人说："首次公开上市（IPO）股权在股价上扬的牛市是个好选择，但在股价走低的熊市却不一定。"这种说法有一定道理，但是不论股票市场表现如何，富人一直投资那些还没有公开上市的公司。掌握富人投资用的词语、词汇和行话是会大大加快你个人致富步伐的原因之一。

在不久的将来，富人将会变得更富裕，因为他们将会在公司首次公开上市（IPO）之前就介入。他们将不再投资技术、电脑或者互联网公司，而将涉足新的热门生物技术公司、遗传工程公司，以及名字后面有"系统"或"网络"的新型公司。他们将投资未来的热门公司的名字我们可能还从来没有听说过。他们往往在普通投资者投资之前，就已经通过投资公司和房地产项目赚取了巨额金钱。他们用私人备忘录、有限责任组合或者其他一些方式进行投资，而不是通过共同基金。

慢速词语	快速词语
零售支付	批发购买

很多人都对批发价与零售价了解不少，投资上也是如此。富人更富的原因之一，就是他们以批发价而非零售价进行投资。

当你观察现金流游戏的时候，你可以看到老鼠赛跑和快车道。在老鼠赛跑中，投资者支付的是零售价，而在快车道中，投资者支付的是批发价。富人愈富的原因之一，就是他们常常以批发价进行投资。

慢速词语	快速词语
购买股权	出售股权

比尔·盖茨不是通过购买微软的股权，而是通过出售股权成为世界首富的。正如在零售支付和批发购买的讨论中所讲的，富人之所

以致富，是因为他们经常出售股权。为了成为一个股权出售者，你需要创建或者合伙创建公司。

慢速词语	快速词语
上学	参加培训班

穷爸爸常常返回学校学习，他曾经到过芝加哥大学、西北大学和斯坦福大学等著名高校学习进修。每次从学校回来，他都兴高采烈，信心百倍，期待着新的晋升，因为他花了时间去学校进修。

富爸爸则不是这样，他常常参加各种培训班。他说："如果你想成为一个更好的雇员，或者更好的专业人士如医生、律师、会计师，那你就去上学。如果你对学位、晋升、工作安稳等毫无兴趣，那么就去参加培训班。培训班是为那些关注财务发展，而不是工作晋升和工作安稳的人设计的。"

与学校授课相比，我更喜欢培训班的授课，因为学校学生的成分更为复杂，而培训班则要单纯得多。我和金曾经商定，我们每年至少参加两个培训班。我们打算两人一起参加培训班，因为我们发现即便是那些不大理想的培训班，也会使我们的婚姻、友谊和商业合作关系更加融洽。信息或教育能让人们团结得更加紧密，如果未能一起学习，就好像在两个人中间嵌进了一个楔子。

多年来，我们参加了许多投资培训班，包括市场、销售、系统开发、员工管理、投资课程等。我们还准备参加一个由政府主持，讲授如何从政府借款投资低收入住宅项目的培训班，费用只有85美元，我们想从学习中获得数百万美元的收入。因此，我认为参加培训班的收获比晋升大得多。

我遇见过一些作家，他们在学校的写作很好，但是他们的书却远远没有我的书卖得那么好。当我建议他们参加一些直销、销售训练、模仿写作课程培训时，很多人一下子很震怒。的确，就像我在《富爸爸，穷爸爸》中所说的，我是一个畅销书作家，但不是一个书写得最好的作家。

几天前，我遇到了一个朋友，他送自己的女儿到一个很不错的州立大学读书。他为自己花了8.5万美元让女儿完成四年学业自豪，但女儿毕业时，找到一个年薪只有5.5万美元的工作时，他终于变得沮丧不已。

后来，他问我的培训班费用是多少，我告诉他三天时间需要5000美元。他感到太贵了，说道："我承受不了。这样短的时间，你们收费实在太高了。"当他问我三天内我会教些什么东西时，我回答说："第一天，我们讲授如何像比尔·盖茨那样创建自己的企业，并且成功通过首次公开上市（IPO）。万一你不想成为比尔·盖茨那样的人，而只想以批发价购买股票，我们就会讲授如何成为首次公开上市（IPO）的主要成员之一。"我接着说："第二天和第三天，我们讲授如何寻找房地产投资项目，如何做出快速评估，如何购买它们。也就是说，我们教你思考、谈判、分析问题，就像唐纳德·特朗普那样在房地产项目上思考和投资。前几天，我们教人们如何运用股票预购买卖，也就是套利基金经理人乔治·索罗斯的交易方式，这是与共同基金经理人不同的交易方式。此外，我们还会教授如何利用公司减少纳税，保护自己资产。你将会见到快车道上的一些投资人，他们将告诉你如何寻找世界上最好的投资杠杆。更为重要的是，你会遇到一批像你一样的人，他们也像你一样思考。也就是说，你可能会结识新朋友，他们致富的速度与你差不多。"

他还是说了句："三天收费这么多，实在是太贵了！"

正如我前面所说过的，词语也有快慢之分。对我来说，我更愿意三天花5000美元学习如何赚取百万甚至亿万美元，而不愿意花掉四年时间用8.5万美元去学习年薪只有5.5万美元或者稍多一些、但需要一辈子不断工作的课程。另外需要注意的是，这5.5万美元是工资收入。

此外，我还经历过一种快速、低价、高效的教育。1974年，我离开海军陆战队，也明白自己不会像穷爸爸那样一直做雇员。我开始订购了南丁格尔—科南特公司的录音带。那个录音汇集了世界上一些伟大的商业、励志和管理大师的资料。至今，我仍然记得当时购买的厄尔·南丁格尔的录音带《跑在前面带头追猎》（*Lead the*

Field）。在我负责公司地区销售工作并打算辞职离开的时候，我反复听那盘录音。事实上，在体育馆健身或开车时，我至少每年还要听一次那盘录音。

有人问我："如何去找一个导师？"我经常回答："向南丁格尔—科南特公司索取一份目录，然后准备仔细倾听世界上最伟大的导师的教诲。"正如富爸爸常说："事实上，富人致富是在家里，或者是在空闲时间。让你致富并不是老板的工作，而是你自己的工作。"

南丁格尔—科南特图书馆提供的资料，包括一些伟大的导师，如坦普尔曼基金的创建人约翰·坦普尔曼爵士，以及布莱恩·特蕾西、齐格·齐格勒、丹尼斯·韦特利、奥格·曼迪诺、塞思·戈丁、哈维·麦凯等人的录音带。在开车、体育馆健身或者散步时，我从录音带中学到好多东西，赚到很多钱，找到许多可以释放的灵感，提出了很多观点，发现了很多解决问题的途径。南丁格尔—科南特图书馆提供的录音资料非常宝贵，你只要支付不足100美元的费用，就可以在许多私人时间聆听一些世界上最伟大的培训导师的教诲。你所要做的仅仅就是按下播放键，就可以听到最智慧的声音。这些录音带没有给我带来一个大学学位，但是我在那里找到了财务自由之路，找到了更为宝贵的自信。

为什么有些人只寻求内容

上学的人与参加培训班的人的一个重要区别是在环境和内容上。当一个上学的人问一个参加培训班的人："你从培训班上获得了什么？"参加培训班的人往往张口结舌，说不清自己到底学到了什么。原因在于，不少培训班更注重环境拓展，而不是内容提高。刚刚进行了环境拓展的人常常无法回答一些问题，尤其是关于学到了什么具体东西的问题。一个学院气很浓的人，一个更愿意做雇员的人，常常很难理解这种不易言传的境界。一个希望自己环境保持不变，仅仅想增加内容的人，只会等待新内容的出现，而很难理解一个乐于拓展自己现实的人。如果环境发生一些变化，他们就会变得焦躁

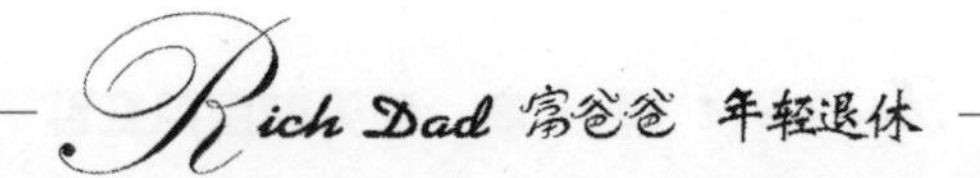

不安。这也是他们只关注内容的增加而对环境的拓展毫无兴趣的原因。不过，那些走在时代前列的成功者，往往都同时追求环境的拓展和内容的丰富。

到了离开老鼠赛跑的时候了吗

几天前，有人问我："我玩了一次现金流游戏，现在我该怎么办？"

我反问道："你玩了一次现金流 101 游戏？仅仅一次？"

"仅仅一次。"他回答。

"你玩这个游戏用了多长时间？"我问道。

"大约三个小时。"他回答说。

"你最终离开老鼠赛跑了吗？"我问。

"不，从来没有，但是我从中受到了教育。"他说。

"你从中学到了什么？"我问。

"我感到厌倦。我感到沉浸于老鼠赛跑游戏枯燥辛苦，我知道自己痛恨这种游戏，因此我想请你告诉我，我接着应该怎么做。我不想玩游戏，我想致富，告诉我后面应该怎么做。"

我拿起游戏板画了一圈老鼠赛跑标记。

我放缓了语气，指着老鼠赛跑游戏，问道："对你来说，这仅仅是个无聊的游戏？"

他点了点头，笑着说："是的。我不想再玩游戏，我想真正在生活中发财。"

"你不认为这个游戏其实也是一个真实的生活？"我反问道。

"是，"他微微露出了一丝不屑，"那个游戏不适合我。"

"这倒很有趣，"我仍然指着老鼠赛跑游戏说："对我而言，这个游戏就是真实的生活。我来问问你，你是在老鼠赛跑道上，还是在快车道上？"

他一脸茫然，不知怎么回答。

接着，我说："对我而言，这个游戏就是真实的生活。在真实的

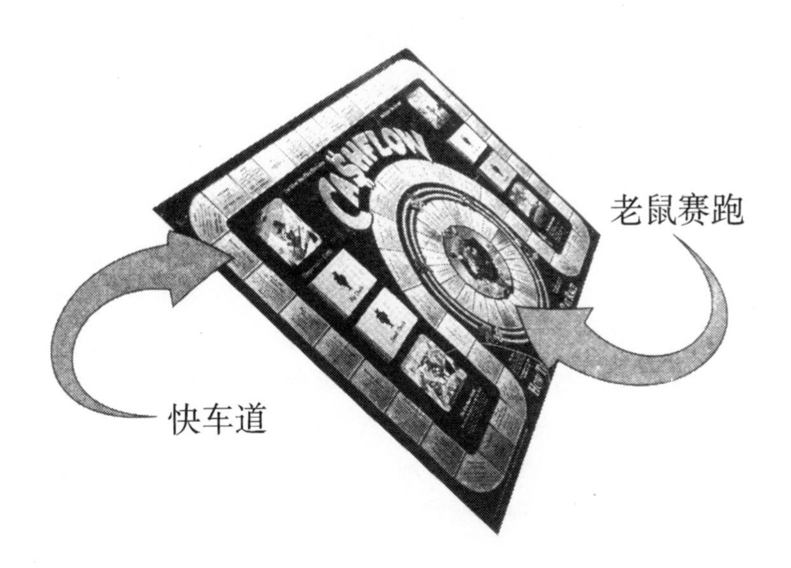

生活中，我们每个人都在某一条道上。”我曾经偶然读到美国前劳工部长罗伯特·赖克的一篇文章，也曾经在这一部分开始时引用过。我拿出那篇文章，读了一段罗伯特·赖克的话：

“那不仅仅是有一个工作，也不仅仅是有很高收入的问题。”

“在有不可预知收入的新经济时代，出现了两条道路：快车道和慢车道，中间没有一个过渡地带。”

“你的意思是，快车道真的存在？”他问道。

我点点头，说道：“是的，老鼠赛跑同样也确实存在。99%的美国人投资于老鼠赛跑，他们的处境越来越尴尬。正如罗伯特·赖克所说，这两条道之间非此即彼，没有过渡地带。那就意味着你或者在这个道上，或者在那个道上。你想从哪个道上开始自己的投资？”

“我拥有高薪职位，挣钱也不少，这难道不意味着我是从快车道上开始投资吗？”他反问道。

“抱歉，我并不那样认为。当然我还不清楚，你必须告诉我有关你个人的其他一些情况。你投资了什么项目？”我问：“你是个百万富翁吗？你的年薪超过了20万美元了吗？”

“我在自己的401（k）计划中投资了35万美元，我的年薪超过

12 万美元。这难道不意味着我就是在快车道上吗?”他接着反问。

“不，我并不那样认为，”我回答说，“至少根据美国证券交易委员会（SEC）章程，你还不在快车道上。”

“我不理解，”他说，“你能告诉我有哪些不足吗?”

我深深吸了口气，打算说服他打开自己的环境和大脑，接受新的内容和信息。长期以来，我一直感到教育那些自以为无所不知的人是最困难的事情。大家都知道，在一个已经装满水的杯子里继续倒水是很困难的事情。同样，教导一个大脑封闭或者装满了其他内容的人，让他接受一些新东西也是很困难的事情。

我慢慢地开始说：“因为对我而言，这个游戏就是一个真实的生活，所以我设计了两条道路。在现实生活中，我们大家都居于其中一条道上，正如罗伯特·赖克所指出的，两条道路非此即彼，中间没有过渡地带。”

“你的意思是，我们或者居于老鼠赛跑道，或者居于快车道。”这个时候，他才显出了一些兴趣。

“是的，”我说，“游戏告诉我们，我们应如何离开老鼠赛跑。设计这个游戏的目的就是打开人们大脑中致富和走上财务自由之路的可能性，脱离很多人知道的老鼠赛跑，脱离为了金钱劳碌终生却永远不能达到理想生活的煎熬。这个游戏掌握得越熟练，教会别人的机会越多，你的大脑就会越开放，你的心智、环境和内容中就会有更多的财务自由思想。如果不愿意开放自己的心智，你就很可能成为终生奔忙于老鼠赛跑的 99％的人之一。”

“即便我赚了很多钱，也是如此吗?”他问道。

“这是一个很好的问题，”我大声回答，“仅仅有钱并不一定能脱离老鼠赛跑，也并不一定能站在快车道上。那也是富爸爸常说‘金钱并不一定能让你成为富人’的原因。”

“为什么?”他显得困惑不解，“如果有钱，不是就可以拿着很多钱挤上快车道吗?”

“这也是一个很好的问题，答案仍然是否定的。”我回答说。我现在知道他的大脑已经开始接受新东西了，而不再做出无所不知的样子了。我接着说："脱离老鼠赛跑不仅仅需要金钱，有了钱也不一定就能挤上快车道。"

我整理了一下思绪，问道："你还记得《华尔街日报》等报刊的一些广告吗？你还记得财经报刊常常刊登一些衣着光鲜、神气十足的男人，站在华尔街上手握'我现在有钱进行投资了'的标牌？"

"是的，我看到过那类广告，但是不大能够理解他们。"他回答的声音很轻，仍然带着一丝疑惑。

"1995年到1999年之间，这类广告很多。可见，当时很多人从股市或工作中赚了不少钱，他们正寻求属于快车道的富人的投资机会。问题在于，即使很有钱，他们也找不到位于快车道上更好的投资机会。即使由于各种偶然的机缘，他们进入了快车道，但是对于大多数人包括有钱人在内还是无法涉足一些最好的交易。"

"即使他们有钱也无法进入快车道吗？"他一脸茫然，"为什么？我不明白。"

"因为金钱不能使人自然地进入快车道，金钱只能使那些人停留在老鼠赛跑场。"

"金钱也不算数，为什么？"他问道。

"快车道上的人都已经拥有很多财富，那也就是金钱为什么不再算数的原因。为了在快车道上进行更好地投资，主要是看你懂得多少东西，并且认识谁。"

"你的意思是，表中列出的东西可以衡量一个人是否在快车道，而不是金钱的多少。"他轻轻地说。

"非常对，"我笑着说，"富人与穷人、中产阶层在许多方面不仅是有区别，而是截然相反。穷人和中产阶层认为金钱非常重要，但是当富裕之后，你会发现金钱不再那么重要。"

我用了几分钟时间给他演示人们退出战略的不同，我说，很多人都可以达到小康水平，也就是年收入10万美元到100万美元，但是如果他们这些钱都是通过努力工作、储蓄和节俭得到的，那么他们可能就永远无法涉足富人和极度富裕人的投资项目。很多人不能投资，仅仅因为他们缺乏在快车道上投资所需要的培训和经验。他们有钱，但是再也带不来别的东西了。

“那也就是为什么在一些广告中，过上小康生活的人手握‘我现在有钱进行投资了’的标牌的原因。”这位脑子里接受了一些新环境的年轻人说：“他们有钱，但是没有人希望得到他们的钱，因为他们从来没有准备搭上快车道。”

“是的，”我说，“那也就是富爸爸说‘富人不仅仅是很有钱’的原因。”

“那我应该怎么做呢？”他问道。

“好吧，首先要做的事情是回去至少玩12次现金流101游戏，直到你在一个小时内能够离开老鼠赛跑游戏，无论你从事何种职业、薪水高低、所处市场状况，以及遇到了什么困难。接着看看快车道上的词语，查找一些词语的真实含义。掌握了这些词语的含义后，再去寻找那些在快车道上投资的人。花时间同他们呆在一起，听听他们的词语，了解除了金钱对他们来说最重要的东西。对他们的词语理解得越透彻，与他们交流的越通畅，你就会更清楚地看到他们的世界——快车道的世界。”

“你也曾经那样做过吗？”他问道。

“不，我一直那样做，我生活中的每一天都是那样做的。正如我说的，这个游戏本身就是真实的生活：你或者处于老鼠赛跑，或者处于快车道。”

“我有一个计划，一个摆脱老鼠赛跑的计划。重要的区别在于，我的计划从起步就是一个富人的计划。这个计划让我获取了很多金钱，但是更为重要的是，让我获得了迈向快车道所需要的词语、培训和经验。因此，首先花些时间选择个人退出战略，接着开始设计制定自己的计划——一个迈向快车道所需要的培训、经验和词语的计划。”

那个年轻人点点头，他的心智现在终于开放了。“因此，很多人虽然退休，但仍然像老鼠赛跑一样，是吗？”

“基本上是这样，”我轻轻地回答，“他们的生活也是根据计划。他们搭上慢车道，而且在此度过了一生。我不愿意搭上慢车道，因此我一直在寻找更好的计划，一个为自己服务的计划。我也希望你能找到一个更好的计划。”

那个年轻人点了点头，轻声地说：“我会的！”

本章小结

在我看来，很多人辛劳终生却仍然未能彻底摆脱贫困，或者陷于残酷的老鼠赛跑，原因就在于他们根据一个缓慢的计划行事。如果想年轻富有地退休，重要的一步就是坐下来轻轻地扪心自问：“我在实施什么样的计划？我在实施什么类型的人的计划？”此外，其他还需要考虑的问题有：

1. 我的个人退出战略是什么？
2. 我的词语和思想有多快？
3. 我现在处于哪个车道？将来我想处于哪个车道？
4. 我现在工作是为了哪种收入？它是我将来想得到的收入吗？
5. 安稳工作的长期代价是什么？

第11章 诚信的杠杆

从1985年到1989年，我和金没有任何被动收入和投资组合收入。我们工作勤勉，努力建立自己的公司，以便有更多杠杆经营的工资收入。我们得到的所有额外收入都用来支持我们建立自己公司的活动。我们明白自己需要何种收入，明白自己所需收入的明确定义，明白必须将工资收入转化为被动收入和投资组合收入，但是我们不知道当那一天来临的时候，究竟会发生什么？不知不觉过去了好多年，富爸爸的教诲却仍然回荡在耳边："当被动收入和投资组合收入成为个人生活的一部分时，你的日常生活将会发生彻底改变。一定要牢记这一点。"

富爸爸和穷爸爸都坚持自己对词语的理解，分歧仅仅在于他们关注的词语不同。一个爸爸让我关注与学校密切相关的词语，另一位则让我关注与金钱、商业和投资密切相关的词语。不知道有多少个夜晚，我手捧辞典思索着两个爸爸关注的不同词语的含义。

我遇到过很多自称投资者的人，当我问他们有多少被动收入或者投资组合收入时，不少人即使承认自己有，也没有多少。然而，他们却一直以投资者自居。穷爸爸和富爸爸都曾经说过："你一定要像你所说的那样，名不副实可不好。"我想，年轻而富有的退休者为什么屈指可数，其中一个原因就是好多人所说所做的并不一致，他们使用的词语对自己来说并不一定是那么回事。

并非仅仅定义不同

读过《穷爸爸，富爸爸》的朋友，或许都会记得穷爸爸和富爸爸对资产和债务的不同理解。穷爸爸自信懂得两个词的含义，因而从未想到要查找它们的准确含义。当然，即便他去查找这些词，也不会有多好的结果。原因很简单：多数的学术辞典从来没有将两者间的区别解释清楚。

我讨厌从辞典上查找词语的含义，不过我一直在查找自己尚未真正理解的词语。因为我认为，词语是人类能够使用的最有力的工具，正如富爸爸所说，“词语是大脑思维的工具，词语让大脑掌握眼睛看不见的东西。一个用词贫乏的人必然思想贫乏，并最终导致生活的贫乏。”花一些时间思考自己和很多人的深刻差异，就会发现正是工资收入、投资组合收入和被动收入的不同决定了我们的生活。这些都是相对简单的词语，但是只要明白它们之间的区别，就会有截然不同的生活。

如果你想改变自己未来的财务状况，最重要、代价最小的一步就是首先弄清自己经常正式使用词语的含义。在电视上，一些大的投资公司不断制造出许多新鲜词语，比如价格收益率、股息再投资计划、市场资本总额等有关投资的林林总总、花样繁多的行话和术语。他们想让你也认为，掌握这类概念对于成为一个像他们那样的成熟投资者十分重要。不过，如果你真想退休时年轻富有，首先应该弄懂一些更基础、更重要的概念。这些更基础、更重要的概念包括流动比率（流动资产与流动负债之比）、速动比率、易变现比率（商业银行遵守的流动资产与存款债务总额之比）、债务与收入比率，以及资产与债务比率、工资收入与被动收入和投资组合收入之间的比率。

掌握词语的力量

为什么说后者更为重要呢？答案在于，一些词语如价格收益率、股息再投资计划和市场资本总额实际上与你毫无关系，尤其是当你刚刚涉足商业和投资活动的时候。对你的生活来说，更为重要的是一些基本比率，例如债务与资产比率、易变现比率等。它们对于个人十分有用，你可以在实际生活中尝试运用。如果你懂得如何个性化地应用这些比率，切实将它们落实到个人生活中去，它们就可能成为你生命中不可或缺的一部分。到了这一天，你才算真正掌握了词语的力量。

价格收益率广泛应用于一些上市公司，比如 IBM 和微软，但它不大适用于个人，除非你想把自己卖掉（但我认为买卖人类的奴隶制现在已经不复存在，将来也不会再出现）。对于不知道价格收益率为何物的人来说，价格收益率能让你迅速评估一种股票的贵贱，就像商场顾客询问每磅猪排的价格一样。猪排售价每磅 2.99 美元与 1.19 美元之间有很大差别，但任何一个明智的顾客都知道，仅仅价格便宜并不能断定就是个好交易。价格收益率的高低同样如此。

价格收益率仅仅可以衡量股票价格与收益之间的比价。例如，如果每股股息是 2 美元，股票价格是 20 美元，那么这种股票的价格收益率就是 10。那就意味着如果没有什么变化，你需要 10 年时间才能捞回 20 美元。单单依据一种股票价格收益率的高低，并不能评判交易本身的好坏，正如每磅猪排的价格并不能决定买卖的好坏一样。实际上，在购买便宜的猪排之前，你或许更应该考虑清楚其他因素。

在互联网泡沫时期，许多股票价格很高却没有什么收益。如果你用价格收益率来衡量，那么投资互联网公司就显得十分荒唐可笑。到了整个市场低迷，经济不景气时，许多人都希望当初他们购买并存放在冰箱中的是一些便宜的猪排，而不是价格很高却没有实际收益的垃圾股票。现在，即便冻猪排也比一些互联网公司的股票值钱。真正可笑的是这样一些人，他们认为你可以投资没有任何现实性而前景似乎看好的行业。许多年轻的互联网公司的推动者环境不错，却没有好内容，这个内容就是商业投资的教育和经验。

还有一些更重要、更基础和具有决定意义的比率需要掌握。如果能充分理解并运用它们，那么你个人致富或在财务上成功的机会就会大大增加。其中更实用的一个就是债务与资产比率。因为我们每个人都会运用这个比率，而且我们应该每个月都运用这个比率。比如，如果你有长期和短期债务，总额大约是10万美元，而你的资产是2万美元，那么你的债务与资产比率就应该是：

$$\frac{100\ 000\ \text{美元}}{20\ 000\ \text{美元}}$$

在上述情况下，你的债务与资产比率应该是5。需要注意的问题是这个数据意味着什么呢？在实际生活中，它似乎没有多少意义。但是，如果下个月你的债务与资产比率变为10，那可能就预示着你无法安排个人生活。债务与资产比率为10，意味着你的债务上升到20万美元，或者你的资产下降到1万美元。在另外一些场合，这些数字或许还包含更多意味，因为他们是与你个人生活密切相关的真实数字。正如富爸爸所说的：“务必关注你的个人财务状况。”你最终会明白，这些简单的比率是教导你思考和管理个人财务状况的最佳工具。

比率在生活中的运用

正如价格收益率反映了投资者对于上市公司管理状况的信心，作为个人生活的管理者，你也同样需要在生活中运用一些比率。如果你想更好地管理个人的财务状况，那么就应该掌握下面一些比率。

富爸爸让我掌握的一个比率就是他自己提出的所谓财富比率，也就是：

$$\frac{\text{被动收入} + \text{投资组合收入}}{\text{总支出}}$$

评估个人财富比率的目的是设法让你的被动收入和投资组合收入等于或超过总支出。这将意味着你可以放弃手头现有的工作（它是你的工资收入来源），坚持个人的生活风格。一旦你的被动收入和投资组合收入超过了总支出，这个比率将变为 1 或者更高，你也将摆脱老鼠赛跑的生活。这也是玩“现金流 101”游戏的目的，我发明的这个纸板游戏将教你如何获取被动收入和投资组合收入。

比如：

$$\frac{\text{600 美元被动收入} + \text{200 投资组合收入}}{\text{4 000 美元总支出}} = 0.2$$

如果富爸爸看到 0.2 这个比率，也就是说被动收入和投资组合收入等于总支出的 20%，那么他一定会极力劝告你下功夫设法提高自己的被动收入和投资组合收入。正如他所指出的：“当被动收入和投资组合收入成为个人生活一部分的时候，你的生活就会彻底发生改变。务必牢记这些话。”他认为，对被动收入和投资组合收入掌握得越透彻，个人生活也会随个人现实的改变而改变。

富爸爸认为，财富比率是需要掌握的一个很重要的比率，因为它是你管理个人生活能力的一个重要指标。他说：“许多人退休时生活贫困，因为他们从来不明白被动收入和投资组合收入的重要。”

大约有五年时间，我和金虽然明白被动收入和投资组合收入的意义，也希望在自己的生活中拥有这些，但是却并没有获得上述两项收入。在 1987 年突然发生股市危机以及长达七年的经济衰退之后，我们意识到机遇之门终于敞开，到了我们获得那两项收入的时候了，我们的财富比率不再是零的时候了。1989 年，我们购买了自己第一笔房产，到了 1994 年，我们每月的被动收入超过了 1 万美元，而总支出不足 3000 美元，财富比率达到了 3.3。现在，即便总支出大大增加，我们的财富比率还是超过了 12。这也是让词语成为自己生活不可分割的一部分的力量。

如果你渴望年轻富有地退休，或许也应该让富爸爸的财富比率成为自己生活的一部分。我认为，你会发现它们对你个人的意义远远超过了IBM或微软公司的P/E比率。如果每月都检查自己的财富比率，与那些期待加薪的人相比，你的个人生活将会有更显著的变化。富爸爸提出的财富比率概念，极大影响了我对生活中什么重要什么不重要的认识。

回顾自己的生活，我感到正是这些来自于富爸爸的简单教诲让自己获得了生命中最重要的财富。现在，我的个人债务与资产比率大约是0.7，意味着即便我有很多债务，我每天晚上也可以高枕无忧。我的债务不断，但是从来没有打算消灭债务。关键在于，富爸爸的简单教诲与我一生的生活息息相关，对我个人的深刻影响甚至远远超过了我多年前所学的微积分、球面三角学以及化学的收益。我从来没有用过微积分、球面三角学或者价格收益率作出过投资决定，因为这些东西并不实用，对我个人财务成功也几乎没有多少关系。

为你的生活注入力量

在本书的第二部分，我想从词语、行动以及诚信上着重强调两点：第一点，一些简单的定义和数字会为你的个人生活注入很大能量。正如任何一个购物能手都要先了解每磅猪排的价格，我们大家都应该注意自己的债务与资产比率、财富比率，以及其他一些在此不想赘述的简单数字指标。

第二点，仅仅懂得词语含义和满口全是充满智慧的专业术语，距离真正成功仍然还很遥远。现在，运用自己还没有掌握的词汇的人多得不计其数，一些词语如价格收益率，就是为了听起来显得比当事人更有智慧。关键在于，如果你渴望退休时年轻富有，持之以恒地提高个人的财务词汇就显得尤为重要。同时，掌握词语含义之外的东西也十分重要。我个人认为，一定要让那些词成为个人生活和现实的一部分。比如说被动收入——我对这个词充满感情，因为它已经是我个人生活的重要组成部分。被动收入对于我的意义，其实就相当于加薪对于很多雇员的意义。我对加薪没有多少热情，因为对我来说，那是一笔没有多少前途的收入。

我曾经花了多年时间，摸索如何将劳动收入转化为被动收入。时间越久，我获取的生活经验越多。我曾经与许多财务工作者打过交道，如股票交易员、房地产经纪人以及财务顾问等等。这些人自身存在很大问题：一方面，他们向你推销投资项目，这些项目将来可能为你带来被动收入和投资组合收入；另一方面，他们自己却仅仅为工资收入而工作。在我看来，那显然有些别扭。

你财务顾问的鼻子有多长

富爸爸喜欢童话故事，其中之一就是匹诺曹（Pinocchio）的故事。在故事中，一个名叫匹诺曹的木偶想变成男孩子。他经常撒谎，并且他撒谎越多，木鼻子就长得越长。只有当他开始说真话时，他才慢慢变成一个有血有肉的男孩子。富爸爸给他的儿子迈克和我讲了这个童话故事，他说，“那也是自己的心思意念变为现实存在的又一个例子。”

当我想到无数人将自己财务未来和财务安全的赌注押在股市上，就不禁倒吸了一口凉气。因为失业率节节攀升，市场持续动荡疲软，他们整日为自己的财务未来忧心忡忡。我刚刚读到一则报道，一些退休者因为听信投资顾问和保险推销员的建议，将自己的退休金损失殆尽。报道中说，这些投资顾问和保险推销员开始推销上述虚假的投资项目时，并没有得到所在公司的认可，仅仅因为公司减少了他们的佣金（工资收入），他们就找了一种虚假投资项目，出售给那些信任他们并希望年老时有一点被动收入和投资组合收入的退休者。

在即将到来的十多年里，可能将有数以百万计的人在年老时陷入财务困境，因为他们听信了那些长鼻子的所谓专业人士的谎言。这些人一直鼓吹：“股市一直在攀升，公共基金每年红利平均达到了12%，应该投资长线项目，多元化经营，依照购入证券的美元价格计算损失。”

诚信的力量

尽管富爸爸和穷爸爸强调的词语不同，但是他们同时强调“诚信”的重要。他们都认为诚信的含义之一就是个人言行的统一，他们都说：“听其言，但更重要的是观其行。”如果一个人说：“我将会在早上七点喊你。”结果他的确在早上七点喊你，那么他当时的诚信就是百分之百，就是言行一致的人。如果一个人说：“我将会在早上七点喊你。”但是那个人到时候根本没有出现，后来也没有道歉，那么他当时的诚信只有0%，他就是言行不一的人。

穷爸爸指出，词典中“诚信”的定义之一就是“完整”和“完全”。他接着说：“一定要像你所说的那样。”他提醒自己的孩子信守诺言的重要。他还说：“从根本上讲，我们就是我们的词语，我们拥有的只有自己的词语，如果词语不很好，你本人也不会很好。”因此，他一直说：“决不要许下自己不准备兑现的诺言。”

前几天在达拉斯市，两位青年问自己能否参加我的投资培训班。他们希望能拿到免费门票，因为他们没有钱。由于他们当时所说的情况让人感到同情，我和金同意送给他们靠近门口的两张门票。结果，他们从此再也没有露面，我也终于明白他们为什么会没有钱，即便两人都有很好的工作。

诚信的计划

在我拥有大量财富的计划中，一个简单而重要的组成就是尊重词语的力量，真正做到言行一致。多年以来，富爸爸要求我信守诺言。他说：“如果你在小事情上信守诺言，那么你在大事情上也将信守诺言。一个不能在小事情上信守诺言的人肯定做不了大事情。”在此重提富爸爸的这句话，因为心怀梦想却一事无成的人太多了。他们大多有着宏伟的计划，但是却不能信守自己的小诺言。富爸爸说：

“在小事情上不信守诺言的人是不可信任的，如果在小事情上不能信守诺言，就不会有人帮助你实现大的理想。如果不能信守诺言，人们就不会信任你，对你和你所说的话也会没有信心。”

我曾经看到了富爸爸和穷爸爸关于词语力量的智慧的建议，也曾经看到当压力降临时，很多人就显示出了自己的本性。我有一个经常不能按时赴约的朋友，他一直对我不与他在商业上往来困惑不解。他也经常撕毁与合作伙伴、雇员和银行的协议，经常利用法律规定合法的欺骗他人。尽管取得了商业上的成功，他还是不得不经常寻找新的合作伙伴。他破坏了自己的关系网，而不是利用自己已有的各种关系，因而只好与完全陌生的人重新开始。寻找新的合作伙伴应该没有多大问题，但是他的木鼻子越来越长，越来越难以掩藏。

我过去的另外一个朋友，面对压力时经常说谎。她不是告诉别人真相，而是撒谎，并且认为自己可以侥幸逃过别人的注意。当她身处困境时，她就会说：“这不是我的错，我禁不住这样做。另外，我没有撒谎，你没有听到我说话。”正如富爸爸说指出的：“在小事情不信守诺言的人不足信任，如果你在小事情上不被人们信任，人们就不会帮助你实现更大的梦想。”

因此，我将穷爸爸和富爸爸充满智慧的话语转述给大家，这句话就是：“确保你自己言行一致。”在讲到快速词语和慢速词语的时候，我曾经说过自己的计划之一就是从思想、精神和行动上完全掌握这些词语。富爸爸要求我制定一个计划，从思想、精神和行动上理解新词语的含义。比如，他说：“一旦学会了以批发价而不是零售价购买股票，你的生活将会永远发生改变。当你懂得了用批发价购买股票，自己会变得多么富有的时候，你将再也不想用零售价去购买。”他还说：“一旦懂得了储蓄与赚钱的不同，你的生活将会永远发生改变。”“一旦你懂得了降价比期盼提价好以后，你的生活将会永远发生改变。”“如果你在自己生活中逐步落实这些词语，让它们成为自己生命的一部分，你的生活将会与那些仅仅懂得这些词语定义的人迥然不同。”

确保学到见到的新的快速词语成为自己生活的积极组成部分，这些词语在我的财务计划中占有相当分量。在富爸爸看来，如果我仅仅用这些财务词语装点自己的门脸，用以显示自己比别人智慧，那么我就完全是一个言行不一的人。

我将穷爸爸和富爸爸的教诲转述给大家，就是想提醒大家在制定自己计划的时候，一定要理解和掌握这些新的快速词语的力量。不能仅仅知道它们的定义，或者更糟连定义都不明白却把这些词语挂在嘴边，在没有听说过的人跟前炫耀。让词语成为自己身体不可分割的一部分，你就掌握了它们的力量。

富爸爸常说："世界上有两种人，传教士和教师。传教士告诉你应该怎样去做，但他们自己却并不这样去做；教师告诉人们他们正在做或已经做过的事情。在金钱、商业和投资领域，只说不做的'传教士'太多太多了！"

本章小结

如果你想年轻富有地退休，就应该花时间不断丰富自己的财务词汇，切实按照所说的办事，不要流于清谈。一定要记住词语是大脑思维的工具，而涉及财富的时候有快速词语和慢速词语之分。

最具破坏性的词语

富爸爸常说："在所有词语中，最具致命破坏性的词就是'明天'。"他接着说："穷人、失败者、失意者以及不健康的人，运用'明天'的频率最高。他们的口头禅就是：'我将从明天开始投资。''我将从明天开始节食和锻炼。''我将从明天开始读书。'如此等等，数不胜数。"富爸爸认为："明天"比任何一个词毁掉的人都要多。他说："'明天'一词存在的问题是你永远找不到一个'明天'。明天并不存在，明天仅仅存在于梦想家和失败者的脑海中。等待明天的人将会发现，过去的恶习永远与自己相伴，根本无法消除。"他最终这样结束了自己关于“明天”的评论：“我从未见到过所谓‘明天’，我所拥有的只有今天。‘今天’一词属于成功者，‘明天’一词属于失败者。”

在下面的章节中，我们将讨论怎样从今天开始做简单的事情，而这些简单的事情将大大改善你的明天。

第12章
童话的杠杆

从丑小鸭到白天鹅

富爸爸喜欢《乌龟与兔子》的童话故事，有一次他曾经对我说："我之所以成功，是因为我一直是一只乌龟。我来自并不富有的家庭，在学校不是聪明的孩子，我没有读完中学，我也不是特别能干。但是，我比很多人富裕得多，仅仅因为我从不停步。我从来没有停止过学习和拓展自己可能的现实。"

富爸爸喜欢童话和圣经故事，在本书卷首我曾经与大家分享了大卫和歌利亚的故事。富爸爸喜欢大卫这个小家伙用投石器杠杆击败巨人的故事。富爸爸喜欢童话故事，但他并不是一个伟大的读者，他从那些童话中吸取生活的经验和教训，并用来指导自己的生活，指导自己从一无所有到资产万贯的一生。

曾经有好多次，我和金濒临破产，身上的钱所剩无几，我就会找一个地方静静地坐下来，回味富爸爸讲给我的乌龟和兔子的故事。我记得他说："人的一生之中，会经常遇到那些比自己更聪明、更快、更富有、更有权力、更有天分的人。他们开始领先，并不意味着一定会赢得这场人生的比赛。如果你对自己有信心，做那些很多人不愿意做的事情，每天都争取一点进步，那么你一定会最终赢得人生的比赛。”

富爸爸喜欢的另外一个童话是《三头小猪》的故事，他常常将这个故事和乌龟与兔子的故事结合起来。在我 12 岁左右的时候，富爸爸说：“搭建财务屋子时，不同的人使用的材料也不同，穷人用的是稻草，中产阶层用的是木棍，富人用的是砖石。作为一只成功的乌龟，虽然步履缓慢，但是一定要确保自己搭建的是一个砖石结构的房子。”

1968 年，当我离开纽约的大学回家过圣诞节时，富爸爸和他的儿子邀请我到他们的新居作客，新居位于他们新饭店的顶层。当我们站在阳台上，凝视着白色的海滩和湛蓝的大海时，他忽然问道：“你还记得我曾经告诉过你的那些故事吗？还记得《乌龟与兔子》和《三头小猪》的故事吗？”

“当然，我记得非常清楚。”我半天才反应过来，依然惊讶于他们如此美丽豪华的新居。

“好了，好好看看，这幢屋子可是砖石打造，一点不假。”他的嘴角露出一丝微笑。

当时，富爸爸没有再讲其他东西。他只是反复给我说了前面两个童话，以至于我感觉那些童话都快变成生活中的真实故事了。的确，他像一只乌龟，走过一条更长、更慢而且不安稳的道路，但是现在终于获得了成功，而且爬得更高。他当时 49 岁，一路上已经超过了很多兔子。

我也记得穷爸爸用木棍搭建的屋子，那也是一座价格昂贵的屋子，位于檀香山的小康生活区。当时穷爸爸刚刚升任夏威夷州教育局长，达到了自己人生的巅峰，成了公众人物。这些都同富爸爸一样，不同的是他们中一个人控制着自己的未来，另外一个却没有。一个生活在砖石打造的屋子里，另外一个则不是。三年以后，穷爸爸失去了安稳、可靠的工作，留下来的只有那座木棍搭建的屋子。

丑小鸭的意义

1968年，富爸爸站在自家豪华公寓的阳台上，提醒我回忆另外一个童话故事。我从来没有想到这个童话对他有那么重大的意义，因为在我和他儿子迈克的孩提时代，他一直没有在我们面前说起过。“你知道丑小鸭的故事吗？”他问道。

我靠着阳台，点了点头。

“在我一生的好多时候，我都把自己看做一只丑小鸭。”富爸爸徐徐道来。

“你在开玩笑吧，是不是？你怎么能将自己看做是一只丑小鸭？”我简直不能相信，因为富爸爸是一个英俊潇洒的男人。

“当我13岁辍学的时候，我像一个旁观者那样看待这个世界。在这个社会中，有些人不能适应，有些人已经远远落伍。我在父母的商店里帮工的时候，那些中学橄榄球队的男孩子常常欺负我，推搡我，甚至毁坏商店里的东西。那些年龄稍大欺凌弱小的家伙，常常跑进我们的店铺，将货架上的罐头摇下来，或者将柑橘扔到路上去，并且一直骚扰不断。”

“你反击过他们吗？”我问道。

“当然，曾经有两次，不过我最后被他们揍得鼻青脸肿。”富爸爸说：“我在这里不是给你讲那些身强体壮、欺凌弱小者的故事。其实，在这个世界上，还有另外一种欺凌弱小的人。”

我惊诧于富爸爸的这段经历，静静地朝阳台下面看去，听着他的讲述。

“我还碰到过一些有知识或学院派十足的欺凌弱小者，他们走进商店，用高人一等的口气对我讲话。因为他们自恃受过良好教育，觉得比其他人聪明，而且瞧不起我们这些没有上过学的人。”

“我们学校里这类人很多，”我插了一句，“他们自认为比你聪明，或者有更高学位，好像就有了资本与你谈话或相处时颐指气使。”

富爸爸点点头，接着说道："在店铺工作时，我还遇到了一些在社会上欺凌弱小的人。他们趾高气扬，仅仅因为他们出生于富豪之家，或者因为漂亮、性感、潇洒、有人缘。当我为他们服务时，常常被他们嘲弄。记得有一次我向一个姑娘打听时间，她周围的朋友立刻哄笑一片。我还记得有一个女孩子对我说：'难道你不懂得富家千金从来都是不愿意与穷小子一起约会吗？'这些话的确深深伤害了我，直到现在也不能忘怀。"

"这些事情还在继续发生，"我接着说，"我曾经遇到过一个女孩子，她说因为我上不起艾维联盟学校，所以不愿同我一起出去。"

"哈，至少你现在也是大学生呀，"富爸爸笑了笑说，"当我的同龄人纷纷走进大学校园的时候，我感到特别孤独忧伤，感到自己已经落伍，成了一个多余的人。因此，多年以来，我一直觉得自己就像一只丑小鸭。"

富爸爸以前从未与我们分享这段历史。我当时 21 岁了，明白自己和迈克拥有富爸爸所没有的优势。我知道有时他的生活辛苦异常，需要付出很大劳动，但是我从来不清楚那对他内心到底有过多大影响。

站在这个临海的豪华阳台上，我慢慢意识到，可能就是怕我感到难过，富爸爸以前才不愿意提起自己过去丑小鸭般的生活。平时他常常微笑，一脸的幸福，根本也没有机会提起这些让人伤心的事情。过了会儿，我问道："你用丑小鸭的故事激励自己不断前进，是吗？你不愿意用那个童话故事为自己的过去忧伤，是吗？"

"是的，"他说，"我用过丑小鸭的故事、三头小猪的故事、大卫和歌利亚的故事，还有乌龟与兔子的故事不断激励自己进步。不是被遇到的各种欺凌弱小者所吓倒，而是用他们势利的言行激励自己做得更好。现在，我们拥有了砖石建造的公寓，自己就住在顶层的豪华房子里。如果没有从那些童话和圣经故事中汲取力量，我也许就不会有今天。我不再是丑小鸭了，通过建造自己的砖石房子，像大卫那样运用杠杆，像乌龟那样花费了大量时间，我终于站在自己成长的街区的巅峰。"

“你变成了天鹅吗？”我笑着问了一句。

“噢，还没有达到，”富爸爸会心地笑了，“关键在于，如果愿意，我们能够成长、发展并且在生活中取得很大变化。另外一点就是，那些童话故事能够成为现实，丑小鸭会变成美丽的天鹅，慢乌龟能取得赛跑的胜利。”

丑小鸭变成了富裕的天鹅

在我的投资培训班上，我常常列出下面退出战略：

穷人	年收入2.5万美元或者更少
中产	年收入2.5万美元到10万美元之间
小康	年收入10万美元到100万美元之间
富裕	年收入100万美元或更多
极度富裕	月收入100万美元或者更多

我请培训班上的学员不要成为习惯于撒谎的匹诺曹，如果他们继续做现在正在做的事情，就要说出他们真实的想法来。我问他们：“如果你们继续做现在每天都在做的事情，等你65岁退休的时候可以达到什么样的财务水平？”我同时提醒他们，只有不到1%的人最终达到了小康生活水平之上。

很多人承认，退休时只要能达到中产阶层的水平就已经心满意足了。他们最关注的是退休时能够脱离贫困阶层。也有些人提出了我盼望已久的问题：“我如何才能超过小康水平？”当时提出这个问题的人，很有可能在财务上由丑小鸭变成白天鹅。

在这个投资培训班上，我再次讲起了富爸爸告诉过我的童话和圣经故事。我问他们：“你能从这些故事中悟出些什么道理，并把它们运用到自己的生活中去吗？你能找到一些适合自己的一些启示吗？你能想像一下，自己在财务上从一只贫困的丑小鸭变成富裕的白天鹅的情形吗？”有一些学员做了，另外一些人则茫然不知所措，觉得我怎么能在投资培训课上讲这些童话故事呢。

接着，我说道："对我而言，从中产阶层的观念达到小康的观念，其间变化之大足以与从丑小鸭变为白天鹅相媲美。"

从慢速计划到快速计划

在我的一节课上，有位年轻的女士问道："第一步应该怎么做？"

回答这个问题之前，我拿出了下面这个挂图。

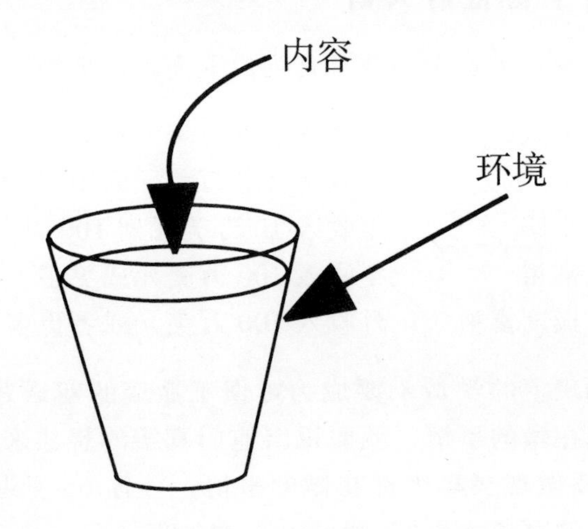

接着，我说："1989年，市场低迷下滑已经持续了两年，我和金制定了自己的计划。那是一个慢速计划，我们打算十年内每年购买两处房地产。由于市场整体滑坡，我们发现了越来越多的交易和惊慌失措的人。不到一年时间，我们已经从大约600个房产项目中购买了5个小型租赁房产，每一个都给我们带来了相当的现金流。不过，现在市场情况不断恶化，更多的交易机会出现了。我们面临新的问题：自己的钱也已经快要用完了。"

"这样，你虽然有了很好的投资机会，但是你的钱已经用完了，是吗？"那个年轻的女士问道。

指着挂图上的玻璃杯子，我回答道："是的，我感到自己处于环境的极限，也就是现实的极限。"

“那也就到了改变自己现实的时候了，是吗?”另外一个学员问道。

我点了点头，说道：“是的，是到了改变自己的环境否则就要失去机遇的时候了。”

课堂上寂静一片，大家认真地听着我的谈话，我知道自己已经充分调动了大家的注意力。接着，我问道：“你们中有多少人曾经看到了机会，但是却感到自己无法抓住?”

在场的很多人举起了手。

“当这种事情发生的时候，”我说：“那就意味着你已经达到了自己环境的极限，也就是你认为自己最大的可能的极限。同时你也已经达到了内容的极限，它是自己应对各种困难和挑战的知识总和。”

“接着又发生了什么？我们应该如何应对?”一个学生问道。

“很多人选择了放弃，他们说‘我做不了’、‘我买不起’。很多人会征求朋友们的意见，他们的不少朋友告诫他们不要冒险，要稳妥行事。”

“那你本人是如何做的呢？当你意识到自己的计划过于缓慢，而现在出现了机会，资金却已经用完，你怎么办?”一个学员问道。

“首先，我要做的就是承认自己是一只也想放弃的乌龟，但事实上这并不是放弃的时间，而是继续前进的时间。我也明白那是一个更有可能成为天鹅的时间，正如脑海中许多童话故事所讲述的，我选择了继续前进而没有放弃。我不知道怎么做，但我知道自己应该做些什么。这种局面持续了好几周。在和金结束了一次旅行回家后，我刚刚放下手提箱，电话铃响了。电话是我很信任的一个房地产经纪人打来的，他兴奋地对我说：‘我刚才发现了一个很好的机会，如果你有兴趣，我可以给你比别的客户提前半个小时的时间。’”

“那是一个什么交易?”一个学员问道。

“经纪人告诉我，那是一个有12个单元的公寓，地理位置优越，主人急于出手，标价仅仅只有33.5万美元，要求支付定金3.5万美元。经纪人接着用传真发来了房产收支概算材料。”

“你立刻买下了吗?”一个学员问道。

“没有，”我回答说，“我告诉经纪人，给我半个小时，我马上去那里看看。当我赶到那里的时候，我才真正明白这是一笔多么划算的买卖。我跑向一个收费电话亭，告诉经纪人我决定买下它。”

“即使你没有资金，你也敢这么做?”另外一个学员问道。

“我两手空空，刚刚完成了第五笔生意。我们确实资金紧张，因为我们同时投资房地产和其他商业项目。但是，即使我们没有资金，我仍然按照卖主的要价，五年期利息 8% 付给他 30 万美元。这是一笔颇具诱惑力的买卖，实在太吸引人了。”

“为什么这是一笔划算的买卖?”另外一个学员问道。

“有很多原因，首先是主人就生活在那里，从没有提高过租金。房客是主人的朋友，主人从来没有想过要他们支付更多租金，因此租金比市场价低了 25%。第二个原因是，主人年岁已大，他们没有精力管理，打算自己搬出去。作为不成熟的投资者，他们根本没有想到自己房产增值。相反，他们担心随着经济不景气，房价下滑，所以急于出手。第三个原因是，距离那里 1 英里远的地方正在建造一个计算机芯片工厂，将会有一千多名新雇员迁来，这必然会带动本地区房租上扬。但是，这些都不是我去银行贷款买房的原因。我找来经纪人，告诉他我打算完全接受他们报价和要求。现在，我面临的惟一困难是，怎样在 30 天内，也就是那对夫妇即将搬出时，筹到 3.5 万美元现金。”

“在那 30 天内，你是不是经常问自己‘我怎样才能买得起?’”一个学员问道。

“连续两个晚上，我们辗转反侧，难以入眠，”我说，“我们不是担心自己能否承受，我们一直问自己为什么这样疯狂。我反复问自己：‘我为什么要这样做?我们现在干得很好，各项投资也运行平稳，为什么还要拓展自己的舒适边际?’我一直考虑 3.5 万美元的事情，我明白这个钱数比很多人税前年收入还要高，而我必须在一个月之内筹到。我也想放弃，自信心受到挑战，我感到自己无力、愚笨。四个晚上过后，我终于平静下来，开始问自己：‘我们怎样才能买下它?’”

“你到底是怎样买下它的呢？或者说，你买得起吗？”一个学员问道。

“最终，在激动、祈祷、尽力说服自己不要放弃之后，我拿着文件来到银行，向银行经理说明了情况，他拒绝贷款给我们。我问为什么，怎样才能做得更好。在他讲完之后，我又赶到了另外一家银行。尽管我的表现比第一次好了一些，但还是被拒绝了，我又一次问银行经理为什么。等到了第五家银行，我已经掌握了很多银行家希望得到的信息，了解了他们为什么希望得到这些信息，他们希望怎样将这些信息传达给自己。尽管我的表现有了很大改善，我们的要求还是被他们拒绝了。我和金几乎就要放弃了，但还是走向了第六家银行。这一次，我们准备得更加充分，也明白了一项投资之所以是好投资的原因。为了说服第六家银行，我们准备的东西甚至超出了这项投资本身。我们的陈述更加明晰专业，都是银行家们希望听到的话。我们的数据精确，将前面其他五项投资也囊括在内。我们可以用银行家的词语和数字解释这为什么是一项很好的投资，第六家银行终于答应了。两天后，银行给了我们3.5万美元支票。又过了三天，他们让我们去契约暂管办公室办理房产购置手续。”

“在那以后又发生了什么？”一个学员问道。

“房地产市场持续走低，我们继续购买，”我回答说，“即使我们手头的钱很少，我们还是继续购买。到了1994年，房地产市场回暖，我们终于获得了今后生活的财务自由。1994年，那座12个单元的公寓售价超过了50万美元，也为我们每月带来了1 100美元的收益。其中我们用16.5万美元的资本收益，通过纳税延迟购买了我们至今拥有的一座有30个单元的公寓。这座有30个单元的公寓为我们每月带来了5 000多美元的收益，加上其他产权和投资，我们每月的被动收入超过了10 000美元，这足以让我们过上小康生活。不久，我们就退休了。我们每月的被动收入超过了10 000美元，支出是3 000美元左右，我们终于获得了财务自由。”

“那就不是运气，”一个学员说，“那是你的计划不断积累的结果。”

“我们等待机遇垂青，也抓住了这个机遇，”我说：“1994 年后不久，房地产市场飞速上扬，找到这样的机会就不大容易了。”

“因此，你没有用自己一分钱，就赚了很多钱。”一个学员问道。

“是的，那件交易的确如此。不过，我并不想建议你们那样去做。如果不懂投资项目，如果事情并不如你想像的那样顺利，没有资金投资房地产要冒很大风险。我遇到很多没有资金的房地产投资者，他们发现房地产项目上的投资支出远远超过了自己的实际收入。我的一些朋友因为购买地产和公司时过分依赖杠杆作用，而最终陷于破产。这也是我为什么不公开鼓励大家购置无定金房地产项目的原因。在涉足高度的杠杆交易之前，我鼓励大家能有一些购买销售经验，尤其是管理房地产的经验。在购买那座 12 个单元的公寓之前，我曾经看过数百个其他房地产项目。我们公司的投资也带来了大量现金流，足以应对任何意外的投资损失。无需首付款的房地产项目，往往过度依赖杠杆作用，一旦出错将会大大影响你的生活。因此，我再次重申：我不向任何人推荐自己的做法。我告诉大家这个故事，还有另外一个原因。”

“还有什么原因?”另外一个学员问道。

我再次走到了挂图前面，在上面画了些东西。

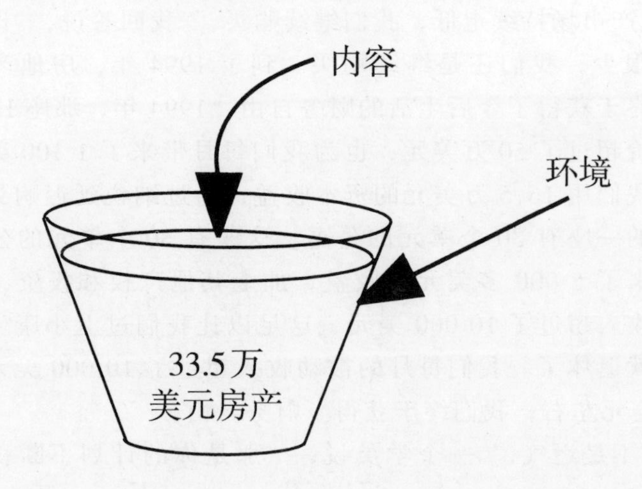

“我告诉大家这个故事，也是为了解释自觉拓展、增加个人环境的重要性。”我说。

“今天，由于你个人现实和教育的积累，购买33.5万美元的资产对你来说就很容易了。你的意思是这样吗?”一个学生问道。“是的，我现在感到相当容易。”我说，“回过头去看，3.5万美元现金支出是一笔大投入和一个12个单元的公寓成为很大的项目，都是很可笑的事情。但是，在那个时候，这的确是一个很大的数目。而且更为重要的是，我和金自愿超越了自己原有的环境和内容。”

“不过，大多数人不愿推展自己舒适边际，”另外一个学员说，“大多数人更容易安稳做事，并且说‘我买不起’。”

“那也是我的经验，”我说，“我认为，只有不足1%的美国人达到小康生活线以上的一个主要原因，就是很多人发现了不容易超越个人现实、环境和内容。很多人往往根据已有的知识，解决自己的财务问题，而不是拓展自己的知识，解决更大的问题。很多人不是主动迎接更大的财务挑战，而是劳碌终生，用自己感到舒适的方式去解决。他们宁愿做贫穷而美丽的天鹅，也不愿冒险成为一只丑小鸭。”

“你是不是又将自己变成了丑小鸭?”一个学员笑着问道。

“是的，”我说，“在那座33.5万美元的公寓交易之后，我们发现很容易达到投资200万美元的水平。从1994年到2001年，我们房地产投资额达到了250万美元，被动收入也很容易就达到了1.6万美元。我们肯定达到了小康生活水平，而且也已经开始走向富裕。对于了解我们的朋友来说，一定会记得《富爸爸，穷爸爸》的草稿就完成于1995年到1996年，现金流游戏设计制作于1996年，我又重新回到了商界。同时，在1996年我明白应该如何通过最初公开上市（IPO）程序让公司上市，那是我遇到彼得以后的新收获，这段经历在《富爸爸投资指南》中作过介绍。同样在1996年，我和金遇到了莎伦·莱希特，《富爸爸，穷爸爸》也已经出版。1997年秋天，我和金以及莱希特女士注册成立了现金流技术有限公司。我们进入了一个新的世界，拥有了新的环境，新的内容和朋友。我们的房地产投资达到了250万美元。”

“所以，你继续向别的领域拓展环境，但不再扩大房地产项目的投资。你是这个意思吗?”一个学员问道。

“那正是我要说的，”我接着说道，“我与莎伦合作著书、创立公司，我们的小公司快速成长，远远超出了最初的预想。如果没有莎伦，我就绝不会像今天这样成功。通过与彼得五年的合作，我们在未来几年将会有四家或六家公司通过最初上市（IPO）程序公开上市。现在都已经进入商业运作或者最初公开上市（IPO）程序，我们的可能性现实已经得到了显著拓展。我们的商业环境和最初公开上市程序也已经取得了质的飞跃。”

“但是，你在房地产项目上的现实依然没有改变，”一个学生说，“仍然是从33.5万美元12个单元的公寓起步，总金额还是保持在33.5万美元到250万美元之间。那是你准备讲的，是吗?”

“是的，”我说，“在某个财务领域取得进步，并不意味着他们可以拓展到所有领域。那也是2001年，我和金决定重新涉足房地产业，再次拓展自己环境的原因。”

致富变得更简单

多年以前，富爸爸对我说：“富人更富的一个原因就是：如果找到了致富模式，致富就会变得很容易；如果没有找到致富模式，致富就总是很艰难，永远贫困属于必然。”

我在现实、环境和内容这些课题上花费了很大精力，主要原因就是那是富爸爸的致富模式。他从来不说“我买不起”、“我做不了”，从来没有停止对自己现实的拓展。正如你们已经知道的，富爸爸用童话和圣经故事作为自己的生活指南，度过怀疑和畏惧的岁月。他积聚财富的教诲，也正是我最感兴趣的。他说：“一旦你明白了致富的模式就是通过不断拓展自己的现实，增加自己的杠杆，这样致富就会变得越来越容易。对于那些固守一个现实的人来说，自己的现实就是惟一的现实，他们致富的步伐自然也就随之大大减慢。”

这也就是说，富爸爸认为一旦富裕，致富就会变得更容易，速度更快。如果你从来没有致富，生活就会变得更加艰难缓慢。明白了这些，我和金就感到可能又到了拓展我们房地产现实的时间了。我们用了五年时间，拓展自己公司的现实，加速最初公开上市（IPO）程序，我们致富的步伐比以往任何时候都要快好多。我懂得在致富的更高一个层次上时，更加富裕将会更容易、更快，因为我在富爸爸身上已经看到了这些。

超过500万美元的项目会非常容易

2000年末，股票市场暴跌，我们的公司却在迅速拓展，我们的书和游戏在世界范围内销售，我们的上市公司增长强劲，很快获得了盈利。金对我说："我打算重新投资房地产，如果我们想保持自己的财富，就需要有一些相对稳定的资产。"从此，我们又回到了房地产市场，遇到了过去的现实、环境和内容。我们希望寻找那些需要支付3.5万美元首付款、总价33.5万美元的公寓。即使我们现在可以轻松划拨33.5万美元现金而无需贷款，但我们还是再次遇到了麻烦。事情并不像我们预料的那样顺利，我明白到了再次拓展自己现实的时候了。

此前，我和金一直在寻求总价400万美元左右的项目。我们对这个投资数额感到舒心，因为如果需要，我们马上可以支付超过100万美元的首付款。我们认为自己懂得很多，但是未能找到一个很有意义或者符合我们新计划运作的资产或公司。那时我遇到了一位老朋友比尔，他在房地产项目上已经投资了数百万美元。找到他以后，我问他我们的进程有什么问题存在。他回答说："400万美元是个很难办的投资，银行不喜欢那样大的项目，而那个数额又不足以让资深私人投资家感兴趣。不过，超过500万美元之后，这样的投资又会变得容易起来。"

在他说这些话的时候，我明白自己又到了个人现实和环境的边缘。400万美元的项目对我来说简单易行，但是500万美元的项目却超出了我们当时心理承受底线。我的脑子里一片混乱，我想，如果我不能让银行对400万美元的房地产投资项目感兴趣，那我怎样让他们对500万美元的项目有兴趣？我似乎能听到自己的现实正在这样提醒，也似乎又听到了富爸爸的教诲，他让我牢记童话故事的启示，并且认为富裕之后，如果遵循原有模式就会更容易和更加富裕。我明白又到了遵循过去的模式、推进自己现实的时候了。

一切变得非常容易

在本书的开始部分，我曾经写道：通过向银行借贷，提早退休变得更加容易。当我和金决定拓展自己的现实和舒适边际后，我发现那真像从政府借款一样容易。

我已经讲过，税法总是向处于B和I象限的人倾斜，而对E和S象限的人不利。常常抱怨税收重的人大多处于E和S象限。原因在于，如果你身处B和I象限，政府急于成为你的合作伙伴，因为你可以提供住房和工作机会。我非常熟悉这些，因为富爸爸曾经告诉过我。但是，我一直不明白政府对于那些帮助自己的人能够提供多大的帮助。在我开始寻找超过500万美元的房地产项目并准备进一步拓展自己的环境之后，才算真正找到了答案。

我们的寻找还在继续，我们在寻找那些远远超出了我们舒适边际的大项目。2001年，我们首次会晤了一个专门推销政府的低收入者资助房项目的代理商，我们向她展示了自己拥有的房地产投资组合。其中，房地产投资总额并有数百万美元，主要集中在单价三四十万美元的公寓。

“你懂得如何管理多户家庭公寓，这很好。”那个不到30岁的女代理商说道。

“为什么？”我问道。

“因为政府的要求之一，就是借款人必须要有成功管理多户家庭公寓的记录。你们已经从事这项工作十年以上，并从中获利。尽管很多人希望得到这些政府贷款，但是只有很少一些人能够如愿以偿。”那个女代理商接着说：“正如你们所知，大多数拥有一些房地产项目的人希望自主经营这些项目，收取租金和修理破损。那也是他们从来不会像你们那样，学习管理更大项目的原因。”

我和金点点头，我们知道从事房地产投资，除了收取房租、修理盥洗间之外，还有很多的事情要做。过去十年来，我们学到了很多东西。不过，现在又到了我们继续前进的时候了。如果我们继续做，我们就会遇到新人，学到新词汇，开始更大的游戏。听着前面两位新朋友的话，我意识到过去十年来，我们已经变成了拥有400万美元房地产的“兔子”和“天鹅”。我们是小池塘中公认的大鱼，到了继续前行时，又再次感到不适，再次在更大的游戏中变做乌龟和丑小鸭了。

坐在那位女代理商身边的是一个投资银行家，他主要处理免税、有息或无息政府公债的事务。当我问他政府的资金规划如何时，他回答说：“如果你本人或者你的计划符合要求，政府将会提供95%到110%的资金支持。”

“你的意思是，政府将会借给我们全部所需资金去从事下一项投资？政府会给钱让我们购买自己的资产？”我问道。

“如果你符合条件，政府的支持可能还不限于此，他们甚至借钱让你修缮公寓。”

“你是说，如果项目支出1 000万美元，政府就会借给你1 000万美元甚至更多。如果需要300万美元修缮费用，政府还会继续提供？政府将会为我们购置自己的资产提供所有的资金？”我问道。

“是的，”那位投资银行家点了点头，“他们甚至可以借给你2 000万美元，不过1 000万美元对你来说就是一个很好的起点。等你完成了1 000万美元的项目，2 000万美元甚至5 000万美元的大项目就不会是遥遥无期的了。关键在于你要有一个令人信服的良好纪录。”

我曾经听富爸爸说过，投资赚钱可能会变得越来越容易，不过还是没有想到会容易到这种程度。我仍然心存疑虑，禁不住又问了一句：“这种贷款应该属于哪一类别？”

“我可以保证，它的年利率应该在5%到7%之间，期限40年而且没有追索权。”

“没有追索权？”我吃了一惊，“你是说，如果这个项目经营不善，我无力偿还借款的时候，政府不会追讨我的其他个人资产？银行家从来都对没有追索权的贷款深恶痛绝，当我每次从他那里借款时，他一定要弄明白我所有的资产。”

“是的，”那位投资银行家说，“但是，你必须注意，这里的很多情况都不同于传统银行的借贷。”

“我感觉到了，”我说，“但是，我不明白政府怎么会有这样好？”

“有时候，还会有更好的免税政府公债项目，甚至偶尔还会有可以减免的贷款。如果你做得很好，政府就会完全减免你的贷款，就像给你拨款一样。”

“政府为什么要这样做呢？”我仍然困惑不解。

“因为我们国家面临的一个很大的困难，就是如何为低收入者提供住房。政府担心如果没有像你这样的人，成千上百万的人将会沦落到无家可归的境地，或者生活在环境恶劣、犯罪丛生的贫民窟里。政府也在追查那些黑心房东，并将他们一些人送进监狱。这些黑心房东盘剥那些穷人，政府需要出面阻止他们的行为。同时，政府愿意为那些像你这样被证明可以很好地管理大型多户家庭公寓项目的人提供数十亿美元资金，帮助解决低收入者住房问题。”

“政府愿意借钱给我，让我变得更加富有。”我插了一句。

“很对，”那位像个房地产经纪人的投资银行家笑着说，“那不仅仅是借钱，而是借一大笔钱。如果你在未来几年干得很好，如果你想做得更大、变得更富有，我会帮你借到数十亿美元。去年，我们一家分支银行因为找不到合适人选，不得不交还了数十亿美元。”

金接着说：“最好的致富途径，莫过于为更多人做更多的好事情。这提醒我们，应该考虑如何将贫民窟改造成低收入家庭安全舒适的公寓。”

“那也正是政府希望你们做的。我们社会面临的很多问题都来源于贫民窟，如果你能顺利地将贫民窟改造成安全舒适的公寓，只要愿意你就可以得到越来越多的政府资金支持。”

“这也就是说，我们可以通过成为政府的合作伙伴而更加富有？”我低声问道。

“是的，而且可以变得像你们梦想的那样富有，”那位投资银行家笑着说，“你们所要做的工作就是利用自己十年的经验，继续过去所做的工作，也就是拥有和管理多户家庭公寓。我们也乐意帮助你们，让你们更加富有。你们知道吗，寻找像你们一样有这么多年经营管理经验的人有多难？当你们准备好以后，只管招呼一声。这位女士就会帮助你们寻找中意的项目，我也会帮助你们联系所需资金。”

会谈很快结束了，我和金向他们道谢，然后走向我们的汽车。坐在车上，我仍然感觉难以置信，半天说不出话来。车子开出了好几英里，金才开口讲话：“你还记得十年前我们购买的那套12个单元公寓吗？”

“我也正在考虑那套公寓的事情。”我回答道。

“如果我们当时说‘我买不起’，那将会发生什么？如果我们让那3.5万美元难住了，我们现在的生活会是什么样子？”金接着问。

我想了会儿，说道：“我认为我们直到今天也许还会那样讲。如果我们当时让3.5万美元挡住了，那它今天也会挡住我们。”车子开出了很远之后，我似乎又听到了富爸爸的教诲：“你的未来决定于今天，而不是明天。”我转过头来，对金说：“如果十年前就说‘我买不起’，我们现在可能也还在说‘我买不起’！”

我们静静地往家赶路，心中感到无比的兴奋和幸福。快到家的时候，我好像又听到了富爸爸的话：等到致富之后，想更加富有就很容易；很多人没有脱离中产阶层的生活，原因就在于他们不相信童话故事，不能从其中得到一些启迪。到家下车的时候，我在心中再次默默地感激富爸爸，仿佛又听到了他的声音：“一定要记住，不论是以什么方式，那些童话故事都有成为现实的一天！”

第13章

慷慨的杠杆

谁是真正贪婪的人

好几天前，一个著名的周末电视新闻评论员曾经激动地说：“我没有涉足商业，因为我不是一个贪婪的人。”

在童年时代，我多次听到了诸如此类的话。来我们家的很多人都是大学教授，或者在教育系统、工会工作，也有一些美国和平队员或者政府雇员。尽管他们没有像前面那位电视新闻评论员说得那么直白，还是有人暗示商人经商仅仅因为他们贪婪的天性。

富爸爸的观点与此恰恰相反，他经常说：“从某种意义上讲，贪婪是人类的天性。追求基本生存或更好的生活以及维持退休后的生活都是人类的本能。就算某些人从商或者富有，都不足以说明他们比其他任何人更贪婪。事实上，情况可能正好相反。大多数人不能致富的根本原因就是他们不够慷慨。”

在前面几章中，当我和金决定增加我们持有的房地产项目时，政府资金的大门向我们敞开了。为了更加富有，我们要做的第一步就是寻找一条更慷慨的路子，为更多人提供更舒适更低廉的房子。

回顾历史，最富有的人总是在某个方面显得非常慷慨。正如前面提到的，在汽车仅仅为富人专有的时代，亨利·福特通过向普通民众提供买得起的汽车使自己也成为了亿万富翁。事实上，很多仅仅为富人生产汽车的公司今天大多已经不复存在，销声匿迹了，但是福特汽车公司却实现了福特本人的理想，成为世界级工业巨头。因此，如果你想年轻富有地退休，在你不断寻找为越来越多人更好服务的途径时，这种锲而不舍的“贪婪”倒是必要的了。如果你那样做了，就会找到个人极度富有的捷径。

富裕的比率

富爸爸喜欢比率，正如他自己所说：“通过一个小小的比较，你就可以说明好多问题。”对富爸爸来说，比率就是简单的比较，如价格收益率就是一个简单的比较。谈到金钱，富爸爸说：“穷人和中产阶层为了生活苦苦挣扎的一个主要原因，就是他们的比率没有杠杆。”他认为穷人或中产阶层的杠杆比率大约就是1:1。

在我上大学的时候，富爸爸有一天给我看了他自己的一系列比率，他在纸上写道：

企业	1:5
工人	1:300
房地产	1:450
现金	1:6000000
股票	1:2000000

富爸爸的比率指的是他在五个企业中拥有利润；拥有300多名工人；在不动产领域，他有450名房客，那还不包括工业不动产、商场和饭店。随着时间的推移，右边的数字还会继续增加，那也就是他为什么越来越富有，工作时间却越来越少的原因。

穷爸爸的比率从1:1开始，也以1:1结束，那也是他越来越贫困的原因。利用杠杆比率来衡量，穷爸爸坚干一天活信得一天报酬，他有时干着两份工作。即便如此，根据富爸爸的定义，穷爸爸的杠杆比率仍然是1:1。富爸爸说："很多人有了两份工作，也不过是工作时间更长，杠杆比率却一点没有改变。"

从1985年到1990年，我和金的杠杆比率大致如下：

企业	1:1
房地产	1:0
现金	1:不很多

我们建立了一个企业，有个房子但从来没有把它当做一项资产，因为我们每月都需要为它交钱，我们也几乎没有什么积蓄。股票和其他有价证券也不合理，这些花钱买来的东西从来没有给我们带来利润。

到了1995年，我们的杠杆比率大体如下：

企业	1:0
房地产	1:70
现金	1:300000

到了这个时候，我们出售了自己的企业，购置了更多能带来效益的房地产项目，也在银行有了存款。更为重要的是，那些房地产为我们提供的资金，足以让我们在停止工作后也能维持小康生活。

2000年我们的杠杆比率如下：

企业	1:7
房地产	1:70
现金	1:数百万美元
股票	1:1500000

上述比率描绘了一个有趣的财务进展图，真正的收获自然还是在企业领域。在那里，真实的市值或者现金流很难反映出来。我拿出这些数据，并不是炫耀，因为它们本身并不值得炫耀，更不值得吹嘘。事实上，我对是否展示这些数据也曾经很犹豫，毕竟它们都属于个人

隐私，我不愿意将他们公之于众。现在公布这些，仅仅是想说明我们自己的道路和计划。也想借此说明，白手起家的人同样可以修建财务上砖石结构的房子，就像《三头小猪》故事中所讲的那样。

即使数字不很大，与极度富裕的人相比，我们的致富计划还用了好多年时间。如果顺利，按照计划我们在几年之后也可以跻身极度富裕之列。

或许你从上述数据中已经看到，近年来我们的计划已经转入到建立企业，而不再购置房地产项目。今后五年到十年，我们的计划是继续建立更多的企业，但是还要利用政府公债获取大型房地产项目。

在此，我想强调的是应该不断拓展自己的环境或现实，寻求更快更好的内容或教育。如果你想走同样的致富之路，那么我就要再次强调拥有开放的头脑、超越个人怀疑、局限和自满情绪，以及不断学习、积极行动的重要性。我遇到过很多渴望以这样甚至更快的速度实现财务成长的人，但也有不少人不愿意拓展自己的环境，增加自己的内容。因此，有的人就在一个项目上苦苦挣扎，或者从一个项目到另一个项目，希望那是能让自己致富的项目。我认为，一个人如果有不断成长的环境和内容，将会变得越来越富裕，不论他从事什么项目。决定一个人能否致富的主要因素是个人的环境和内容，而不是投资项目或者新的想法。正如我在其他几本书中所讲的，雷·克罗克因为销售了数以亿计普通的汉堡包而成为亿万富翁，而星巴克通过销售一杯杯咖啡同样成为世界著名的品牌。

富爸爸常说："如果不改变自己的环境和内容，你的杠杆比率就会保持不变。"我有个朋友，他总是能不断提出赚取百万美元的新主意。几天前，他给我打电话，请我向他的最新计划投资。他有一个伟大创意，主要销售他业余打工的商场中没有的一系列服装，他说："每天都有顾客来到这个店里，寻找这个牌子的服装，但是我的老板却不想卖这个牌子。你为什么不能借给我一些钱，让我在对面开一个店。如果成功，我们五五分成。"

当我问他是否愿意参加一些培训，如现金流管理、零售管理、销售、市场以及招聘与解聘员工培训等，他拒绝了。他说："我为什么要那样做？我已经在这个店里工作了好多年，我不用再去学习什么就足以管理好一个店。”我拒绝借钱给他以后，他来电话又提出了另外一个项目，我最终还是拒绝了。

我之所以这样做，仅仅因为怀疑他是否愿意改变自己的环境和内容。他只想着赚钱，不过根据他的年龄，如果会赚钱的话早应该很富裕了。因此，他一直认为下一个好主意或者商业机会将会让自己致富，而根本不在意有限的个人环境和内容已经在拖自己的后腿。即使他开了那个店，或者他的新项目很成功，我仍然担心他的杠杆比率可能还是1:1。也就是说，他很可能会没日没夜地沉浸于店里的琐事，很少有机会拓展自己的环境和内容。

为什么致富很难

如果环境和内容决定了你的杠杆比率仅仅是1:1，那么你致富的希望将会非常渺茫。没有杠杆，致富就会变得很艰难。请看下列现金流象限：

你或许开始明白了，为什么对于左边E和S象限的人来说，由于杠杆比率的原因，致富之路变得非常艰难。大多数E和S象限的

人，杠杆比率实际上就是1:1，很少有例外。比如，很多雇员同一时间只能为一家公司工作，找到第二份工作后杠杆比率仍然是1:1，对于一些小企业主，或者自由职业者来说也是如此。我的那位想开服装店的朋友，可能就被一个小店搞得晕头转向，我很怀疑他能否管理一个以上的店。牙医每次只能处理一个病人，律师和会计师每天可以预约的时间也是有限的，他们的杠杆比率基本上都是1:1。

当我与自己的税务顾问戴安娜·肯尼迪聊天时，她说："绝大多数来自S象限的高收入专业人士，往往被10万到15万美元的收入所束缚。赚钱多的人往往因为专业化程度高，每小时收费也较高。这些人最高年收入可能达到50万美元，但是很少有人突破这个线。"在这里，他们存在的问题仍然是杠杆比率1:1。

在前面提到的乌龟和兔子的童话故事中，兔子起步很快，一个重要原因就是他们有某种天分、智力或才干。他们或许就是大学者，接受能力强的初学者、伟大的运动员或者像电影明星一样的艺术家，他们人生的开始阶段都做得很好。不过对于像我这样的"乌龟"，却懂得赢得比赛的途径就是要运用杠杆比率，富爸爸也采用了这个策略。如果我确实非常聪明，就像研究火箭的科学家，那么我也可能在传统商业领域取得成功，占据有利位置。但是，在人生的开始阶段，我就在学校遇到了麻烦，那时我就想必须寻找适合自己的路子。现在，我的收入远远高于许多刚刚参加工作就拿到高薪的同龄人，原因就是我运用了资本杠杆，而不是劳动力杠杆。

对于希望年轻富有的退休的人来说，首先需要作出的抉择就是确定自己赢得比赛的合适速度。例如，如果你像棒球明星亚历克斯·罗德里格斯，签订了一个十年总价值2.52亿美元的合同，加上一些商业协定，显然对于他来说E象限是最好的选择。即便罗德里格斯十年内的杠杆比率仍然是1:1，那些现金加起来也是一个很好的比率。如果你是电影明星朱莉亚·罗伯茨，她每部影片的报酬是2 000万美元，很显然那也是一条很好的路子。保罗·奥尼尔是布什政府的财政部长，作为美国铝业公司雇员可以得到一百多万美元的股票认购权，即便工作时的杠杆比率也是1:1，他获得的补偿也是巨大的。

如果你认为，自己最好的出路是在大公司谋得一个高层管理职位，那么这或许就是最适合你的路子，即便这里的杠杆比率仍然是1:1。我和金之所以选择一条与富爸爸相同的路子，是因为我们认为沿着他的路子走，自己财务上成功的机会就更大。这条路子要求我们购置资产，不断增加自己的杠杆比率。

乌龟们的一条好路

我个人选择富爸爸路子还有另外一个原因，也可以在下面现金流象限中看出来：

（有限）　（无限）

好多年前，富爸爸指着象限左边对我说："E 和 S 象限的收入潜力是有限的，而右边 B 和 I 象限的收入潜力是无限的。"

富爸爸接着解释说："出卖劳动力赚钱的问题在于，你的劳动力是有限的。如果你学会获取、建立自己的资产来赚钱，尽管步子缓慢，但你的收入肯定会增加。事实上，右边的象限就是为乌龟们准备的，它们开始虽然速度慢些，但是肯定会获得越来越多的资产。"

富爸爸还说："出卖劳动力的另外一个问题是劳动力没有长远的剩余价值。但是，如果你购置了一处房产，并将它出租，那么你的劳动可能就会一次次获得回报，甚至长达数年。也就是说，你不足一周的劳动可能会带来好多年的回报。"1991 年，我和金用 5 万美元现金在一个旅游胜地购置了一套房子。那确实是一笔好买卖，因为它最早的价格超过了 13.4 万美元，我们从一家银行购买了止赎权。从 1991 年以来，我们从这处房产中每月的纯收入超过了 1 000 美元，也就是每年 1.2 万美元。我们购买、出租这座房子所花的工作时间还不足八个小时。我们也曾经想过出售它获取利润，但现在还是觉得太麻烦了。

为了工资收入而工作，还有一个问题在于，你不得不每天早晨都起来出售自己的劳动。在大多数情况下，如果你为了工资收入而工作，你的劳动往往很难有长远剩余价值。另外，你的收入潜力是有限的。如果你一点点获取资产，你的收入潜力就会是无限的，而且那种收入可以一代代传递下去。不过，你的工作或职业却很难传递给自己的孩子。

生活变得更容易了

富爸爸曾经指出，通过出卖劳动力，为了收入而工作常常意味着生活会越来越艰难，因为你不得不通过更加努力的工作赚取更多的金钱。他说："如果杠杆比率一直保持在 1:1，你们的生活将会变得越来越艰难。如果为了不断增加杠杆比率而工作，你们的生活将会变得越来越容易，赚取的钱也会越来越多。"

财富的"量子跃迁"

我们中很多人听说过"量子跃迁"概念，另外有些人运用了"指数"概念，都是指超常规发展。也就是说，1 + 1 并不等于 2。财富的量子跃迁或者金钱的指数增加，都意味着 1 + 1 可能等于 5、6、7 甚至更多。那也就是说，如果你工作勤勉，建立坚固的砖石房子，就会常常遇到财富的量子跃迁，这是那些杠杆比率为 1:1 的人所无法看到的。

比如，从1985年到1990年，我和金的生活纯粹就是财务奋斗。从1990年到1994年，我们拥有的财富和财务成功突然接踵而来。从1994年到1998年，我们的生活再次稳定下来。我们努力建立自己的资产，尤其是在企业领域。我们不再在房地产上投入很多资金，因为房地产业整体价格过高，很难找到一个合适的项目。到了1999年，不仅我的书和游戏开始畅销，我们的其他商业投资也开始火爆起来。

这就好像一个人突然交上了好运、遇到了新朋友或者有了新机遇，但实际上，多年没有收获的辛劳、偶尔出现的财务麻烦都为财富的从天而降作好了准备。原因在于，资产价值往往以指数增加，而劳动价值则是增量增加。例如，2000年我的会计师告诉我，我的一家公司市值达到了4 000万美元。如果我们愿意，那是一个出手的价格。同时，我的一位律师将他的咨询费提升到每小时25美元。这就是资产以指数增加，而工资收入以增量增加的例子再次说明了左边象限收入潜力有限，而右边象限收入潜力几乎无限。

另外一个量子跃迁的例子，发生在我们拥有的公司股票数额上。从1996年到1998年，我们争取到了一个上市公司的股票。突然，那家公司陷于破产境地，我们损失了在那家公司拥有的一切，手头持有的股票已经一钱不值。不过由于经验，我们获取了那家公司的主要股份。我们以很低的价格，运用自己的知识换取了更好的新公司的股票。因此，我们获取了很多好公司的股票，即使在股市下滑的时候，那些股票也表现良好。

在本书开始，我提到一位批评我的书评家曾经说，很多新公司在起步阶段就陷入破产边缘。现在，即使开办新公司的风险依然很高，经营过一些失败的小公司的经验还是增加了我稳妥开办新公司以及更大的长远成功的机会。回顾“富爸爸”丛书以及富爸爸网站的成功，我感到自己现在的不少成功其实很大程度上源于过去的失败。莎伦和金在商业上也曾经有过挫折、失望，这些教训共同促成了我们今天事业的成功。正是我们这个团队总结吸取了个人过去的经验教训，我们才有了享受今天不期而遇的巨大成功的机会。

我讲这些东西，就是想鼓励你继续前进，即便在人生的道路上遇到了什么困难和挫折。如果你从每次挫折中都能学到东西，而不是自责或推托，那么你有关财富的知识就会大大增加。如果你越来越慷慨，为越来越多的人服务，并增加自己的杠杆比率，那就可以断言，你将来一定会遇到这些忽然降临的“量子变迁”或者财富的指数增长，就像乌龟也能得到一阵顺风的推动一样。

网络的力量

我曾经看过梅特卡夫法则（*Metcalfe's Law*），他部分解释了财富的量子变迁或者指数增长。罗伯特·梅特卡夫是3COM公司的创建人，他认为，商业经济力量就等于网络数量的平方。这就是梅特卡夫法则。

有关传真机的故事或许对我们理解这个概念有所帮助。20世纪70年代，我在施乐公司负责销售传真机，当时我们面临的问题是，只有极少数人拥有传真机，知道它用途的人更少。因为传真机很少，他们的经济价值也很低。随着时间推移，越来越多的人开始使用传真机就突然引发了传真机热。现在，我的很多朋友在家里或公司都有传真机。

在这里，梅特卡夫法则就是：如果只有一部传真机，你的经济价值就是1。

$$1:1^2$$

经济价值1的平方仍然还是1。但是，当你有了两部传真机，网络的价值就不仅仅是简单增加，而是巨大的变化。有了第二部传真机，其经济价值就变成了4，而不是2：

$$1:2^2 = \text{经济价值为 } 4$$

当整个网络上有10部传真机时，数字变成如下：

$$1:10^2 = \text{经济价值为 } 100$$

S 象限的困境

对于个人独立经营或者其他小型企业的自由职业者来说，他们通常无法享受梅特卡夫法则带来的好处。特许经营的集团公司如麦当劳，比夫妻二人经营的汉堡包小摊更有实力，一个重要的原因就是由于梅特卡夫法则。

E 象限的联合

多年以来，E 象限的人最了解组织工会的价值。通过联合，E 象限的雇员比那些试图单个谈判的人拥有了更多的力量。现在，美国最富有、最有权力的工会就是 NEA，也就是全国教育协会。我们的教育体系改革缓慢，一个重要的原因就是由于教师工会。他们非常懂得网络的力量。

强者的力量

富爸爸常说："在强手棋游戏中，可以找到成为巨富的规则。"我们很多人熟悉这个规则，就是购买 4 座绿色的屋子，组成 1 个红色的旅馆来经营。在强手棋游戏中发现的致富规则同样符合梅特卡夫法则。比较富爸爸和穷爸爸的杠杆比率，你或许就会理解富爸爸经济实力持续增加而穷爸爸的经济实力一成不变的原因。

	穷爸爸	富爸爸
房地产	1:1 一成不变	1:450 持续增长

也就是说，穷爸爸的经济实力仍然是 $1:1^2$，还是等于 1，他所拥有的只有自己的房子。另一方面，富爸爸的经济实力是 450^2。他掌握着

450多个可以出租的房间，经济实力按照指数级增长。穷爸爸的比率是1:1，由于税收原因他的工资收入其实仅仅只有50%，因此穷爸爸工作越来越努力，经济实力却一直没有加强。富爸爸的收入持续增加，他的经济实力也在持续增加，而他的纳税却相对越来越少了。

1985年，我和金打算每年购置两套可以出租的房产项目。我们从1989年开始购置我们的第一处房产，等到我们有了五处房产时，我们的经济实力就达到了5^2，也就是25。除了经济实力的增长，我们的自信心和经验也同样大大提高了。当我们购买那套有12个单元的公寓时，我们的杠杆比率是1:17，我们的经济实力是17^2，也就是289。那些只有自己居住的房子而没有在房地产业低迷时期投资的人，他们房地产的杠杆比率仍然保持在1:1，经济实力也保持在1。我和金的目标是，到2005年我们的投资组合中要拥有1000多套可以出租的房子。那么，试想一下，经济实力为1000^2是个什么概念？

这些例子可以说明，从财务角度看，那些处于B和I象限的人为什么能很快超过处于E和S象限的那些聪明、智慧而又受过良好教育的人，即便后者开始时赚到的钱比前者多。梅特卡夫法则说明了富爸爸后来一年的收入要比穷爸爸一生的收入更多的原因，也说明了持续购置资产的“乌龟”，可以击败许多为了钱而工作的“兔子”的原因。

网络销售企业

理解了关于网络的梅特卡夫法则，就很容易明白网络销售给了我们普通人多么强大的工具。将梅特卡夫法则应用于网络销售企业，你就会看到这种商业形式的力量。

例如：一个来自于E和S象限的人，打算加入网络销售机构，逐步转入B象限。他们工作了一两年，获得了所需的教育和观念知识储备。比如说两年时间里，什么也没有发生。人们从自己的商业活动中进进出出，并没有做出大的成绩。一两年以后，他们的杠杆比率或者经济实力仍然保持不变，同在E或S象限没有多少区别：

1:12

经济实力为 1

忽然，到了第三年。他的环境拓展有了新内容，也吸引、训练了三名很有实力也想建立企业的人。这时，他们的杠杆比率和经济实力大体如下：

$1:3^2$

经济实力为 9

三年来他们的实力已经发生了“量子变迁”式的飞跃。

五年后，他的网络已经有了 10 个人，这时他们的杠杆比率如下：

1:10

经济实力为 100

现在，让我们说说，如果这个人认为 10 人就已经足够，并且只关注这个 10 个人的企业。没过几年，假如他的网络仍然还是 10 人(1:10:10)，那就意味着此人现在的网络中有 100 人。

接着，他用多余的现金开始购买公寓，第一次是 100 个单元的公寓。

企业	1:10:10
房地产	1:100

在五到十年之内，此人不仅从 S 和 E 象限转化出来，可以做原来不能做的许多事情，而且在 B 和 I 象限的经济实力也大大增强。没有多长时间，这个人有了一个急剧变化，更加富有，赚取了更多的钱，比那些仍然留在 E 和 S 象限的同类人拥有了更强的经济实力。

15 年以后，这个数字可能更让人吃惊。

上面这个简化的例子就是我推荐一些网络销售公司的原因。正如题目所讲的，这是一个网络时代，进一步证明了梅特卡夫法则，这个法则充分肯定了网络的力量。

现在，当我与那些正为自己退休金或者共同基金担忧的人聊天时，我一直鼓励他们给自己投资组合中增加一个网络销售公司。我对他们说：“如果你完全依照一些网络销售公司传授的知识去做，而且自己又与信得过的人建立了实实在在的公司，你就会发现这个公司的可靠安全性远远胜过了共同基金。如果你真的让那些自己网络中的人富裕，那么同样的，他们也会让你富裕安全。在我看来，一个网络销售公司比股市安全可靠得多，因为你要依靠别人，需要越来越喜欢并信任他们，你们都利用了梅特卡夫法则的力量。那个法则证实了网络的力量。”

网络证明了慷慨的力量

富有、强大的人完全理解网络的力量。麦当劳是一个汉堡包网络，维系了整个世界；通用汽车公司是遍布美国的汽车销售商的网络；埃克森公司是一个石油公司，拥有遍布全球的油田、油轮、输油管道、煤气站。如果那些富有、强大的人都在运用网络的力量，你该怎么做呢？可靠的路子可能就是建立遍布全国的连锁店。美国哥伦比亚广播公司（CBS）、国家广播公司（NBC）、美国广播公司（ABC）、美国有线新闻网络（CNN）和美国公共广播公司（PBS）等都是威力强大的信息交流网络。

富爸爸说：“如果想致富，你就必须建立网络，并将自己的网络同其他网络联系起来。利用网络容易致富的原因在于，通过网络很容易慷慨行事。另外，作为个人独来独往，大大限制了他们走向成功的机会。”过了一会儿，他又说，“网络是你慷慨相待的人们、企业或机构组成的，你支持了他们，他们也支持了你。网络是一种具有很大威力的杠杆形式。如果想致富，你就应该建立一个网络并与其他网络联系起来。”

我们关于富爸爸网站的商业计划，就是建立在与其他机构的联系之上，而不单单是竞争关系，尤其是现在他们比我们更强大。我们已经与美国在线—时代华纳公司、时代生活、南丁格尔—科南特公司、美国公共广播公司，以及其他四十多个国家的出版商和许多宗教组织，还有一些网络销售公司建立了联系。我们共同合作，以便使双方都变得更加强大、成功和富有。这里有付出也有收获，共享优长，克服弱点，使我们大家都变得更加强壮。我们发现通过相互协作，让战略伙伴经营良好，我们自己也得到了长足发展。我也注意到，一些个人或企业仅仅关注自己赚钱，或者给予别人的少自己得到的多，这样就很难找到良好的网络合作伙伴。我还注意到，那些只想索取或者仅仅考虑自己的人，往往不得不辛劳终生，从长远的眼光看，他们得到的也要少很多。

我曾经担任一个公司的董事，那位经理显然不大关心公司，他关心的只是自己的各种福利待遇。他不关心各种网络的建设，他关心的只有自己，因此那个拥有数百名雇员的公司濒临倒闭。不用说，我们很快就聘请了新经理。建立成功网络的关键在于，首先要确保你所在网络的个人或组织同样得到好处。不能仅仅盯着自己的个人利益，就像很多人和机构所做的那样。

多年以来，金、莎伦和我遇到过不少人，还有顾问或者机构，他们往往只有在首先确认会得到钱时才会与我们合作。在他们看来，我们付费似乎比他们提供服务更重要。

最近，我们请了一个顾问公司调查我们在国内的销售系统。在未做任何工作之前，他们提出要一笔可观的费用。我们付款三个月后，他们的报告送回来了。翻了一遍，这篇晦涩难懂、乏味无聊的报告留给我们的印象是：整个报告都在暗示，应该再与他们签订三年的合同。至于如何改进我们的销售系统，除了一个加强销售工作的空泛建议，根本在报告中找不出一句切实有用的东西来。这是一个置自己利益于客户需求之上的典型案例。不用讲，我们最终没有同他们签署合作协议。

上中学的时候，富爸爸有一次让我去旁听他招聘工业停车场管理员的会议。在他的会议室中有三位应聘者。等到富爸爸简单介绍过那个职位的任务后，他问三位应聘者还有什么问题。他们的问题很有趣，比如：

1．“每天休息的时间有多少？”
2．“休病假期间薪水有多少？”
3．“还有哪些福利待遇？”
4．“什么时候可以获得加薪和晋升？”
5．“带薪休假有多少天？”

面试结束后，富爸爸问我有什么发现。

我回答说：“他们仅仅关心自己的利害得失，没有人问你他们怎样才能帮助你促进企业发展，他们怎样才能让企业更加有利可图。”

“很好，这也是我的感觉。”富爸爸说。

“你准备雇佣他们吗？”我问道。

“是的，”富爸爸说，“我是在招聘雇员，而不是商业合作伙伴。我是在找想赚钱的人，而不是想致富的人。”

“对你来说，那不有些太贪婪了吗？”我问道。如果大家读过我的书，可能还会记得富爸爸一直鼓励我应该免费工作，而不是为了钱而工作。

“是的，”富爸爸说，“但是，从某种程度上讲我们人类都有贪婪的一面。有些人或许永远也不会致富，原因可能不在于他们贪婪，而在于不够慷慨。”

也就是说，他们的杠杆比率可能永远是1:1。我们不妨再回忆一下富爸爸的话：“大多数人可能永远不会致富，因为他们仅仅考虑的是拿一天薪水干一天活。他们没有多少杠杆，因为无论他们工作多么卖力、薪水多么高，他们的杠杆比率仍然是1:1。”

富爸爸让他的儿子迈克和我学着免费去工作，其中一个原因就是让我们在拥有自己的资产前，能够学习如何建立资产。多年以前，富爸爸列出下面这个表格解释自己的观点。富爸爸称之为“谁先赚到钱，谁赚钱最多”：

1．企业主
2．投资者
3．专家（会计师、雇员、顾问）

4. 雇员

5. 资产（企业或其他投资）

富爸爸说："企业主首先必须购置资产，这就意味着他必须不断投入足够的资金和资源，保证资产的强大和增值。很多企业主将自己置身于资产、雇员和其他任何东西之前，那也是企业最后失败的原因。企业主应当将获利放在末位，因为他们创建自己的企业时，就是为了获取最大的利润。为了获取最大的利润，他们必须确保组成企业的其他元素首先获利，这也是我为什么一再让大家不要为了薪水而工作的原因。要学会消除自满情绪，建立不断增值的资产，而不是为了薪水而工作。"

很多互联网公司，以及一些新创办的公司未能这样去做，也不愿意听从像富爸爸那样人的建议。我看到过很多人，他们通过借贷，或者通过向亲戚朋友以及其他投资者筹集资金，建立了自己的企业。然后，马上租来了宽敞明亮的办公室，买来名车，并且从投资者的资本中而不是从公司的收益中给自己支付很高的薪水。因为投资者的资金被滥用，公司仍然没有收入，而他们需要应付公司运作，因此支付给雇员和专家的钱少之又少。在这类冒险中，投资者往往得到的只是一堆账单，现在已经倒闭的很多互联网公司起步阶段都是这样。

富爸爸对他的儿子和我说："最先要求付酬的人最终得到的最少。企业主应该最后给自己付酬，因为他正在建立自己的资产。如果他只是为了一份高薪，那就不应该去创建自己的企业，而应该去别的公司谋得一个职位就行了。如果企业主在付给别人薪水时处理得当，企业资产可能就会远远超过他付给自己的薪水。"

富爸爸说："大多数人不在建立和获取资产的商界，而乐意成为雇员或者自由职业者，他们仅仅想得到一张薪水支票。这就是只有不足5%的美国人成为富翁的主要原因之一，可以说只有5%的美国人认识到资产的价值胜过了金钱。"富爸爸还说："在创业阶段，慷慨的企业主或企业家最终得到了一只硕大无比的成果。企业主承担了最大风险，最终得到了回报。如果干得好，他们最终得到的金钱数目应该很惊人。”那也就是我为什么每次开始创业前都要回顾富爸爸教诲的原因，也是我一直免费工作的原因。我免费工作，因为我想最终得到一大笔钱。

很多E和S象限的人能够服务的人和机构很有限，因此他们的收入也很有限。居于B象限的企业主，如果集中精力建立自己的企业，为越来越多的人服务，自己也会变得越来越富有。他们得到了高额回报，仅仅因为建立了一个系统或资产为更多的人服务。那也是为什么企业主能够以指数速度富有，而那些为了薪水而工作的人只能慢慢致富的原因。

你致富的速度有多快

致富不会太容易，而代价也不会更昂贵，这自然是一个好消息。你所要关注的应该是怎样为越来越多的人服务。在约翰·洛克菲勒生活的时代，成为亿万富翁用去了他15年时间。因为，他不得不寻找更多的油井，建立一个个煤气站网络和汽油输送系统。这些花去了他大量的时间和金钱，而今天建造同样的项目可能需要数十亿美元。

比尔·盖茨成为亿万富翁大约用了十年时间，他预见到运用IBM系统将快速成长。迈克尔·戴尔以及美国在线（AOL）的创立者史蒂夫·凯斯都用了五年时间成为了亿万富翁。他们一方面利用了人们对电脑持续增长的需求，另一方面运用互联网的巨大力量建立自己的网络世界。由于新网络的出现，新一代的企业家成为亿万富翁所用的时间和资本越来越少。大家也一样有了更多的致富机会。

如果掌握了网络的力量以及杠杆比率的重要性，就有可能在短时间内花一点代价变得非常富有。如果拥有了坚实的商业基础和经验，你们就可以通过互联网向全世界推销自己的产品。随着互联网上经营成本的降低，网络的力量大大加强了。史蒂夫·凯斯的美国在线（一个非常年轻的小伙子和自己创办的公司）能够买下时代华纳和美国有线新闻网络（一个相对老的著名公司），仅仅因为美国在线拥有更大的网络。网络越庞大，拥有的经济实力就越强。

我常常说，很多人是在自己空闲时间致富的。很多今天的亿万富翁都是在自己家里的饭桌上开始了自己的事业，正如惠普公司是从车库中起步，戴尔电脑公司是从学生宿舍起步。因此，如果大家从现在起就充分利用空闲时间在家里、车库开始自己的事业，即便现在的薪水很低，同样也有可能变得非常富裕。务必记住这句话："让你致富并不是老板的职责，老板只会为你的工作付酬，而空闲时间在家里致富才是你本人的工作。"

无需多少努力和启动资金，就能得到超乎想像的富裕，世界上没有比这更容易的事情了。正如很多人预期的那样，很多曾经红红火火的互联网公司最终陷于破产。在我看来，那些互联网公司应该说有比较好的环境，但是他们无法提供好的内容。很多互联网公司有很好的想法，但是太缺乏真正的商业经验和基础。不少人都想在互联网热中致富，却没有想到为更多的人服务。

最近，我听说一个互联网公司经理的薪水就用去了投资者一百多万美元，但是那个经理却最终将公司搞得一团糟。1999 年，一家互联网公司发给员工的圣诞节红包超过了三个月薪水。但是，到了 2000 年圣诞节的时候，他们已经资不抵债陷于破产。这些典型案例中，公司的使命不是为消费者服务，而是为了让经理人和雇员致富。他们的所作所为，正好违反了富爸爸关于什么人应该先拿钱、什么人应该后拿钱的理论。这些经理人，包括投资者本人都将目光集中在满足自己的贪欲上，而不是慷慨的服务上。

现在，我们富爸爸网站 50％以上的业务来自于美国以外的国家和地区的客户。我们正打算将现金流游戏放在互联网上，希望来自非洲、亚洲、澳大利亚、阿尔巴尼亚、美洲的人们都能够同时玩现金流游戏。网站将成为这些游戏者的一个社区，只要每月付费，就可以接受远程培训课程，学习如何致富而不是如何成为一个雇员。网站的目标就是提供一个大家彼此交流帮助的平台，以便让更多人年轻富有地退休。我们所有的工作都是为了尽可能多的人服务。通过慷慨诚信地为更多人服务，我们拥有了一个世界级网络资产。

65亿潜在的消费者

如果你在分析比率和潜在市场时尚未考虑在线游戏，那就来看看你能否评估出富爸爸网站正在努力建立的这种资产价值。现在全世界大约有65亿人，其中，大约20亿人是潜在的消费者。特德·特纳创建的美国有线新闻网络（CNN），现在大约有3000万全球用户。这3000万用户网络让特德·特纳富裕到足以向联合国捐赠10亿美元。

如果富爸爸网站能够吸引100万客户，享受我们的服务并每月付费，那么根据梅特卡夫法则，富爸爸网站的经济价值到底该有多少？如果有500万客户，1000万客户，3000万客户，又将有多少？真正的问题在于，渴望学习致富的世界市场到底怎么样？当互联网能够实现即时翻译，来自不同国家和语言不同的人能够一起游戏、相互学习时，又会发生什么？（这也正是我们网上在线游戏的未来计划！）当一个网站开始在一些城市如菲尼克斯市、东京、汉城、底特律、弗吉尼亚海滩、新加坡、吉隆坡、香港、波特兰、迪拜、开罗、悉尼、珀思、上海、约翰内斯堡、佛罗伦萨、约克角、布鲁塞尔、圣保罗、墨西哥城、河内、伦敦、利马、多伦多、纽约等鼓吹投资热潮时，整个投资市场将会发生什么？这个网站可以吸引多少人，这种业务的经济价值到时候又有多少？建立这样一个世界范围的网络费用是多少？这种费用同洛克菲勒、福特、特德·特纳等人建立自己网络时的费用将会相当吗？

富爸爸网站的另外一个网络就是教育机构。通过推广教育年轻人如何管理自己的金钱、进行投资、管理组合投资等课程，我们介入的教育网络可以有多少？如果我们能将部分网络教育课程推向世界，我们的经济价值又会是多少？

将来，当新的宽带技术引入互联网业，如果成千上万家企业通过互联网使用我们的私人电视网络，我们的经济价值又会是多少？我知道这只能是未来的事情，但正如富爸爸所说的：“你的工作就是要摆正位置，做好迎接可能出现的机遇的准备。”他还说：“提早五年准备没有问题，但不能迟到一天。”

我在这里说出自己的计划，并不是自吹自擂，或者说那一定会实现。那只是一个计划，正如大家所知道的，并不是所有的事情都能完全依照计划行事。我明白我们或许会调整计划，否则会招致失败。但是，正如你们所了解的，我以前曾经失败过，如果我再次失败，我们的公司将会进行调整和学习，这只会变得更加聪明和强大。与大家一起分析我们的计划，目的是为了说明通过不同网络为越来越多人服务的杠杆的巨大力量。能够像特德·特纳那样建立一个庞大电视网络的人并不多，但是，我们大多数人大概都有能力使用550美元一台的电脑，建立自己的全球网络。

未来几年里，那些做好了准备的人将会充分利用宽带网所带来的巨大力量，他们有可能比经营电视网络的特德·特纳，经营电脑软件的比尔·盖茨，以及经营网络的杰夫·贝左斯还要富裕。

多年前，富爸爸曾经对我说："B和I象限的人能够获取无限的财富，E和S象限的人则受制于自己体能的有限性。E和S象限的人要进入B和I象限，首要的转化应该是变得更加慷慨，先为更多的人服务，而不是先要求付费。"

如果你看看萨姆·沃尔顿的沃尔马特连锁超市，他所做的就是不断建立大型折扣商场网络，这个网络以越来越低的价格购进了大量产品，为数以百万计的人服务。这也是为什么萨姆·沃尔顿比那些每小时收费750美元的律师还要富有的原因，看来成功的关键在于是否慷慨。

慷慨的关键词

在互联网公司热中，有很多关于新经济、旧经济的争论。实际上，不论新经济、旧经济，所有成功的企业和个人必须遵循一些旧有的法律和原则。

慷慨就属于旧有的法律原则之一，它主要反映在《互惠法》（*Law of Reciprocity*）中。那项法律认为"付出就会有收获"，而不是说"收获之后才能付出"。这项法律已经接受了时间考验，并且在未来也将继续存在下去。现在，想着照顾自己以及所爱的人，比以往任何时候都显得更加重要。不过，如果你想致富，首先必须想到的应该是为尽可能多的人服务。这是一条法则。

富爸爸坚信《互惠法》，坚信慷慨是成为巨富的最佳途径。这是他的生活环境，他的行为方式也是如此。

富爸爸常常给我们举例说明如何运用《互惠法》，他一直提醒我们慷慨待人。他说："如果你希望得到一个微笑，那么首先应该给别人微笑；如果你希望得到爱，首先应该给予别人爱；如果你渴望被人理解，首先要试着去理解别人。"他还说："当然，如果你想嘴巴上挨一巴掌，你也可以先给别人一巴掌。"

富爸爸不仅认为应该慷慨地为越来越多的人服务，而且相信应该慷慨地对待自己的金钱。沿着这个思路，他相信捐款的力量，那也是富爸爸为教会、慈善团体或学校慷慨解囊的原因。他乐于给别人钱，因为他希望得到更多的钱。他常常说："上帝不需要接纳什么东西，但是人类需要奉献。"

他说："很多人说他们对于自己的时间很慷慨，因为他们没有多少钱。对自己的时间很慷慨的人拥有很多时间，因此他们乐于奉献自己的时间。他们没有多少钱，因为他们不大为别人奉献金钱，而且斤斤计较，总是担心自己没有足够的钱，因此他们的担心往往最终变成了现实。如果你想得到更多的金钱，那就奉献金钱，而不是时间。如果你希望得到更多的时间，那就为别人奉献时间。"

如果捐款有困难，你也可以开始每次都在一定数额基础上捐出一点点。每次当你捐款时，你都可以听到自己的现实或者环境正在大声嚷嚷，这是一个穷人的现实。此时，你就可以重新选择自己的现实。只要你为教会或者慈善团体捐出1美元，你的世界可能就发生了改变。当你真正建立了自己的企业，或者增加投资为更多人服务时，你就彻底增加了自己极度富裕以及年轻富有的退休的机会。

我们公司的政策

玩过现金流游戏的人，可能已经注意到有很多地方都是设计用来为慈善团体或其他社会机构服务的。游戏这样设计，是与富爸爸的教诲一致的。

在每年12月份的假期，我们富爸爸网站会给每个员工一些钱，让他们捐给教会或慈善机构。由一些员工帮助我们决定公司的捐款用来做什么。这些款项虽然由公司支付，但是以员工名义捐出，因为我们认为公司的成功源于整个团队的努力，所以应该由这个团队来决定慈善捐款的用途。这是我们结合富爸爸教诲和自己的主张所做出的决定，也是我在公司所做的最高兴的事情之一。我们发现，慷慨是最好的致富杠杆之一。

首先要慷慨地善待自己

富爸爸常常说："心怀梦想，但从一点一滴小事做起。"在提高个人杠杆比率上，富爸爸的建议非常中肯。在"富爸爸"系列丛书的第四本《富爸爸　富孩子，聪明孩子》中，我提到了为孩子准备的三个小猪形状的储蓄罐，我们现在还在使用。其中一个是储蓄，一个是投资，一个是给教会或慈善机构的捐款。提高你的杠杆比率，开始时可以像玩这些储蓄罐一样，每天向每个罐子投进10美分或50美分。如果你每天向每个罐子投进1美元，到了月底，你的比率可能如下：

储蓄	1:30
投资	1:30
捐款	1:30

这是一个很好的开端，你的比率每天都在增加。想像一下30年后会发生什么？关键在于你真正有了慷慨对待自己的习惯。正如富爸爸所说："穷人之所以很穷，一个重要原因就是他们不知道善待自己。"当然，富爸爸并不是说你可以倾尽囊中所有来购买新衣服或者高尔夫俱乐部会员证。他的意思是，穷人往往不做那些使自己富裕的事情。

通过首先善待自己，你在财务上就会丰富了自己、丰富了自己的灵魂和未来。

Section 3

第三部分 行动的杠杆

“现在就去做好了。”

——奈基

“随便说说并没有多大意义，一定要学会用眼睛观察，一个人的行为比语言更值得关注。观察一个人的所作所为，比仅仅听他的讲话更重要。”

——富爸爸

人人都能致富吗

我曾经问过富爸爸，是不是任何人都可以致富？富爸爸回答说："是的，致富并不是很艰难的事情。事实上，致富甚至很容易。问题在于，大多数人采用的方法不对头。好多人辛劳终生，却永远生活在他们期望得到的生活线之下；向自己并不了解的领域胡乱投资；为了致富努力工作，而不是努力让自己变成一个富人；做别人都在做的事情，而不是做富人正在做的事情。"

本书的前两个部分主要集中讲述获取大量财富的思想和计划程序，这两个程序对于年轻富有地退休当然十分重要。本书的第三部分主要讨论为了年轻富有地退休，一个人必须或者可以做些什么。尽管思想和计划程序很重要，但是最终还是你的行为决定了自己的命运。正如富爸爸所说的："随便说说并没有多大意义。"

有关如何致富的书已经很多了，问题在于那些书中介绍的东西往往难度很大，大多数根本无法做到。本书第三部分将集中讨论一些几乎人人都可以动手去做的事情，读完之后你或许会感到自己如果努力也有可能非常富有。至少，你会发现，如果真正去做，就可以找到让自己变得相对富裕的事情。读完这一部分，摆在你面前的惟一一个问题可能是：你致富的动机到底有多么强烈？

第14章

习惯的杠杆

富爸爸说："有些习惯让你致富，有些习惯让你贫困。很多人贫困终生，就是因为他们有贫困的习惯。如果你想致富，你所要做的就是要培养自己有一个富有的习惯。"

如果你急切渴望致富，你就必须反反复复做下面的事情，从现在开始一直坚持下去。西方人都能做到这些事情，但问题在于只有一些人将会这样做，并且一直坚持下去。

习惯1　聘请一位报表员

在本书开始，我曾经说过借贷100万美元可能比积攒100万美元还要容易。但是，机会往往只有一次，在借给你100万美元之前，银行家必须清楚你是否值得信赖。让银行家感到可以放心借钱给你的重要途径之一，就是你拥有良好的专业财务纪录，也就是财务报表。

绝大多数人无法得到大额借款，因为他们的财务记录不良。很多人不得不支付更高的利息，也仅仅因为他们财务纪录不良。在《富爸爸，穷爸爸》一书中，我曾经说到过财务资料的重要。最基本的财务资料就是财务报表，那也是打算借给你很大一笔款项的银行家们最为关切的资料。

即使你没有自己的企业，你的人生本身也可能就是一个企业，而所有的企业都应该有报表员。这也是我极力鼓动你聘请一位报表员的原因。通过聘请报表员，使你的收入、支出、资产、债务等一目了然，这样你就开始有了专业纪录。另外，我还要劝你每月务必同报表员一起检查各项数据。反复是学习的方法，通过反复检查每月各项数据，你不仅建立了一种良好的习惯，而且对于自己的消费模式也有了更深了解，及早修正，从而全面掌握自己的财务状况。

不自己做财务报表呢，还要另外聘请一位报表员的主要原因是：

1. 你希望像B和I象限的人那样开始自己的财务生活。所有B和I象限的人都有自己的专业报表员，因此应该将自己的财务状况当做一件事业看待。正如《富爸爸，穷爸爸》所讲，富爸爸的六节课程之一就是“关注自己的事业”，而其中重要的一步就是聘请自己的专业报表员。

2. 你希望能够从第三者的角度，客观冷静地评估自己的金钱和消费习惯。正如大家知道的，金钱是一个极易引起人情绪波动的东西，尤其在你是它的主人的时候。通过聘请一位与自己财务状况没有多大干系的人，就可能让所有账目井井有条，并向你做出清晰和富有逻辑的汇报。我记得穷爸爸和妈妈从来不讨论金钱的事情，他们只会为金钱争吵、哭闹，那肯定不是客观的金钱管理和讨论方法。

3. 避免财务秘密对家庭成员的伤害。穷爸爸不想仔细回顾自己的财务状况，他将我们的财务困境视作个人秘密，家庭、别人甚至包括他自己也不大清楚。作为孩子我知道自己家里面临财务危机，但我们从来不公开讨论这个问题，将它看做一个秘密。心理学家告诉人们，家庭秘密有可能成为毒药，有可能毒化家庭环境。我明白家里财务困境所造成的精神伤害已经影响了我们，即使我们闭口不言。

4. 通过聘请客观的专业报表员，可以让你们面临的财务挑战公开化。通过与专业报表员讨论财务报表，将你的资金和商业情况公开。随着这种公开，你就可以与专业人士讨论自己的财务状况，也就更有可能在需要做出改变或者重大决定的时候当机立断，避免财务状况的进一步恶化。

5. 费用相对低廉。如果你处于E象限，年收入不足5万美元，聘请一位专业报表员每月的费用不足100到200美元。我听有人说，他们宁愿用这些钱去购买食品或服装，也不愿意去聘请一位专业报表员。问题在于，花钱购买食品或服装并不能解决你的财务问题，更不可能让你富裕。正如富爸爸所说的："有优良债务和不良债务，优良收入和不良收入，优良开支和不良开支之分。"他告诉我，聘请一位报表员或专业财务顾问就是一个优良开支，因为它可以让你更富裕，生活更容易，而且为你准备了一个更美好的未来。

如果真的请不起一位报表员，你也可以想法交换服务。你可以为他们打扫房间、清理院子，做为交换条件他们为你做好财务记录。我们认为，最重要的一点就是从现在开始去做，不必过多考虑价格问题，因为长期按兵不动的代价很高。正如富爸爸所说："在生活中，你最大的开支就是没有去赚钱。"

6. 最重要的是聘请一位报表员会让你更加审慎地对待生活中的财务问题。那意味着，至少每月一次你将与报表员一起复核、学习、纠正和调整自己的财务状况。

在《富爸爸 富孩子，聪明孩子》一书的导言中，我曾经提到为什么银行家不看你的学习成绩单，而是要看你的财务报表。富爸爸说："财务报表就是你离开学校之后的成绩单。"上学期间，我们至少每个学期拿到一次学习成绩单。即使成绩不好，这张成绩单也有机会让你父母了解你的优缺点，同时也给了你改正的机会。在现实生活中，人们没有财务报表或者成绩单，如果不了解自己一个月、一个季度或者一年的财务状况，就无法纠正自己的所作所为。将财务报表看做个人成绩单，努力让自己的财务成绩单以百万、亿万美元计算。因此，报表员对于你来说非常重要，他们每月为你提供了自己的财务成绩单。

可以按照下面三个步骤去做：

1. 聘请一位专业报表员；

2. 每月准备个人财务状的准确账目；

3. 每月与你的财务顾问一起回顾个人财务报表，及时纠正存在的问题。

习惯2　组建一支成功的团队

在《富爸爸投资指南》中，我曾经说过B和I象限的人都是进行集体运动。来自E和S象限的人在转化过程中常常遇到一些麻烦，因为他们不大习惯利用团队帮助自己实现财务规划，做出财务决策。

作为一个孩子，我经常看到穷爸爸为财务问题郁郁寡欢。如果遇到麻烦，他就静静坐下来吃晚餐，或与妈妈争吵，或者晚上一个人独坐，不想与任何人会面。我回家时多次发现妈妈在哭，就知道我们又遇到了财务困难，她却没有一个人可以诉说。谈起金钱，穷爸爸成了家里惟一的男人，他从来不与任何人讨论自己面临的财务困难。

富爸爸的处理方法截然不同，他会与自己的团队围坐在饭店的桌子旁，公开讨论自己面临的财务问题。富爸爸说："每个人都会遇到财务问题，富人有资金问题，穷人、企业、政府和教会也都会有自己的财务困难。能否正确处理那些问题，决定了一个人的富裕或贫穷。穷人之所以贫穷，仅仅因为他们不会处理自己面临的财务问题。"那也是富爸爸公开与自己的团队公开讨论财务问题的原因。他说："世界上从来没有无所不知的人，如果你想在赚钱游戏中赢得先机，就必须在自己的团队中寻找最好、最聪明的人。"穷爸爸之所以在这场赚钱游戏中失败，就是因为他认为自己无所不知，不愿向别人请教。

等到报表员送来每月财务报表之后，你就应该与自己的团队面谈讨论。你可能需要银行家、会计师、律师、股票经纪人、房地产经纪人、保险经纪人以及其他一些专家。每个专业人士都会从各自角度提出不同解决方案，当然这并不意味着你要完全听从他们的意见。最关键的一点，你不应该将自己的财务困难当做一个秘密，而应该在听取了不同领域比你聪明的专家意见后，最终做出自己的决定。

当人们问我怎样学到这么多关于金钱、投资以及企业的知识时，我就会回答说："我的团队教会了我。"运用社会生活这个更为丰富广阔的学校，我学到了很多关于企业、投资的知识。我发现自己对于解决生活中的实际问题，比当年坐在课堂上尝试解决那些虚拟的问题更有兴趣。

下面，就是我利用团队提高自己能力的一个案例。前几天，我与自己的一个律师会面，他为我解释如何运用政府免税公债。他的解释超出了我个人的理解力，运用的词汇也多是我从前不曾使用过的。我不想坐在那里做出一幅听得懂的样子，就打断了他的谈话，预约了下次见面时间。在第二次会面中，这位律师与一位会计师使用我们常用的普通词语，一同给我和金解释了上次我没有听懂的东西。

我在前面曾经说过，词语是大脑思维的工具。每个专业使用不同的词语。例如，律师使用的词语就不同于会计师和报表员。通过花时间充分理解词语，通过将那些意思讲解给我，我已经能够较好运用这些词语，并将这些词语变成自己生活的一部分。也就是说，我请不同的专业人士作为讲解者，从而自己也能在生活中运用这些词语。理解掌握的词语越多，我赚钱的步子就越快，财务未来就越乐观。

这次会面花掉了我几百美元，但我知道回报是巨大的，我已经懂得了如何争取政府的低息贷款。我的律师和会计师关于这个问题对我进行的联手培训大大提升了我的杠杆比率。正如我在前面说过的，增加自己的收入可能有增量式和指数式两类，通过扩展自己的词汇和理解能力，我的个人财富有了指数式增长。

因此，应该着手准备组建自己的团队。如果无力承担一个价格高昂的团队，你也可以寻找那些乐于帮助指导别人的退休的专业人士。好多时候，你所要做的不过是请他们吃顿午餐。你或许会惊讶地发现，原来还有那么多人喜欢享受利用自己生活经验帮助别人的快乐。你只要做到不与他们争论，给予他们充分的尊敬，专心听取他们的讲话。每个月这样做一次，你的未来将会一片辉煌！

习惯3 不断拓展个人环境和内容

我们现在生活在信息时代，不是在工业时代。在信息时代，最重要的资产已经不是股票、债券、共同基金、企业或者房地产。最重要的资产是你个人大脑中的信息和信息的时代。很多人在各个方面落伍，因为他们头脑中的信息是远古时代的，或者他们固守的信息在昨天也许是对的，但在今天却是错的。如果想年轻富有地退休，你就需要一个紧跟时代变化的信息。

如何与当今的信息时代保持同步？下面就是我认为需要注意的一些事项。我与大家分享自己的体会，但不是让大家完全像我一样去做，亦步亦趋。如果对大家真的有用，那很好；如果不大适合，也不要紧，自己开始摸索就可以了。

1. 南丁格尔—科南特录音带。1974年，在我决定像富爸爸那样去做以后，我知道除了富爸爸本人，自己还需要寻找另外一些导师，寻找传统教育体系之外的一些东西。1974年，我碰到了一些珍贵的录音带，里面的信息不仅增加了自己的内容，而且大大拓展了自己的环境。这些录音带给我带来了中肯、丰富的信息，也拓展了自己的现实，因此我可以将它们真正落实并运用到个人生活中去。

25年后的今天，我仍然在使用南丁格尔—科南特公司的产品。无论何时，如果需要最新信息，我就会很快浏览他们的产品目录，寻找一盒录音带或者录像带，学习自己想要了解的东西。当我需要一些世界上最伟大的导师们永恒、珍贵的信息时，我也会从他们的产品目录中找到。

你可能需要的一些录音带，比如：

①《带头追猎》(*Lead the Field*)，作者厄尔·南丁格尔。这是永恒的经典教材之一，南丁格尔是现代商业和激励教育的主要代表人

物。如果我们想与信息时代的社会同步发展，了解历史上伟人的智慧是十分必要的。

②《网上淘金》（*Making Money on the Web*），作者塞思·戈丁。这个录音带有很多基础的、操作性很强的有用信息，指导人们如何开创自己世界范围内的商业网络。即使你不想在网络上从事商务活动，它也有很多对任何一个想致富的人来说，都十分重要的基本商业知识。

③《从大处着想》（*Thinking Big*），作者布赖恩·特蕾西。这个录音带对于那些想法过于琐碎的人来说，堪称经典教材。很多人环境贫乏、金钱不多的一个原因，就是习惯思考的东西过于琐碎，不能掌握大的方向。这盒录音带将帮助大家开启思路，关注生活中更大的可能性。

④《不同寻常的生存艺术》（*The Art of Exceptional Living*），作者吉姆·罗恩。这是一个伟大的环境拓展教育课程，因为很多人认为自己应该做大事情，克服大困难，最终成为一个杰出的人。吉姆·罗恩指出，做大事情与过不同寻常的生活、做些实实在在的小事情之间是有区别的。我曾经说过，自己的天分、长相、个性、智力并没有什么过人之处。听过这盒录音带之后，我不再整天想着去做那些漫无边际的大事情了，而是考虑如何将身边的小事情做好。实践证明，我的调整是正确的。

⑤《如何成为一个零缺陷的人》（*How to Be a No－Limit Person*），作者韦恩·戴尔博士。这也是一盒伟大的录音带，它教你如何过好生命中的每一天，拓展你的现实环境去争取更多机会；如何做到更健康、更幸福；如何更正确地应对困难。

不论什么时候，当我健身或者开车外出时，我常常播放南丁格尔—科南特公司的伟大导师的录音带。如果有人问我怎样寻找成功导师，我就常常劝他们直接拿一个目录，寻找自己想要的东西。

2．我所订阅的财务和商业通讯杂志

a．《路易斯·鲁凯泽的华尔街》（*Louis Rukeyser's Wall Street*），由路易斯·鲁凯泽主编。我发现它的见解十分深刻独到，对于那些想

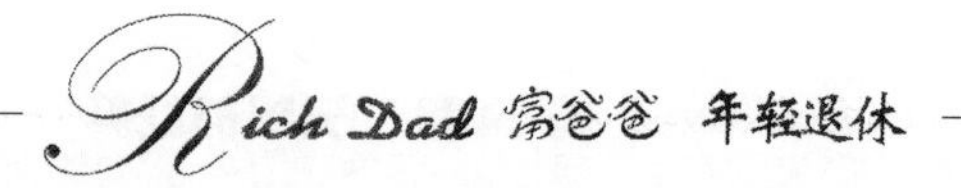

及时了解华尔街动向的人来说，订阅这种新闻非常必要。

b.《投资战略》(*Strategic Investment*)，由詹姆士·戴尔·戴维森和洛德·里斯莫格主编。他们两人用全局性视野观察世界经济，同样见解深刻，常常针锋相对，对于富有的投资者来说非常有用。

c.《听力技术商业图书摘要》(*Audio-Tech Business Book Summaries*)，月刊杂志，是由一个专门机构出版的图书摘要，以及最新商业图书录音带。我发现，在决定是否购买一本书之前，阅读该书摘要和收听录音十分必要。

我们正在进入一个有着无限机遇和企业家的时代。如果仅仅追求更高的薪水，你就有可能失去这些机会，而其他人可能就变成了超级富翁。如果你不想失去这些机会，那就应该养成不同于常人的习惯，洞察到常人不曾看到的未来。

习惯 4　不断成长

前几天，我的一个朋友抱怨说自己在股市损失了好几百万美元。他在 1995 年前从来没有进行过投资，后来借钱买来股票。现在股市下挫，包括房子在内的资产几乎丧失殆尽。他的抱怨没完没了，我真有点受不了，就说："人应该不断成长。你现在是个大男人了，怎么就认准股市总在上涨?"

我的意见并没有打断他的抱怨，他继续说道："为什么艾伦·格林斯潘不提早降低利率？为什么他还要提高利率？我现在满盘皆输，正是他和我的股票经纪人的错误。我如何才能赚回那么多钱？为什么联邦政府要做那些伤害股市的事情?"

我在走开的时候，又重复了一遍刚才说过的话："人应该不断成长。"

富爸爸常说："人们一天天变老，但却不一定会自动成熟起来。很多人离开父母的保护，又接受了公司和政府的庇护。很多人希望别人会来照顾自己，或者替自己的愚钝平庸负责。这也就是他们寻求工作安稳，寻求政府照顾的原因。很多人终生寻求保护，规避风险，也不愿意成熟，总想找到一个可以接替父母的人照顾自己一生。”我知道如果没有社会保险，很多人就无法生存。我知道很多还没有到可以缴纳社会保险年龄的人，却整日在盘算自己未来的养老保险和医疗保险。其实，政府设立的这些保险体系都是工业时代的产物，是为那些极端贫困的人准备的。不幸的是，现在很多人甚至包括很多受过高等教育、薪水很高的人，仍然指望着政府来照顾自己。我们现在生活在信息时代，做为社会人我们不断成长，财务上也应该不断成熟起来，将政府保险体系和社会福利制度留给那些真正需要的人。

当我离开中学的时候，我以为自己已经成熟，无所不知。现在，我常常说：“真希望自己以前懂得能像现在一样多。”过去，我曾经做过许多当时引以为自豪的事情，但是现在我绝对不会再那样做了。我认为，所谓成长其实就是随着年龄增长所作所为大不一样。每天不断重复做同样的事情，将会大大阻碍个人精神和思想的发展。世界在不断变得越来越复杂，我们应该跟上这个脚步。

其中一个变化就是，工作安全和财务安全越来越少。公司将许许多多人推向了十分悲惨的境地，并且说：“一旦离开工作岗位，别再指望着我们照顾你们。”也许他们还会说：“你们最好依靠股市照顾你们离岗以后的生活。”实际的情况可能还要更糟，希望股市一直上涨纯粹是一个天真的幻想，就像希望仙女替你支付牙医账单一样。成长意味着自觉地对自身的一切，包括行为、继续教育以及成熟承担责任。如果你渴望拥有一个富有、可靠的未来，就应该懂得市场有升有降，没有人能保护你自己。我们成长和面对现实的速度越快，我们就会更加成熟地面对未来。在信息时代，我们需要不断成熟，摒弃工业时代希望别人负责自己工作和财务安全的旧观念。

我认为过不了20年，工业时代就会彻底终结，退出历史舞台。等到政府最终承认了这一点，并且无力承担许多财务承诺时，很多人才可能会真正清醒过来。如果20年后很多人惊慌失措，开始抽出自己的401（k）资金，那么股市全面崩溃就在所难免。很多人就会沮丧失望，美国就会陷于衰退、萧条。假如这一切真的降临，数以百万计婴儿潮中出生的人，以及他们的孩子将最终被迫成长起来。成长意味着你对别人的依赖越来越少，对自己的照顾越来越多，甚至对别人的照顾也会越来越多。对我来说，成长是相伴终生的话题，但是很多人一味回避成长，他们谋求别人的帮助，而不是依靠自己得到工作和财务安全。

不断成长是一个重要的习惯，如果想年轻富有地退休，你就需要比大多数更快成长起来。

习惯5 愿意面对失败

富爸爸与穷爸爸的一个最大区别在于，穷爸爸不愿意面对失败。他认为出错就意味着失败，毕竟他本人是一个教授。穷爸爸还认为，生活中的正确答案往往只有一个。

富爸爸则不是这样，他一直不断向未知领域挑战，他认为要敢于梦想，不断尝试新事物，不怕犯小错误。他在晚年对我说："你爸爸一辈子做出无所不知的样子，避免犯任何小错误。这也是他到了晚年，开始犯大错误的原因。"富爸爸还说："乐于尝试新事物、不怕犯错误的最大好处是让你保持谦逊的心态，而谦逊的人比骄傲的人更容易接受新事物。"

多年以来，我看到富爸爸常常涉足一些他并不了解的商业、冒险活动和项目。为了获取他所需要的知识，他常常坐下来倾听、请教他人长达好几个小时、几天甚至几个月。他总是乐于谦逊地提问，即便那些问题可能让别人看来很愚笨。他常常说："最愚蠢的事情莫过于不懂装懂，当你装作很聪明时，你的愚蠢就达到了顶点。"

富爸爸也乐于面对错误。如果他犯了错误，他总是准备道歉。他不想做一个"永远正确先生"。他说："在学校，常常只有一个正确答案。在现实生活中，正确答案却往往不止一个。如果有人的答案比你的更好，就应该马上吸收它，这样你就有了两个正确答案。那些只有一个正确答案的人常常存在三个问题：一是他们常常好辩，或者防卫心理很重；二是他们本人往往乏味无趣；三是他们可能陈腐不堪，他们固守的所谓正确答案往往已经变成了今天的错误答案。”

因此，富爸爸的建议就是：“放松一些，每天大胆地做一些事情，冒一点小风险。即使不能致富，这个习惯也能让你生活充满乐趣，永葆青春。”

不幸的是，穷爸爸终其一生都在做自己认为正确的事情。他上学的时候做正确的事情；他谋得教师职务也是因为他认为那是正确的事情；他工作勤勉努力后来担任了高级职务，同样因为他认为那是正确的事情。他不满政府腐败，反对自己的上司，因为他认为自己也是在做正确的事情。在生命的最后20年，他只能坐在电视机前生闷气，因为没有人在乎他曾经做过的都是正确的事情。当想起那些他认为曾经犯过很多错误的同龄人，现在却一个个腰缠万贯或声名显赫的时候，就更加恼火。

富爸爸说：“有时，你最初认为正确的事情，在你生命快要结束时看起来可能并不一定正确。很多人未能成功，仅仅因为他们害怕变化，或者不能紧随时代变化。他们不能变化是因为害怕出错。其实有时候我们都需要出错。如果我们想学骑自行车，就必须通过摔跤这一关。大多数人未能取得成功，仅仅因为他们想做到事事正确，却不愿意面对失败。正是他们畏惧失败，最终造成了他们连续失败；正是他们对完美的过分追求，造成了他们最终并不完美；正是他们害怕自己形象不佳，最终导致了他们形象不佳。可以说，他们所担心畏惧的事情，最后都变成了现实。”

对于那些担心失败的人，或者担心出错的人，我与南丁格尔—科南特公司合作制作了一盒录音带，名叫《富爸爸的秘密》。富爸爸的秘密就是上帝为我们每个人准备的并不是失败而是成功。愿意面对失败的人，就会最终获得成功。这盒录音带所要解决的问题，将有助于人们克服对失败的畏惧。一旦你真正理解了《富爸爸的秘密》，为了成功就会坦然面对失败。正如富爸爸常说的：“害怕失败的人同样害怕成功，失败是成功的有机组成部分。”

总之，富爸爸每天所做的就是敢于面对失败，而穷爸爸却竭尽所能避免最终失败。这些习惯上的细微差别，在晚年的时候终于造成了他们两人之间巨大的反差。

习惯 6　倾听自我

对于那些渴望年轻富有就退休的人来说，注意倾听自我是最后也是最为重要的一个习惯。富爸爸常说："我所拥有的最强大力量，就是对自己的承诺和信仰。"这个习惯其实是表达你个人现实或者环境的方式之一。富爸爸所说的"你所拥有的最强大力量"，实际源于《圣经》上的"言即肉身"概念，就是你的言语都将成为现实。一定要密切注意你对自己所说的每一句话，它们可能就是你的现实。

富爸爸说："失败者关注他们生活中不想得到的事情，而不是关注他们想得到的事情，这是他们与众不同的地方。这也是一种习惯，在金钱上也是如此。"

"因此，一个常说'我不想贫穷'的人，与一个常说'我想富裕'的人之间，其实有很大差别。"我接着说。

富爸爸点点头，"在我看来，人类的大脑其实不是听到'想'或者'不想'的事情，而只是听到正在讨论的话题，比如肥胖、健康、贫穷和富裕等等。不论这个话题是什么，那都是你想要达到的。"

"因此，当有人说'我不想赔钱'，他的大脑听到的可能就是'我想赔钱'，是吗？"我想从富爸爸的教导中明白更多东西。

"我是这样认为的。"富爸爸回答说。

"很多人谈论的，其实是他们不想做的，或者正是他们所没有的。"我说。

"很对，不过我自己所做的不限于此，那也是我的习惯之一。"富爸爸接着说。

"是不只去说说自己所想得到的吗？"我问道。

富爸爸点点头，接着给我讲述了一生最重要的习惯。他说："我们有时都会感到恐惧、不安、疑虑重重，那是我们人类的天性。当有这种感觉时，我首先要做的一件事情就是检查自己的思想。如果我感觉不好或者害怕，我就明白自己可能说了或者想了那些事情，才会引起自己这种感觉。”

“是的，”我说，“下一步应该怎么去做？”

“我就设法改变自己的思想，或用自己想用的词语。”富爸爸说：“比如，如果我害怕失败，我会对自己说：‘我害怕什么，我想做什么，怎样做才能得到自己想要的结果？’你可能留意到，它们都是我的个人现实第一次面对新的可能和现实的时候所要解决的问题。”

我点点头，问道：“接下来怎么办？”

“接着，我静静地坐下来，直到恐惧的感觉慢慢离开，而我想要的那种感觉慢慢进入自己的心脏。等我感觉到自己想要的感觉已经到来，想要的思想也已经具备之后，我就开始采取行动了。我首先做好准备，调整好自己的心态，想要做的念头胜过了不想做的念头，我就开始行动了。”

这个过程的基本要点如下：

1. 留意你不想做的事情，进而考虑你想做的事情；

2. 留意你不想要的感觉，进而考虑你想要的感觉；

3. 采取行动，坚持不懈，如果有必要就马上纠正自己的过失和错误，直到你得到了自己想要得到的东西，而不是你不想得到的东西。

运用到实践中

几年前，我在拉斯维加斯过夜。我平时对赌博毫无兴趣，那天晚上只是想去打发时间，就想玩会儿牌。等我坐在牌桌跟前，就一下子感觉神经紧张，我内心很怕输钱，脑子里也有个声音在说：“你最多只能输掉200美元，到时候必须住手。”

很快，我的想法就调整成了“我用200美元来玩牌，等我赢了500美元，我就马上住手。”我适当运用了进入和退出战略，坐在牌桌前，看着主家发牌，但我没有拿出一分钱。我能感到自己心中对输钱的深深恐惧，然后，我集中注意力将自己输钱的感觉转化成赢钱的感觉。当我感到自己胸中充满了必胜信心的时候，我才开始出手。即便输了前几局，我还是把思想和感觉集中在赢钱上。一个小时后，我带着赢到的500美元离开了那里。

几天前，我再次回到了拉斯维加斯，又玩了一次。但是，不论怎样努力把思想和感觉集中在赢钱上，最终还是未能如愿。等输掉了200美元，我不得不强忍着自己想继续掏钱的念头离开。那次离开牌桌是我一生最难的事情之一，当时心里还是想将输掉的钱赢回来。

在我离开的时候，我似乎听到富爸爸在说："即便有了最好的思想和意念，有时候事情也并不一定遂愿。一个赢家必须懂得什么时候住手离开，也必须懂得输钱是赢钱的一部分。只有输家会永远坐在错误的地方不离开，总想证明自己不是输家，最终结果是输掉一切。"

幸福的关联

这种如何思考和感觉之间也是相互关联的。我注意到，当我想到的全是金做得不好的事情的时候，感觉就特别糟糕；当我想到金以及我们一起度过的美好日子的时候，就感觉到深深的爱意。

赖特斯兄弟有一首著名歌曲名叫"你已经失去了那种爱的感觉"，在商业和投资领域，很多人已经"失去了那种胜利的感觉"，这是很不幸的事情。

保持信心

在1985年到1994年期间，我和金关注的就是我们想要得到的东西，我们尽力感受我们想要的以及梦想成真时可以感受到的东西。即便有时候遇到一些麻烦，我们这些所思所想还是让自己度过了那段艰难时光。选择你所要的感觉，选择思考你想思考的东西，这是富爸爸教给我的一个非常重要的习惯。现在只要以这种方式想看自己正在面对着一盘冷沙拉。

这个习惯的关键在于，可以帮助我整理思想和感觉，尤其当我感到畏惧或者疑虑重重的时候。同让怀疑、犹豫主宰个人生活相比，这是一种好习惯。尽管这并不能保证我永远成功，但是这种好习惯让我在形势不利的情况下往往也能有所收获。请大家记住：所有的赢家也有偶尔失手的时候，但是，那并不意味着他们要像输家那样思考或感觉。

正如胜利女神奈基所说："现在就去做好了"，在生活中，赢家关注他们想要得到的，输家关注他们不想得到的。因此，在日常生活中养成倾听自我的习惯十分重要。赢家一直保持赢家的感觉和思想，即便在他们并没有赢的时候，那是一个非常重要的习惯。

你能养成这些习惯吗

在进一步讲授之前，我想再次强调上述习惯培养的重要性。这些简单的习惯，任何年龄在18岁以上的人都可以做到。不过，虽然非常简单，我仍然担心只有极少数人能够养成这些习惯。

如果你能将这些简单习惯培养成终生的习惯，下面章节介绍的行动步骤对你来说就可能成了轻而易举的事情了，而且会让你富有的程度超出自己最大胆的想像。正如富爸爸所说的："《三头小猪》的故事不单单是个童话，而是充满了人生哲理的智慧故事。如果你想建造一个砖石结构的大房子，就需要良好的习惯，因为良好的习惯是致富的砖石。"

第15章 资金的杠杆

谁工作得更辛苦，是你还是你的资金

2001年3月12日，所有的财经节目都为股市重挫哀号不已。一年前，也就是2000年3月10日，纳斯达克指数全线上扬到5048.62点。而到了现在，也就是2001年3月12日，纳斯达克指数回落到1923点，一年来下滑62%。同一天内，股东损失了5 540亿美元。显然，很多人非常担忧、恐惧或者恼怒不已。

一个电视频道的评论员说出了我多年来一直想说的一句话，他说，“很多富有的投资者在这次股市下挫中只会变得更加富有，因为他们灵活地买入或卖出手头的股票。我觉得很多工薪阶层的人可能要将养老金丧失殆尽，因为他们不得不将养老金留在股市。”

金当时也在看这个电视节目，她说，“看着自己养老金计划丧失殆尽，一定像眼看着自己房子着火，却找不到灭火的水龙头一样焦灼伤心无奈。”

在《富爸爸投资指南》中，我曾经说过穷人和中产阶层的人投资共同基金，而富人投资套利基金。虽然很多人抱怨套利基金的风险实在太大，我却不大赞同。我认为共同基金的风险相对还要更大一些，因为大多数共同基金只有在市场全面上扬的时候才表现良好。但是，套利基金却不是这样，至少有一部分套利基金，不论市场状况如何都可以获利。从长远看，你说哪个风险更大呢？如果在你准备退休之际，突然看到自己的退休金损失了一半，你的感觉如何呢？如果你有火灾保险，房子着火后你还可以在一年内重建起来。但是对于很多人来说，如果到了晚年退休金出了问题，他们可能连重新准备的时间也没有。

你的资金是否就待在那里无所事事

很多人终生辛劳，其中一个原因就是长期以来，他们接受的教育一直是要自己努力工作，而不是让资金来为自己工作。不少人说起投资，也只是想着将自己手头的钱放进银行的储蓄账户上，或者放在退休金账户上，同时自己拼命地工作。当然，他们也希望资金能为自己工作。当财务危机到来的时候，他们存放在那里的钱往往遭受重大损失，而大多数人并没有财务危机保险。

富爸爸说："大多数人终其一生，搭建的不过是稻草做成的财务房子，根本经受不住风雨、火灾或者野狼的袭击。"

这也是富爸爸一再教导他的儿子迈克和我，设法让自己的资金流动起来的原因。为了进一步说明自己的观点，在一次野外旅行途中，富爸爸让迈克和我反复从一处熊熊燃烧的篝火上跳过。他说："如果快速运动，即便大火也伤害不了你。但是，如果你站在大火旁边不动，即便不在火上也会被烤得受不了。"那天一大早，当我看到股市持续走低，就好像又听到了富爸爸对迈克和我讲这件事情。将自己的钱存放在银行不动，就像站在篝火边一动不动，实际风险可能更大。如果你想年轻富有地退休，就需要更加努力、快速地工作，你的资金也需要如此。将你的资金放在一个地方不动，就像眼看着一堆秋天的干草，等待着可能燃起熊熊大火的火星，十分危险。

你的资金周转有多快

我和金能够年轻富有地退休，一个重要原因就是我们让自己的资金动了起来。富爸爸常常提起“资金周转”这个概念。他说，“个人资金就像一个好的猎鸟犬，它能帮助你发现并捕捉到鸟儿，接着寻找下一只目标。不过，大多数人的资金却像一只刚刚飞走的鸟儿，有去无回。”如果你想年轻富有地退休，让你的资金成为一只猎鸟犬十分重要，每天出击，带回家更多资产。

现在，很多金融规划人和共同基金管理者常常对普通投资者说：“只要把你们的资金交给我们，我们就会让那些资金为你们工作。”大多数投资者点头称是，而且跟着重复投资者的论调：“长线投资，大胆购置，项目多元化”。他们将资金放在那里，然后回去上班。对于很多投资者来说，这似乎是一个很好的主意，他们没有兴趣学习如何让资金为自己工作，因为他们本人好像更愿意比自己的资金更辛苦地工作。这些普通投资者的计划存在很大问题，它们既不是能带来高收益的策略，也缺乏必要的安全性。

为了能够提早退休，我和金不愿意将自己的资金放进退休金账户。我们明白必须让资金工作，辛苦地工作，争取获得越来越多的资产。等到我们的那笔资金获得了资产，它们又会重新出击，为我们带来另外一笔资产。我们运用让资金流动起来并为自己带来越来越多资产的战略。实际上每个人都可以采用这种战略。其实，正如我一再保证的，本书所讲的致富的方法和途径，几乎都是人人可以做到的。

让资金流动起来

我们让资金流动起来的策略之一，就是购置可以出租的房产，然后在一两年内，拿到预付定金购置下一个可以出租的房产。这就正如富爸爸所说，像使用猎鸟犬那样运用自己的资金。大家常常称这个过程为房屋产权贷款，也有些人称之为合并贷款，用来偿还信用债务。或许你已经注意到，我和金借款投资，而大多数人用借入资本偿还不良债务。(这是鸟儿飞走，有去无回的又一个例子）尽管他们的做法也是资金周转，但这是周转资金离开你，而不是为你带来新的资产。

一个简单的例子

下面就是我们怎样投资，并接着借款投资其他资产的一个例子。1990年，我和金发现在俄勒冈州波特兰市的一个美丽街区，有一座房子出售。房主要价9.5万美元，但不出售产权。当时经济不景气，人们纷纷减少开支，市场上待售的房子很多。此前，我们曾打算提出一个报价，但是最终觉得不符合我们的投资方向而搁置下来。这座房子价格过于昂贵、品质过于好，很难作为长期租赁房产考虑。如果这座房子在旧金山，价格可能要超过45万美元。不过，我们还是去看了这座房子，因为我们感到它有很高价值，而且升值潜力巨大。

在往返机场的路上，我们猜测那座房子是否已经出售。经过长达六个月之后，我们终于敲开了房主的家门。显然，房主已经急着出手，愿意考虑任何报价。他负债5.6万美元，因此我报价6万美元，最终我们以6.6万美元成交。我交给他1万美元，承担了他们现有的抵押欠款。一个月后，房主一家搬了出去，高高兴兴地赶往加利福尼亚，因为他们既没有赚钱，也没有赔钱。我们很快将房子租出，除了各种债务和开支，我们每月可以得到75美元的现金收入。两年以后，房地产市场转暖，很多人愿意出价购买，最高出价达到8.6万美元。尽管这个价格很有诱惑力，我和金还是谢绝了。如果我们出售了房子，我们平均每年有1万美元收入，也就是首付款100%的收入，如下图：

$86000　　出价

-66000	买入价
20000	收益
20000	=两年收益现金2万美元，大约是首付款的200%；每年收益现金1万美元，大约是预付定金的100%；（因为上述数字没有考虑其他支出，如交易费用等，所以只能说是大概数据。）

尽管100%的收益已经让人心动，我们还是没有出售。房子所在的街区非常著名，我们感觉三五年内它有可能升值到15万美元左右。我们不但没有出售这座房子，相反，我们决定开始购置更多的房产。现在，那座房子的价格已经达到了我们的预期，而且每月仍然给我们带来租金收入。

看到房地产市场价格坚挺，我和金打算申请房屋产权贷款。抵押贷款不足5.5万美元，而房屋估价大约为9.5万美元。租金收入可以冲掉抵押贷款额7万美元，因此我们再为房子准备资金，还可以得到大约1.5万美元。我们收回了投资，也为自己创造了资产。我们的猎鸟犬已经带回了鸟儿，现在又可以出去寻找新的猎物。另外，这只猎鸟犬现在值1.5万美元。

在几个月之内，我们看了好几百处房子，又找到了新的目标。那是与前者同在一个街区的一所大房子，由于房主免费让孩子在那里住了好多年，房子的状况看起来不是很好。他们要价9.8万美元，经过反复讨价还价，我们最后以7.2万美元成交，另外用4千美元粉刷、修理并准备出租。

1994年末，我们以稍低于15万美元的价格将两所房子出售，然后在亚利桑那州购买了一个更大一点的公寓，当时亚利桑那的房价仍然低迷。

除了让我们的资金流动起来，还有另外一些方面值得注意：

1. 我们做得不错，因为市场低迷给了我们寻找和争取好投资的机会。如果市场上扬，我们可能就很难找到好的项目，也会更加谨慎。

2. 今天投资才有意义，不要等到明天。之所以这样讲，是因为抱着购买、持有、企盼好运战略的人太多。富爸爸常说："利润产生于购买之时，而不是出售的那一天。"我们每一处房产，从购买的那一天起就必须给我们带来积极的现金流，即便在经济不景气的时候也应该是这样。如果市场好转，我们同样也能受益。

3. 正如在本书开始所讲的，每一个投资者在进入市场之前，都必须要有一个退出战略。因为我们面对的是一个新型市场，即使在房地产领域，也大不同于以往的投资。这种不同要求我们重新开始，不断研究摸索，制定不同的市场进入和退出战略。

4. 前面提到的两处房子现在的售价可能是20万美元到25万美元，因为波特兰市房地产市场已经复苏。我们当时提早出售，是想为下一个买家留一些利润，也是为了利用当时整个房地产市场即将回升的机会，更重要的是我们的投资组合已经调整。为了再次获得更多杠杆，我们不再准备投资单个家庭的房产项目，而是打算经营规模更大的公寓项目。

5. 弄清楚投资者与商人的区别。当我们为了现金流而购置房产的时候，我们是投资者。当我们明确自己的进入、退出战略的时候，我们是商人。也就是说，投资者为了持有而购买，商人为了出售而购买。如果想年轻富有地退休，你就需要懂得他们之间的区别与联系。在我看来，这么多人在最近的股市动荡中损失惨重，就是因为角色错位，他们实际上是商人，但却自以为是投资者。这也再次证明了弄懂词语定义的重要性。

6. 我们投资长线项目，但是对我们来说，投资长线项目并不等于把资金放置在那里，等着积聚成一笔大数目。想着自己投资已经多元化，而实际上所有投资像共同基金那样放在一个篮子里，然后只能提心吊胆，整天盼着不要刮狂风、有火灾。对于我们来说，投资意味着要置身于市场之中，搜集更多信息，获取更多人生阅历，保证资金流动，而不是盼着不要发生火灾。我们不会像成千上百万人那样陷于购置财产、持有财产和企盼好运的怪圈。

"我想尽快拿回自己的资金"

很多购物者都知道，如果自己对刚刚购买的商品不很满意，就可能要求退款。如果顾客对商品不满意，很多聪明的商家就会主动承诺可以退款。问题是，在这些可以退款的承诺中，购物者为了退款，首先要向商家退货。如果你是一个成熟的投资者，你所要做的就是一方面获得退款，但是仍然拥有自己的资产。那也是我喜欢投资的原因，我得到了想要的东西，并且拿回了自己的资金。正如富爸爸所说："真正的投资者需要讲的最重要的一句话就是：'我想拿回自己的资金，也想继续拥有自己的投资。'"

如果能理解这个投资原则，你就掌握了资金周转的真实含义，就是尽快收回资金投资其他项目。

加快资金周转的途径

自有资金周转的概念不仅适用于房地产项目，而且它实际上是一条致富的原则和思想工具。一旦掌握了这条原则，你就可以将它运用到很多事情中去。资金周转是杠杆作用的一个重要方面。

增加资金周转的另外一条方法是了解税收法规和利用公司便利。例如，某人拥有一家小企业，还部分拥有另外一家房地产企业，那么它的资金周转状况如下页图：

一个公司的租金支出，就是另一家公司的租金收入。或许你并没有认识到这个问题的重要。不过你一定知道，一个企业纳税都是在扣除支出费用之后，但是对于个人却在消费之前就需要纳税。因此，个人的住房租金使用的是税后收入，而企业却可以使用税前收入。租金收入到了另外一家公司，但这种收入是被动收入，而不是工资收入。（只有一种情况例外，那就是当两家公司是同一个法人，这时的收入就必须看做工资收入。例如，如果你在家里开一个公司，并付给自己房租，你就可以将这笔房租看成工资收入。）被动收入如果管理得当，可以让个人或公司承担较少的税费。当然，正如我常常提醒大家的，做这些事情之前聘请一位能干的税收和法律顾问十分必要。

小企业

收 入

支 出
租 金 税 收

资 产	债 务
企业	

房地产企业

收 入
租金收入

支 出

资 产	租赁房产
债务	

一个采用上述模式管理自己企业和投资组合的人，将会大大加快资金周转，减少税费支出。如果只有一家公司，可能会出麻烦，承担更多的税费。

看看两个企业的资产状况，可以发现其中一个是企业资产，另外一个是租金资产。在这个例子中，这个人的资金被用来产生或获得税收优惠的两种资产。这就是资金周转或者资金运作，而不是资金放置的另外一个例子。

“你做不到”

开始的时候，我经常到一些小公司为那些雇员讲授上述战略。当我在自己的投资课上引用这些案例时，常常会听到四个词：“你做不到”。正如大家所知道的，这些词语决定了一个人的现实或者环境。

在结束讨论的时候，我总是能听到有人说：“这是很好的主意，但你做不到。”他们还经常说：“你买不到那么便宜的房地产了。”“没有新的抵押贷款或银行家的同意，你就买不到新的房产。”“你不可能有一家企业，同时拥有另外一个给这家企业出租房产的公司。”“在美国或许可以那样做，但在我们国家可能就办不到。”

从此以后，我不再为那些雇员或者自由职业者讲授这些投资战略，而只为已经或者即将成为企业主、投资者的人讲授。我让其他传统的投资顾问为那些雇员或者自由职业者去授课，并非因为那些雇员或者自由职业者的个人原因，而是因为他们的集体意识。正如前面所说的“我做不到”这类话常常决定了一个人来自于哪类群体。

上述事情每天都在世界好多地方发生，在所有我曾经到过的国家，通过抵押贷款购买一座房屋都是很普遍的事情，但是主要还是集中在一些较大的投资上。一个企业租用同一老板的另外一个企业的房产，这种做法由来已久。它是一个很普遍的策略，麦当劳就一直那样做。他们向个人授权，接着，这个人向麦当劳公司支付授权费以及场地租金。读过《富爸爸，穷爸爸》的朋友，或许还会记得麦当劳的奠基人雷·克罗克所说的：“我的主业不是汉堡包，而是房地产。”显然，雷·克罗克和他的团队非常精通资金周转以及如何利用资金获取更多资产。

有价证券的资金周转

资金周转的概念适用于所有资产，包括有价证券。当人们查看股票价格收益率时，实际上也就是在看资金周转。当有人说某种股票的价格收益率是20时，那就意味着按照现在的价格和收益，收回整个股票投资需要20年。例如，如果现在股价是20美元，每年分红1美元，那么需要经过20年才能全部收回股票投资。

72法则

72法则是衡量资金周转的另外一个标尺，这个法则用利率或年增长百分比表示。例如，如果你的储蓄利率是10%，那么你的存款将在7.2年后翻番；如果你的股票以年均5%的速度增值，那就意味着你的股票经过14.4年后就会翻番；如果你的股票以年均20%的速度增值，那就意味着你的股票经过3.6年后就会翻番。72法则直接将数字72除以利率或者价值收益百分比，就等于你的资金翻一倍所需的时间。

在20世纪90年代末的经济高涨时期，很多金融规划者和投资顾问到处鼓吹72法则中的智慧。几年前，我的一位年轻的投资顾问告诉我，他的组合投资每五年翻一番。因为他开始投资只有三年，我问他怎么知道会是这样？他回答说，“因为近两年来，我投资的共同基金每年平均增长超过了15%。”我很感谢他向我推销共同基金的热情，但是最终我还是谢绝了。我不知道他今天会怎么说，我想告诉他投资市场的牛市和熊市的常识。有关牛市和熊市的故事告诉我们，牛市正是从谷底攀升而来，熊市是从巅峰滑落而来。也正如富爸爸曾经说过的“平庸的市场是为平庸的投资者准备的。”

家庭资金运作

一个投资者可以采用的资金周转途径有多种，其中之一就是家庭资金运作。

我喜欢小股票的原因主要有两点：首先，我是一个企业家，而不是一个公司法人。我喜欢而且懂得新创办的小公司所面临的问题，而且对公司的发展前景有相当的预见和断判能力。其次，小股票有两到三培的增值潜力，远远超过了蓝筹股。由于小股票比大股票有更快更好的增值潜力，在正常市场情况下，更便于家庭资金运作。下面就是运用家庭资金的一个案例。

假如你购买某公司5000只股票，每只股价5元，那么你就投资了2.5万美元。不到一年时间，股市对你很友好，你所持有的股票上涨到10美元。那你现在拥有股票的市值就是5万美元。像我曾经那样，作为一个贪婪的投资者你就会说："股市还会上涨，我想等等再出手。"在这里，也可以看出在进入股市之前，退出战略是多么重要。

不要继续坚持等待，将钱放在那里不动，一条增加资金周转的途径就是先抛出价值2.5万美元的股票，继续持有价值2.5万美元的股票。尽管你只持有一半股票，但你已经收回了自己的资金。其余价值2.5万美元的股票就是家庭运作资金。

我经常运用这个策略，但并不总是这样。有时候股价从5美元上升到8美元，而没有达到退出战略中设计的10美元，我就会继续持有。许多次股价低于5美元，我的资金损失已表现在了账面上。有的时候，我用出售股票的战略补偿自己最初的投资，我对自己的投资感到满意，尽管由于常常抽回一些资金而没有赚到多少钱。

向资金轻松地说再见

我的朋友基思·坎宁安常常朗诵一首短诗：

> 金钱说什么我都无法拒绝，
> 我曾经听到，
> 它向我说再见！

我一直不能理解，为什么有人会为投资市场的损失痛哭流涕。当他们去杂货店花了钱却没有买回东西时，他们不会哭泣；当他们买了车又折价卖掉时，他们不会哭泣。投资同上述行为又有什么不同呢？

一些投资者说："只要不抛出手头的股票，你就不会有损失。"当有人说出诸如此类的话时，往往意味着他们高价买入的股票现在价格走低，他们等着股价回升。在一些特定情况下，那样考虑问题有一定合理性。另外一种相反的观点认为，应该提早砍掉给你带来损失的投资。有好几次，我投资失误，眼看着手中股票不升反降。如果股价下跌超过10%，我时常就砍掉损失，寻求新的投资机会。我这样做主要出于以下两点原因。

第一，如果我的注意力过分集中在损失上面，并且因为做错了决定而导致情绪糟糕，我就会抛出。我只想结束眼前的一切，重新开始。正如我在另外一本书中所讲的，我明白在10项投资中，好的投资项目可能有两三项，不好的也可能有两三项，处于中间的就像躺着的懒汉。我偶尔也会让懒汉躺着，只要他们不让我赔钱。如果他们真的带来损失，我就会除掉他们，反思自己的错误，从中汲取教训。

第二，我喜欢购物。因此，即使我没有钱购买，我也能感受到其中的乐趣，远远超过了购买、拥有并祈祷投资升值的那些人。正如我所说的，大多数人在折价出售了自己的汽车后并没有哭泣，原因就在于他们接着会购买新车。

蓝筹股能维持多久

我还经常听到另外一个投资战略，那就是"投资长线项目，并且只购买蓝筹股。"在我看来，这是一个陈腐不堪的理论，因为上述说法是工业时代的产物，并不适用于信息时代。那种旧有的战略不再发挥作用，因为蓝筹股已经不再是蓝筹股了。例如，如果你20年前购买了施乐公司的股票，即使它仍然是蓝筹股，现在得到的可能只有伤害。我们需要思考的问题是，一个蓝筹股到底能够维持多长时间？

10年以后，由于技术改变和其他的改进，很多今天的"财富

500 强企业”可能到时候已经不复存在。维持了 65 年之久的蓝筹股公司，现在还不足 10 家。这些数据都已经证明，旧有的企业战略已经不再适用于当今世界。

在这个技术革新日新月异的时代，一个公司的兴亡盛衰可能就发生在短短几年的时间内。这种快速变化要求我们所有人以更加清醒的头脑，集中精力推进资金周转，而不是将资金永远放置在那里，等候市场的潮涨潮落。购买、拥有和祈祷好运的战略对于普通投资者来说无可厚非，但是对于那些希望年轻富有退休的人来说，这显然不是一个高明的办法。让我们一起努力吧！

第16章 房地产的杠杆

用银行家的钱投资

几天前，我与一个朋友以及她的父亲共进晚餐，他是位退役飞行员。那天股市又下跌了3%，他显得非常沮丧，因为他的退休金账户上的收益已经丧失殆尽。当我问他对市场有什么评价时，他说，“我的另一个女儿告诉我，如果我的退休金全部损失掉，我可以搬到她那里生活。”

我试探着又问了一句：“您的意思是，您所有的投资都在股市上?”

“是的，”他回答说，“哪还会有其他投资呢？股市是我知道的惟一投资场所。”

并非多元化的投资组合

今天提起投资，经常可以听到这样的说法：“投资长线项目，花费适中，让自己的投资组合多元化，如此等等。”对于不大了解投资的人来说，这的确是一个伟大的信条。但是，我经常质疑的一个词就是“多元化”。当听到有人说自己多元化的投资组合的时，我经常会问他们“多元化”是什么意思，得到的回答往往是：“我投资了成长基金、债券基金、国际基金和局域基金等。”

我的另外一个问题是：“它们都属于共同基金吗?”在多数情况下，我再次听到了这样的回答：“是的，我的大多数投资分布在不同共同基金上。”或许他们的共同基金的确是多元化的，但事实上，他们选择的投资手段——共同基金，却并非多元化的，而是惟一的。即便他们说：“我在股市有些投资，也投资了房地产投资信托公司(REITS)，另外还参与了一些养老金投资。”问题在于大多数的投资仍然限于有价证券范围，人们很容易涉足并管理有价证券。正如富爸爸所说：“有价证券投资相对干净利索，容易操作。绝大多数人不是来自 B 象限，他们也永远不会像 B 象限的人那样建立自己的企业，也大多不会涉足房地产投资，因为房地产项目的获取、运转和管理是一项很有挑战性的工作。”

在美国，就有超过 11000 个共同基金项目可以选择，而且数目还在增加。共同基金的数目甚至比获得共同基金投资的公司数目还要多，那为什么会有这么多共同基金呢？其实原因上面已经提到过。共同基金干净利索，而这又往往成为保护公众利益的代名词。公众面临的问题，就是判断这些超过 11000 家的共同基金是否就是自己最好的选择。你怎么才能知道一项热门基金明天仍然会表现良好呢？在这个世界上，你怎样才能为将来退休选择一项成功的基金？如果你 80％的投资组合是共同基金，那是否就是真正意义上的投资多元化？是否就是明智之举？我个人以为，答案并不是肯定的。将 80％以上的投资组合放在不同的基金项目上，并不是真正意义上的多元化，而是规避投资风险的消极防范措施，很难实现财务自由。

共同基金的致命缺陷

或许你已经注意到了，共同基金需要缴纳间接税。不幸的是，很多投资共同基金的人并没有考虑到这一点。共同基金缴纳间接税意味着，如果获利需要缴税资本所得税，这笔税共同基金组织不会负担，而是要由投资者个人负担。这种缺陷在股市低迷的时候，显得更为突出。当然，也有一些例外，比如一些退休基金的收益可以享受某些税收延迟优惠。

假如这项共同基金多年来取得了很大成功，经营状况良好，它投资的股票升值巨大。突然股市大跌，投资者惶恐不已，急于抽回投资。这项共同基金的管理者不得不立即抛售手中的绩优股，归还投资者资金。当他们抛售了股票之后，就会获得一定资本收益。比如，一项基金拥有某公司10年前每股10美元的股票，等到抛售时每股上涨到50美元。基金管理者提早购买了这支股票，非常成功，但出手之后，投资者就需要为40美元的收益缴纳所得税。在这种情况下，投资者个人可能要损失钱，因为共同基金会下跌，而投资者个人却需要缴纳所得税。因此，在共同基金中，投资者个人必须缴纳资本所得税，即使已经损失了钱。我本人不大愿意在实际损失钱的时候还要纳税，因为这就像为自己并没有得到的收入缴纳收入所得税一样。2001年初，很多共同基金投资者损失了大半投资，同时还需要根据基金管理者提供的报表缴纳所谓资本所得税。对我而言，那是非常致命的缺陷。

这是不是意味着我对投资共同基金一概说“不”？答案是否定的，我本人就投资了共同基金。在《富爸爸投资指南》中，我讨论过安全、舒适而富有的财务规划，共同基金在你个人的财务规划中可以扮演一个重要角色。必须寻找一个能干的财务顾问，让他帮助你制定正确的财务规划，但更为重要的是，你所经历的财务教育越多，就越有可能成为一个财务知识丰富的人。有一些很好的共同基金，通过研究潜在的基础性东西来系统分析所要投资公司的状况。

投资房地产的好处

我朋友的父亲，那位认为投资的惟一方式就是有价证券的退休飞行员，现在终于明白了共同基金的致命缺陷。那次晚餐快要结束的时候，他说："由于股价下跌，我损失了好多资金，即便如此，我还要缴纳所谓资本所得税，但愿今后还能找到其他的投资方式。"

"你为什么不投资房地产项目呢？"我问道。

"为什么？它们之间又有什么区别？"他反问道。

"它们有很多区别，"我回答说，"我来告诉你一个区别，非常有趣。"

这位退休飞行员呷了一口咖啡，说道："说吧，我会认真听的。"

"在房地产领域，我可以赚到钱，政府也会同意让我将它当做赔钱来看待。"我说。

"你指的是自己不仅赚到了钱，而且获得了税收减免，不必为自己赚到的钱纳税？"他问道。

"政府给了我所得税减免，而不是让我缴纳资本所得税。"我说道，"政府希望我拥有更多的资金，而不是缴纳更多的税金。其中一个方法就是通过贬值，也就是富爸爸所说的'虚拟现金流'，那是普通人看不见的现金流。"

那位退休飞行员静静地听着，过了好半天才问道："还有吗？"

"还有很多，"我回答说，"他们甚至会给你钱。"

"怎么办呢？"他急切地问道。

"如果房子是个历史建筑，政府或许会给你一个课税扣除，这笔税收减免更有利于促进你的投资。"我接着反问道，"你认为政府会给你一个课税扣除，让你购买更多的共同基金吗？"

"不可能，"他回答说，"近来我所看到的，实质上就是为自己损失的资金缴纳资本所得税。说起来很有趣，我好像在为自己赔的钱纳税，而你赚到了钱却获得了税务减免。除此之外，还有什么我应该明白吗？"

"当然还有，"我说，"如果你的行为符合《美国残障法案》有关条款，你就可以获得支出50%的课税扣除。例如，如果你用了1万美元，修筑了便于残障人到达你的商业建筑的轮椅专用道，那么你就可以获得最高限额为5000美元的课税扣除。"

“你得到了5000美元课税扣除?”他显然觉得有些不可思议,“如果轮椅专用道用了不足1万美元,情况又会怎么样?如果轮椅专用道只用了1000美元,那又会怎么样?”

“你仍然可以得到支出50%的课税扣除,”我回答说,“不过,我还是郑重建议你,在做诸如此类的事情之前,一定要听取顾问的意见。在你做任何事情之前,必须首先弄清楚现行条例以及这样做的好处。”

这位退休飞行员静静地坐在我的面前,若有所思,又问了一句:“还有其他需要注意的吗?”

“还有很多,我无法在一次晚餐上讲完,”我接着说,“不过,我可以说,与共同基金相比,房地产项目至少有三条优势。”

“有三条优势?”他的脸上再次露出了诡秘的微笑。

“第一条优势是,银行乐于借钱给你购置房地产项目。目前所知,我很怀疑银行是否愿意借钱给你投资共同基金或者股票。或许他们会接受这些资产抵押,但是通常在你有了自己的资金投资后才能得到。”

他点了点头,追问道:“那第二条呢?”

“第二条优势是,没有资本所得税。”我接着说,“如果你真正掌握了你正在做的事情。”

“你的意思是,我必须为并没有获得的资本收益纳税,但是在房地产投资中,就可以避免收入所得税,是不是?”他还是有些疑惑。

我点了点头,“一直如此,通过我们常说的‘1031置换’,就可以做到这一点。比如,我们购买一个总价5万美元的房子,首付款为5000美元,从银行借贷其他的4.5万美元。然后,我们将房子出租,每月的租金收入超过了给银行的还款。这样,我从房屋投资中获得了现金流。”

“因此,你的钱就为你工作了,”他说道。

“是的,”我说,“而且,那种收入属于被动收入,纳税也远远低于工资收入。在此,所谓工资收入甚至包括每月的薪水、储蓄收入和401(k)收入。”

这位退休飞行员点了点头，一副若有所思的样子。那晚时间很早的时候，我们已经讨论了工资收入、组合收入和被动收入的区别。

我接着说道："几年过后，你发现自己5万美元的租赁房价值已经攀升到8.5万美元。出售房子就可以得到3.5万美元，但是如果你将3.5万美元收益投资到更大的项目中去，就可以获得税收延迟，不必马上缴纳所得税。"

他又一次默默地点了点头，说道："在这个例子中，你获得了3.5万美元的资本收益，却无需缴纳所得税。我在自己的共同基金中损失惨重，但是还要缴纳资本所得说。你得到了现金流，又用'虚拟的损失'和开支冲账。按照你的实际收入，你的纳税额其实相当小，因为它们是被动收入，而不是工资收入。"

"而且，不要忘记如果符合《美国残障法案》规定的公共商业建筑要求，或者本身是历史建筑，那同时也可以获得课税扣除。"我补充了一句。

"不，不会的，我怎么会忘记课税扣除？每个人都应该记着它。你能不能再说说第三条优势呢？"他追问道。

"第三条优势是，投资的房地产项目越大，银行和政府越想借钱给你。"我说。

"为什么会是那样？"他显然感到很困惑。

"当你去找银行家借钱购置自己的房地产项目时，假如说借100万美元，银行家不是借钱给你，而是借钱给你的房地产。"

"两者之间有什么区别吗？"他问。

"当普通人跑到银行申请贷款的时候，银行就会评估其个人信用状况。当同样一个人想去购买一处小的租赁房，比如单身宿舍、联合式公寓或者普通住宅，银行仍然对他进行信用评估。如果你有稳定的工作，也能够承受房屋的各项开支，银行就会借钱给你，但是请注意不是借钱给你的房产。"

"但是，对于比较大的房地产项目，当它的价格远远超出了他的个人收入，银行就会考虑房子本身的收入和支出，"这位退休的飞行员问道，"这就是两者之间的区别吗？"

“已经很接近了。”我说，“大型房地产项目的资产就是房地产本身和它带来的收入流，而不是借款人的收入流。”

“因此，购买大型房地产项目比小型项目更容易。”他说。

“如果你懂得了自己所做的事情，”我说，“从政府借款也是如此。如果你为了15万美元的房地产项目向政府借款，他们很可能没有多少兴趣。但是，如果你想获得的是整个贫民窟的改造项目，想提供安全的低收入者住房，政府往往愿意借给你数以百万美元。甚至可以说，如果你的房地产投资项目不足500万美元，就很难得到政府官员的支持。”

“还有别的什么吗？”他问道。

“当然还有，”我回答说，“但是让我先给你讲一些有关房地产的基础知识。”

“比如说？”他显得很有兴趣。

“在多数情况下，房地产项目不像有价证券的流动性那么好，这意味着购买或出售房地产项目需要花费更长的时间。房地产市场不像有价证券市场那样运转迅速，它也需要积极管理。”我笑了笑说。

“你为什么笑呢？”这位退休的飞行员问道。

“因为对于专业房地产投资商来说，这个劣势往往可以成为最大的优势。”我说，“劣势常常只是新手或不成熟的投资者的劣势。”

“能给我举个例子吗？”

“很简单，”我回答说，“因为房地产项目流动性不强，而且找到合适的买家、卖家都不容易，所以专业投资者常常就可以花时间完成一项交易。”

“你是说，你自己也与卖家进行一对一的谈判？”他问。

“是的，与买家也是这样，”我回答说，“在股市上，人们常常只是买入卖出。买家和卖家之间很少进行任何形式的一对一谈判，至少对于大多数投资者如此。”

“那你的意思是，在股票市场中买家和卖家之间也可以有一对一的谈判，是吗？”他问。

“是的，”我说，“但是，那往往发生在业内权威人士和专业操盘手之间，也可以通过合法方式进行，不过普通投资者很难做到。”

“噢，我明白了，”他轻轻地说，“但是在房地领域中这些谈判一直发生。”

“那也是房地产业的乐趣所在，”我回答说，“在房地产业中，你可以成为一个有创意、善于谈判的高手，做成一桩好生意，降低或者提高价格，让卖家一次性付款或者支付首付款。总之，一旦你掌握了这个游戏规则，投资房地产就变成了一件充满乐趣的事情。”

“还有其他的吗？”他又追问道。

“你可以削减开支，提升房产价值，比如增加一个副卧室，粉刷墙壁，卖掉周围多余土地等等。一个富有创意的房地产投资者，本身就应该是一个好的谈判者，完全可以在自己经营的领域大有作为。如果你是这样的一个人，那么你不仅可能在房地产事业上前景辉煌，而且可以享受到很多前所未有的乐趣。”

“我以前从来没有这样看待房地产投资，”他说，“我所经历的就是买卖自己居住的房子。不过回过头来看，那的确充满了乐趣，而且我在买卖自己房子过程中的回报，也比我现在共同基金的回报多。”

我似乎能感到他脑子里燃起了希望，他终于发现除了差强人意的共同基金投资组合，自己还可以有多种投资选择。时间已经很晚，我们不得不就此打住，各自回家了。

几周以后，他打电话告诉我正在寻找第一个租赁房产项目，而且过去的忧愁焦虑已经被快乐所取代。他说：“即便我的租金收入与支出持平，我仍然能赚到些钱。掌握了‘虚拟的现金流’和税法，即使没有赚钱也像取得了财务上的成功一样。”

我所说的只有一句话：“看来，你真的懂得了这个道理。”

顾问们的不良建议

对于投资者来说，聘请专业财务顾问非常重要，但是很多财务顾问本身并不富裕，也不是成功的投资者。记得一位专业财务顾问曾经在一家主流媒体上撰文指出:“很多人在房地产项目上赚到了不少钱,但是这些项目主要集中在加利福尼亚、康涅狄格等地,我们许多居住在中西部的客户很难有这样的成功经历。”

我觉得她的这种论调很荒唐,客户应该解聘她。其实,那些生活在中西部的投资者未能在房地产中赚钱,原因就在于聘请了像她这样的投资顾问。如果你真正掌握了房地产业、税法和公司法,又有一个好的经纪人和会计师,即使房地产项目没有升值你同样也可以赚到钱,或者从出租房子中获得收益。前面这篇文章认为只有加利福尼亚和康涅狄格的房产升值,这是错误的。如果她了解房地产市场,她应该知道在美国房地产发展最快的地方是拉斯维加斯、内华达等小城市,或者菲尼克斯、亚利桑那等大城市。她仅仅听说了加利福尼亚和康涅狄格的情况,因为她只知道新闻中所讲的那些东西,而许多投资新闻是关于有价证券的,涉及房地产的投资新闻本来就不多。她不懂得专业房地产投资者的知识,但是她还要以专家的身份提出所谓建议。

正如富爸爸常说的:“不要向一个保险推销员请教你是否应该购买保险的事情。”很多财务顾问都有点像保险推销员,而不像一个高明的投资者。保险是一个重要的投资项目,但肯定不是惟一的投资项目。

怎样寻找好的投资项目

提起投资,我常常问自己:“如何寻找一个好的房地产投资项目?”回答是:“你必须不断培养自己的眼光,发现别人发现不了的项目。”

下一个问题是:“我如何做那个项目?”

回答是:“就像任何一个购物者寻找好的生意一样。”在本书的开始,我曾经说过有些非常节俭的人,开着车从一个商场赶到另外一个商场,希望能买到价廉物美的东西。房地产还有其他好多投资都是如此,需要你首先成为一个专业购物者。

100:10:3:1

我的老朋友道尔夫·德洛斯博士曾经写了富爸爸投资顾问系列丛书中一本，名叫《房地产致富：如何运用银行家的钱使自己富有》。自然，我们为这个选题费尽周折。在书中，他详细讲解了如何寻找很多人不曾注意到的房地产项目，他还讲解了如何通过改造这些项目实现升值。如何买到合适的房地产项目，他称自己的做法为100:10:3:1方法。也就是说，你必须分析100个房地产项目，并向其中10个项目给出报价，答应的卖家可能有3个，最后成交的只有1个项目。也就是说，购买一个房地产项目，需要至少考察一百多个项目。

亲吻很多青蛙

你肯定已经知道，富爸爸喜欢用童话故事教育我们。其中他很喜欢的一个故事是：为了找到自己心目中英俊潇洒的白马王子，美丽的公主不得不亲吻一只只青蛙。富爸爸常说："你不得不亲吻很多青蛙，以便确认哪一个是属于自己的王子。"在投资过程中，甚至在生活中的好多方面，那都是一句真理。今天，当听说某个人25岁就找到了一个工作，并且在干了一辈子，我总是感到非常吃惊。我一直担心他们怎么能知道一件好工作与一件坏工作的区别。当我遇见一个15岁就决心做医生的人时，我也怀疑他在做出决定时是否运用了过去的现实。在投资和其他事情中也是如此。

富爸爸说："大多数人不想亲吻青蛙，最终的结果是嫁给了一只青蛙。"他的意思是，在投资和有关个人未来的事情上，大多数人没有用足够时间去尝试、思考。很多人不是用大量时间寻找好的投资项目，而往往是凭着一时冲动和小道消息，或者根据亲友意见安排自己的投资。

嫁给了一个青蛙

我的一个朋友最近跑来对我说："我听从了你的建议，投资了一座租赁房项目。"

我有些吃惊，禁不住问道："你买的是什么样的房子？"

"我在圣迭戈市靠近海滩的地方买了一个很好的分户公寓。"

"你总共看了几处房子？"我问道。

"两处，"她说，"经纪人让我看了一幢楼中的两套房子，我买下了其中一套。"

大约一年后，我问她的房产项目经营状况怎样，她沮丧地告诉我，"每月损失460美元。"

"为什么会损失这么多？"

"一个原因是房主委员会提高了物业管理费，另一个原因是我不知道每月的租金该收多少，实际上比我想像的低多了。"她不好意思地说，"我比市场价多掏了2.5万美元，我不想每月损失钱，又不想以低于买入价2.5万美元的价格出售这个房子。"

正如富爸爸所说："那是没有亲吻足够多的青蛙的代价，如果没有亲吻足够多的青蛙，你就有可能最终嫁给一只青蛙。"我的这位朋友没有做好自己的"作业"，她只能嫁给一个青蛙，她付出的代价够昂贵了！

如何评估一个好的房地产投资项目，答案就是：经验是最好的老师。下面就是我和朋友们体会到10条重要教训，另外我还会增加一些认为有用的内容。

不去购买的代价

当人们问我如何寻找好的房地产项目，我就会直接回答："你需要经常去购买。"

我赞同道尔夫·德洛斯博士的100:10:3:1理论，我和金曾经考察分析了数以千计的房地产项目。在回答“你们怎样学到这么多房地产知识”这个问题时，我常常说：“我们考察了成千上万个房地产投资项目。”我们还对其中数百个项目给出了报价，不少报价对方一笑了之，没有下文。所以关键在于，看过了这么多项目给出了这么多报价之后，我们关于房地产市场和人类自身的经验和认识大大提高了。

当有人问：“没有钱的时候，你怎么做?”我的回答仍然是：“去购买。”在投资培训课上，我常常说：“当你去购物中心的时候，没有人问你是不是有钱。商家希望你购物闲逛，大多数投资项目也是这样，购买、询问、分析就是我接受投资培训的主要过程。我所学到的投资知识在书本上是找不到的，就像大家不可能从书本上学会打高尔夫球一样，你也不可能从书本上培养自己发现别人不曾注意到的投资项目的能力。你必须首先出去，必须去购买。”

事后智慧

如果前面我的那位“嫁给了青蛙”的朋友不打算说：“房地产是一个非常糟糕的产业，你从那里赚不到任何钱。”那么她一定能够从自己的经历中学到不少珍贵的东西。不幸的是，当我问她学到了什么的时候，她生气地回答：“但愿我以后再也不会听到你这句话，整个市场已经发生了变化，现在你不可能从房地产中赚到任何钱。”

俗话说，“事后智慧”在于你必须不断总结过去。我的那位朋友没有回顾总结自己，即使我称赞她采取行动的果敢，她仍然认为房地产不是一个好的投资产业。看来，她在房地产投资中来去匆匆，代价可能超乎寻常的昂贵，因为她没有从错误中学到任何东西，而这些错误和教训本来可以使她更加聪明、富有。这就是带有“出错不好”想法的代价，如果她的想法是“我要采取行动，出了错误我会从中吸取教训”，可能她就会成为更富有的人。过分追求完美，不许自己出现任何失误的人，常常没有辩证的眼光，会犯同样的错误，而从中学不到任何东西。

我的那位朋友在这次投资中忽视的问题主要有：

1. 查看更多的房地产项目；

2. 从容不迫。还有很多好的投资项目，很多人轻率购买了房地产，因为他们以为自己发现的是世界上独一无二的好项目；

3. 出租房屋市场和购房市场；

4. 多个房地产推销商会谈；

5. 谨慎投资分户式公寓。分户式公寓常常有一个由房主组成的业主委员会，房主和投资者的看法并不一定完全一致，很多房主想让自己的房产更好一些，因此往往花费了过多维修费用。尽管这对你的房子有好处，但是作为投资者，你却因此失去了很重要的控制开支的权利；

6. 如果对开支失去控制，那同样会影响到未来房产的销售价格；

7. 不要在购买的时候就希望房地产价格会不断攀升。不论社会经济状况如何，房地产项目本身都应该是一个好的投资。正如富爸爸所说的："你的利润产生于购买之时，而不是出售的时候。"

8. 投资不要感情用事。当你购买个人消费品时，凭着感觉走或许没有什么不好，但是当你为了投资购买时，感情用事往往会让你陷于盲目境地。我的那位朋友对房产靠近海滩的兴奋，超过了对投资回报的考虑，超过了对财务报表的关注；

9. 她没有多少提升房产价值的办法。你赚取很多钱的一个办法就是控制开支、装修或者提升房产价值，这都是在股票和共同基金市场不能做的。其实很多时候，只要增加一个车库或者卧室，就能大大提升投资回报；

10. 她没有从这次经历中学到什么东西。这是一次代价昂贵的教训，如果她乐于保持谦逊的心态，总结和再次尝试，也许会从这次损失中得到数百万美元的收益。但是，她不愿意这样做，只是轻率地断言："你不可能从房地产中赚到一分钱。"

教训提升了你的眼力

通过花时间分析成千上百个投资项目，我的眼力慢慢得到了提升。当我给出一个项目报价，即使这个报价只会招来嘲笑，或者被傲慢地回绝时，我能从中学到一些东西；当我约见银行家商讨财务问题时，能从中学到好多东西；当我购买了一处房产时，也会学到一些宝贵的新东西，即使我损失了一些资金。今天，所有这些教训，不论好坏都成了我个人致富的教育和经验，使我和金在房地产领域获取了越来越多的财富。

伟大的投资项目从来就是在你大脑里，而不在别的地方。在现实世界中，没有一个“待售”的标牌会真正告诉你“这是一笔好交易”。培养大脑发现和谈判一个好交易的能力，正是你自己的工作，需要不断付出和实践。

人人都能做些什么

正如我一直承诺的，我认为每个人都能做那些让自己致富的事情。在这一部分，人人都能做的事情就是去购买房地产。如果你和自己的合作伙伴愿意花一周时间去看 5 个、10 个、20 个甚至 25 个项目，即使你没有多少资金，我也敢肯定你的眼力得到了提高。分析了 100 项投资之后，我想你一定能发现一两个让你振奋的投资项目。当为自己能够致富兴奋的时候，你的大脑就转化成另外一个环境，你也就可以开始寻找新的内容，这些内容可以解决“我怎样才能赚钱致富”的问题。

人人都可以做到上述这点，即使他们没有任何钱，但这也是我和金的经验。现在，我们有了更多经验，分析判断房产项目的进程大大加快。不论整个经济环境好坏，我们总是能设法找到一个好的项目。当然我们不总是购买或给出报价，但是寻求、分析投资的过程让我们的头脑更清楚，目光更敏锐，并且让自己有机会接触大量的投资项目。

一盒名叫《财务知识》的磁带，可能对你的房地产投资会有所帮助。这盒磁带中搜罗了各种必须阅读的典型财务报表，其中一个是“预期勤劳一览表”，它对于检验一座建筑的物理状态非常重要。财务报表和回报预期为你提供了进行分析的财务数据，预期勤劳一览表可以帮助你检验房地产的实际品质，为你节省甚至创造大量金钱，也可以作为分析和谈判的工具。正如富爸爸所说的：“财务知识不仅仅是一组数字，它让你掌握一些词语，这些词语可以帮助自己对投资项目的优缺点做出判断。可以说，财务知识就是帮助你寻找普通投资者没有发现的项目。”这盒磁带可以在富爸爸网站上定购到。

最后一点就是，投资房地产或者其他项目不能抱着购买了一项资产就想依靠这项资产致富的心态。在房地产投资上，我和金打算购置10个项目，那就意味着我们需要看1000个项目。在这选定的10个项目中，我们准备要有2个成功的大项目，2个可能赔钱的项目，它们都很快要被出售。剩下6个项目或者进行改造提升价值，或者想办法出售。不论房地产、股票、共同基金或者建立企业，成功的比率大体差不多，一个专业的投资者都应该了解这些。

寻找别人遗漏的好项目

每个渔夫都有自己捉到漏网之鱼的经历，每一个房地产投资者也都有发现别人不曾注意的好项目的经历。通过下面两个故事，我们想鼓励大家开始关注自己的前100个投资项目。

把问题变成机会

故事一：几年以前，我和金在离家几个小时车程远的山区旅行。我们想休假几天，享受森林中的平和与宁静。同往常一样，我们顺便去了一个房地产商的办公室，想了解最近有没有待售的好项目。

女雇员给了我们一些已经看过的标价奇高的项目，接着在她售房目录中我们找到了一个已经停售的木屋，周围有15英亩土地，整个项目标价4.3万美元。我问她为什么要价这样低。

她回答说："那里存在一个用水的问题。"

"能否讲得更具体一些?"我问。

"那里的水井不能经常保证足够的用水，断断续续，这也是它多年没有售出的原因。大家都喜欢这个项目，但就是缺水。"

"带我去看看吧!"我说。

"噢，你不会喜欢它的，"她说，"不过我可以带你去看看。"

大约半个小时后，我们站在了这块草木丛生的山地上，中间有一个可爱的旧木屋。"问题就出在这里，"她带我们来到了水井旁边，"这口水井让土地没有足够的用水。"

我点了点头说："是的，水的问题的确很严重。"

过了一天，我同当地一位水井专家一起来到了那里。专家看了看水井，对我说："这个问题很容易解决，水井里的水量很足，只是不同时间内水量会有变化。如果安装一个备用水箱，所有的问题就会迎刃而解。"

"安装一个水箱需要多少钱?"我问。

"安装3000加仑的水箱花费大约是2300美元。"他回答说。

我点了点头，立即返回了房地产商的办公室。我开出了自己的报价："我愿意用2.4万美元购买那个项目。"

"这有些太低了，"她说，"即便存在用水问题。"

"这就是我的报价，"我回答说，"顺便问一下，那个项目的最近一次报价是在什么时候?"

"已经很久了，"她接着说，"可以肯定至少有一年多了。"

那天晚上，我接到了代理商的电话，她说："完全出乎我们预料，你的报价被接受了。我实在很难相信他们居然接受了你的报价和付款方式。"

"谢谢!"那就是我所说的惟一一句话，我真有些按捺不住心头的兴奋。房主已经有一年多没有接到报价了，甚至懒得花钱再去修整房子。他接受了我的报价，首付款只有2000美元，余款一年后付清。也就是说，我用了很少一笔首付款买下了这个房地产项目，而且近一年内不用付款。

过了一天，我同水井专家一起来到了那里，请专家安装了两只3000加仑的水箱。这样，我们用不到5000美元就解决了水的问题。一个月后，我和金来到了这个新买的小木屋，我们有大量的新鲜水可以尽情享用。离开那个小镇的时候，我们打算将这个项目提价出售。我们开价6.6万美元，而且在两周后顺利成交。水的问题彻底解决了，现在那个木屋的主人是一对梦想在山区拥有自己的家的年轻夫妇。

环境的改变

故事二：我有一个朋友名叫杰夫，他是一位园林设计工程师。他曾经告诉过我一个伟大的房地产投资故事，今天我再次把这个故事讲出来与大家分享。

杰夫说："大约一年前，一位女士给我打电话说：'我有一块40英亩的土地，我想请你去看看。'她以27.5万美元的价格取得了这块土地的购买权，但是所在的小镇反对她进行任何开发。"

"那她为什么找你？"我问。

"她想请我为这块土地以及整个小镇做一个远景规划，她同时还聘请了一位原城市规划设计师。"

"后来发生了什么事情？"我问。

"我们做出了规划图，写出了关于未来小镇发展的建议，送交镇议会。但是，我们的规划和建议被拒绝了三次。"他回答说。

"为什么？"我问道。

"小镇的议会很关注这个问题，不断请我们进行修改。"他回答说。

"他们不断要求你们拿回来修改，是吗？"我问道。

"差不多是这样。实际上，我们也不断征求他们的意见，不断对自己的规划设计作出修改。最后，小镇议会终于接受了我们的规划设计，并且将那位女士所拥有的土地从农业用地转化成商业用地。”

“他们重新划分了那位女士所拥有的土地？”我吃了一惊，“从农业用地变成了商业用地？这种改变使那位女士的地产升值多少？”

“等我们的规划获得通过，她就以650万美元的价格将那块地产卖给了一个国家保险公司，他们想在那里建一座饭店。”他回答说。

“整个过程用了多长时间？”我问。

“总共九个月，”杰夫回答说，“根据协议，她给了那位原城市规划设计师和我每人2.5万美元劳务费。”

“那也就是说她花了5万美元，赚了600多万美元，是吗？”我感到难以置信。

杰夫微笑着不断点头，“是的，那块地皮已经闲置了好多年，看过的人都说有点太贵了，但是她预见到很多人没有注意到的一点，非常专业地给所有人展示了我们眼皮底下不曾发现的赚钱机会。”

“你对自己仅仅得到了2.5万美元感到沮丧吗？”我问。

“不，一点不，这是一个很公平的报酬。另外，我赞同她赚了那么多钱，因为她冒了很大风险。如果我们不能让镇议会改变那块地皮的划分，她就会损失很多钱。而且，我将永远感激她开阔了自己的眼界，她教我看到了以前不曾注意的东西。只要我们花些时间培养自己大脑和眼力，就可以发现自己身边存在大量机会。”

我祝贺他获得了新的现实领悟，我说：“你得到的其他一些东西远远超过了2.5万美元报酬，是吗？”

杰夫点了点头，他说：“这些东西可能更珍贵。那位原城市规划设计师对报酬有些不满意，但是我不这样认为。我经常听你谈论富爸爸的环境和现实，但那些东西以前从来没有真正引起我的注意，现在我开始注意了。在我看来，这些词语的价值应该超过了上万美元。我也想到了那位女士可能会更加富有，因为她的环境更大，考虑的也全是数百万美元以上的大项目。她从B象限出发思考问题，而我仍然从S象限出发考虑问题。即使她不给我一分钱，我从这件事情上所学到的东西也是非常宝贵的，因为它永远改变了我的生活。

那位女士用自己的行动教会了如何成为一个富人。”

重新划分土地的用途是一个简单的环境改变，从贫穷到富有同样也是一个简单的环境改变。如果愿意，每个人都可以做到这一点。

怎样保持自己的财富

早在少年时代，道尔夫·德洛斯博士就开始了对富人的全面研究。17岁那年，他发现大多数富人或者从房地产业中发财，或者将自己拥有的很多财富投入到房地产上。富爸爸也是这样做的，尽管他从企业和股市赚了很多钱，最终还是将很多财富放在了房地产上。

富人这样做的主要原因有以下5点：

1. 税收法律鼓励富人投资房地产业；

2. 房地产业有更强大的杠杆作用。通过动用银行家的资金，富人可以变得更富；

3. 房地产业的收入是被动收入，税率最低。如果从出售房地产中获利，这些利润还可以获得税收延迟，投资者可以运用这笔本来属于政府的资金进行再投资；

4. 房地产业赋予投资者更多的控制自己资产的机会；

5. 如果投资者懂得如何管理资金和财产，房地产业就是放置资金的最安全的场所。

对于普通投资者来说，用大量有价证券保持自己的财富风险实在太大。正如本书一再提到的，如果一个退休者的有价证券在股市危机中损失惨重，会是一个什么结果？如果有价证券全部损失又会怎么样？当然，如果这个人懂得在股市疲软的情况下保护自己的资产，结果或许还会稍微好些。如果你只想用有价证券保持自己的财富，那么，下面一章就显得非常重要。

第17章 有价证券的杠杆

投资中怎样做到低风险高回报

几个月前，我的一个朋友告诉我，他在股市损失了一百多万美元，现在不得不重新回去工作。当我问他为什么会损失那么多时，他回答说："我还能怎么做呢？我完全按照财务顾问的建议去做，买了许多走低的股票，结果那些股票不断走低，我也不断赔钱。现在我已经损失了一百多万美元。那位财务顾问又让我坚持下去，投资长线股票，但我现在实在没有那么多时间去等了。"

投资并不一定就意味着冒险，正如富爸爸所说："虽然投资有风险，但是我们不一定就要去冒险。"即使股票市场有大的变化，你也可以做到不赔钱。事实上，如果股票市场开始下跌，许多熟练的投资者仍会赚到很多钱。富爸爸曾经教育我，不论股市涨跌，我们应该怎样投资并且赚钱，下面就是他的主要观点。

保持一个开放的环境

我们认为，有一个开放的心智和可以不断拓展的环境非常重要。如果你的个人环境告诉你："这不可能"、"你做不了"、"这不符合规矩"、"这太冒险了"或者"这太难了，我不可能学会做"等等，那也就是在提醒你必须开放自己的环境，这样才会听到各种各样的内容。

有保险地投资有价证券

富爸爸问我："你会不会在没有保险的情况下开车上路？"

"不会，"我回答说，"怎么可能呢？那太傻了，你为什么会问这样的问题？"

富爸爸笑了笑，接着又问："你会不会在没有保险的情况下投资？"

"不会，"我回答说，"但我投资的是房地产，我一直为自己的房产保险，以免有什么闪失。事实上，银行也要求我为所有的房产保险。"

"回答得很好。"富爸爸点了点头。

"为什么你会问我关于保险的问题？"我再次反问道。

"因为，现在到了你学习怎样投资有价证券的时候了，这些有价证券包括股票、债券和互助基金。"

"难道你投资有价证券也可以有保险吗？"我有些疑惑，接着问道："你是说会为自己的投资损失保险，或者设法将损失减少到最小？"

富爸爸点了点头。

"这样，投资有价证券就不会有风险了，是吗？"我仍然感到十分不解。

"是的，"富爸爸说，"如果你真正掌握了怎样进行投资，其实投

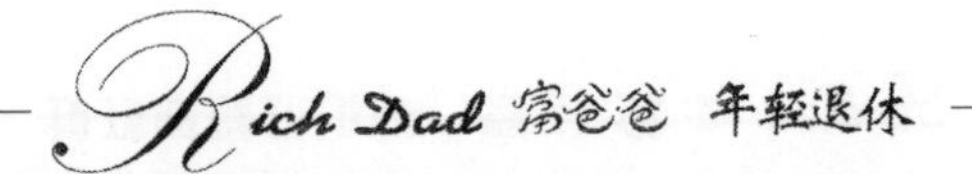

资有价证券没有一点风险。”

“但是，对于普通有价证券投资者来说，难道也没有一点风险吗？难道他们有什么保险吗？”

富爸爸点点头，紧盯着我的眼睛说：“这就是我为什么要教你，我不想让你成为一个普通投资者。普通投资者感兴趣的是平均价格，这也是他们之所以很普通的原因，也是为什么会有道琼斯工业股票平均价格指数。平均价格是为普通人准备的，这也是说为什么会有那么多人听从财务顾问的建议，并且听到他们说‘40年来股市的平均回报率一直维持在12%’，或者‘这种共同基金在过去5年的平均回报率是16%’就感到兴奋异常。普通投资者喜欢平均价格。”

“喜欢平均价格又有什么过错？”我问。

“的确没有什么过错，”富爸爸说，“但是，如果想变得富有，你必须在很多方面远远超过平均价格水平。”

“为什么平均价格会妨碍你致富呢？”

“因为平均价格是收益和损失相抵后的结果，”富爸爸回答说，“例如，虽然过去40年来股市平均上涨了很多，但是，事实上对于每只股票来说却有升有降。”

“怎么了？”我问道，“难道大多数人不懂得这些吗？”

“不，大多数人都懂得，”富爸爸说，“但是，为什么会在不必损失的时候损失呢？普通投资者在股市上涨时赚钱，在股市下跌时赔钱，这就是他们是普通人的原因。如果在股市涨跌时都能赚到钱，平均价格又应该是多少呢？”

“那自然再好不过了，但是，熟练投资者应该怎么做呢？”我又问道，“难道他们不使用平均价格？”

“不，他们使用平均价格，但是他们使用不同的平均价格。我这里所讲的普通投资者，他们只知道在股市上涨时怎样赚钱，因此，他们很高兴听到股票平均价格普遍上涨之类的话。熟练投资者不会寻求普通信息，他们不会真正关心股市的涨跌，因为他们在任何情况下都能赚到钱。”

“你的意思是说他们从来不会赔钱？”

“不，我没那样说。所有的投资者都有可能有赔钱的时候，但是熟练投资者却不论股市涨跌，都有能力赚钱。普通投资者只知道在股市上升时赚钱而在下跌时赔钱的策略。熟练投资者不愿意像普通投资者那样赔钱，当然他们也不总是正确的，也有可能赔钱，但是由于他们接受过训练、技巧、工具和策略等，通常他们遭受的损失远远小于普通投资者，赚到的钱却远远超过了普通投资者。”

过去几年中，我吃惊地发现人们用自己的血汗钱大把投资，但是却不愿意花时间去学习如何投资。尽管跟随富爸爸这么多年，我还是一直不明白为什么那么多人宁愿辛苦工作一辈子，也不愿意学习怎样让钱为自己赚钱。并且，当他们将血汗钱投资股市时，他们愿意去冒没有任何保险的风险。我想到了自己辛苦了一辈子的穷爸爸，他总是说：“投资充满了风险。”其实，他从来没有研究过投资，也没有参加过任何投资培训。相反，富爸爸教我怎样安全地投资房地产，现在他又想教我怎样安全地投资有价证券。

“这样说来，投资股市就不必冒风险了？”我想得到更清楚的答案。

“不，完全不是那样。”富爸爸赶忙否认。

“无数人投资股市，却无法避免损失，当然也没有接受过多少相关教育，这些都让他们成为十分冒险的投资者。”我试着领会富爸爸的意思。

“是的，极其冒险，”富爸爸接过了我的话题，“这就是我问你是否为自己的房地产投资保险的原因。我知道你肯定这样做了，因为向你贷款的银行家要求你这样做。不过，普通投资者在股市上却没有任何保险。无数人为了自己未来的退休生活投资，却没有任何重大损失保险，这实在是非常冒险！非常冒险！”

“但是，为什么财务顾问、股票经纪人和共同基金推销商不告诉他们这些情况呢？”我问道。

“我不清楚，”富爸爸回答说，“我也经常感到困惑不解。我认为这是因为大多数财务顾问、股票经纪人和共同基金推销商本身就不是真正的投资者，更不是熟练投资者。他们大多是一些靠薪水或佣金生活的推销商，他们同自己的客户一样，都不过是为了一份工资而工作。”

“并且，他们还向别人，也就是向与自己一样的普通投资者提供建议。”我说。

富爸爸点了点头，接着说：“无论股市涨跌，一个熟练投资者都能赚到钱，而普通投资者只有在股市上涨时赚钱，在股市下跌时却要赔钱。当损失很多钱之后，普通投资者接着还会打电话给自己的财务顾问求救：‘现在我到底该怎么办？’”

“这时，他们的财务顾问会怎么说？”我又问道。

“他们常说：‘别慌，咬咬牙坚持住，股市将在几个月后出现反弹。’或者说：‘应该以美元的平均价格购买更多长线股票。’”

“你不会那样做吧？”我问。

“当然，”富爸爸说，“我不会那么做，但是普通投资者常常会那么去做。”

“你是在告诉我无需冒多少风险，我却可以在股市赚到很多钱？”我总算领会了富爸爸的良苦用心。

“是的。”富爸爸说，“你所要做的，就是一定不要成为一位普通投资者。”

词语让你致富

在“富爸爸”系列丛书第四本《富爸爸投资指南》中，我曾经写道：穷人和中产阶层的投资主要集中在共同基金上，而富人却主要投资套利基金。可以说，词语再次显示了自己的力量。对于熟练的投资者来说，“套利”是一个非常重要的词语。并且，共同基金和套利基金截然不同。我们很多人都曾经听说过“要两面下赌注，以免输个精光”这句话，在这个环境中“两面下赌注”其实就是一种保险的措施。正如一个园丁竖起篱笆来保护自己的花园免受草食动物毁坏一样，一个熟练的投资者也应该运用“套利”来保护自己的资产。

简单说来，“套利”在这里的意思就是保护投资者免受损失。正如你不会也不应该没有买保险就开车上路，作为投资者的你实在也不应该没有保险或者说没有套利就贸然投资。这是一个常识性问题，不过，普通投资者是裸露投资。当然在这里，裸露不是指人的身体，而是指某些没有任何保护、担保措施的资产。熟练投资者不大愿意裸露投资，因为那意味着他们将会面临着一系列不必要的风险。他们将会把自己的投资进行投保，正如保险推销商经常问你的：“你保险了吗?”熟练的投资者也会向自己提出同样的问题。大体而言，普通的共同基金投资者往往裸露着投资，因为他们没有预防损失的措施。

不保护自己的资产很危险

好几天之前，我作为主要的演讲者之一，出席了一个为投资者准备的会议。主讲人是一位著名的电视节目主持人，她在一家更大规模的财金电视网络工作。她的讲话内容丰富，让我获益匪浅。不过，我发现一个很有趣的现象就是听说她只投资共同基金。

突然，在场的一位听众举手大声质问道：“你难道不为自己的这种行为愧疚吗？你让观众损失了数十亿美元!”他显然非常愤怒，不过在他讲话的时候，我能感觉到许多在场的投资者也有同感。看来，很多投资者来参加这个会议，不是为了学习怎样进行投资，而是为了弄清楚自己为什么损失了那么多钱。

“我为什么要感到愧疚?”她反问道，“我的工作就是为大家提供信息，而我也确实为各位提供了大量信息。我给大家的不是投资建议，而是股市信息，为什么我应该愧疚?”

“因为你是这个所谓牛市的鼓吹者，”那个愤怒的听众说，“因为你的鼓吹，所以我不断投资，但是现在我所有的一切都完了。”

“我不是一个鼓吹者，”她说，“我仅仅是把市场看好的真实信息告诉你，正如告诉你现在股市低迷这个糟糕的信息一样。”

接下来的五分钟，整个房间一片骚动，一些人同意那个愤怒的听众的看法，一些人站在那个女主持人的一边。最后，大家似乎都渐渐平静下来。女主持人接着征求大家更多的问题，又有一个人举起手问她："为什么你不告诉听众通过期权来减少风险？"这位听众语气平静，显然他十分希望听众们能够懂得利用期权减少冒险。

"期权？"她显然吃了一惊，"我为什么要告诉大家有关期权的知识？"

"因为可以在熊市上利用套利防止损失。"他答道。

"噢，天哪！我永远不会那样做，"她答道，"期权投资太冒险了。大家还有其他问题吗？"她一边问，一边示意刚才提问的小伙子坐下。

我简直不敢相信刚才听到的一切。这个女主持人是财经媒体中最受尊敬的人之一，她影响着数百万人的生活，很多人将她看做投资顾问，但是她现在却说："投资期权太冒险了。"对我来说，不保护自己的财产才是冒险，对财务知识的懵然无知才是冒险。掌握怎样利用期权保护自己的有价证券简单易行，事实上，如果你有一个能干的经纪人，就变得相当简单，甚至小孩也可以办到。你所要做的，其实就是学会一些新词语的定义，找到一个好的经纪人，并且开始慢慢地获得一些经验。然而，我看到大约有上千位听众都在点头，认为期权投资是风险太大。

我坐在那里，看着她的忠实追随者一个个对所谓期权投资充满风险的谈话点头称是，就又想起了富爸爸过去关于有价证券投资的教诲。我似乎听到他在说："几百年前，在古老的日本，农夫就已经开始用期权保护自己稻米的价格了。"

"几百年前？"我感到难以置信，"几百年前，他们就利用期权来预防损失？"

富爸爸点点头，接着说："是的，好几百年前，农耕时代刚刚开始，一些精明的交易商就用期权保护他们的生意免遭损失。直到今天，精明的交易商仍然在这样做。"

我的思绪又回到了芝加哥，回到了那位电视女主持人演讲的大厅。我扪心自问："如果精明的交易商已经使用期权那么多年，为什么这位有影响的名人还在误导自己的观众呢?”接着，我又问自己：“什么更冒险？是购买了股票或者互助基金，然后眼看着它的价值下跌40%、60%甚至90%，却不知道保护自己吗？银行家要求我为自己的房地产上保险，那么，为什么有价证券行业不要求所有投资者为自己的有价证券上保险呢？这些有价证券可是成千上百万人年老退休后生活的依靠。”直到今天，我还是没有完全弄明白这些问题的答案。正如前面曾经讲过的，如果你的房子毁掉了，通过保险公司理赔，你还可以在不到一年内重新建造新居。但是，如果你在退休之后，自己的退休金计划却随着股市暴跌而丧失殆尽，你到时候还能做些什么呢？是继续购买持有新的股票，然后内心不断祈祷股市的平安无事吗？是满怀希望等待另外一个牛市吗？因此，我还在纳闷：银行家要求投资者投资时必须有保险，而有价证券行业却没有同样的要求？为什么熟练投资者投资有价证券时有保险，而普通投资者，尤其是那些将要依靠股市收益维持日后退休生活的人，却是裸露着没有任何保险地投资。

保险的词语

如果你想年轻富有地退休，花些时间学会怎样去保护自己的财产非常重要，尤其当你打算用有价证券来保持自己财富的时候。你应该通过学习，掌握富爸爸所说的“熟练投资者的语言”。在我的投资培训班上，我称之为保险的词语。

接触这些词语之前，我认为回顾另外一些词语十分必要。下面就是需要大家首先了解的词语：

1. 投资者（Investors）与交易商（Trades）：很多人认为自己是投资者，实际上他们只是交易商。正如很多人将自己的债务误以为是资产一样，许多自认为是投资者的人实际上是交易商。而且，许多自以为是投资者的人，实际上就是储蓄者。因此，很多拥有401（k）退休金计划的人，或者拥有个人退休金计划（IRA）或者基奥（Keogh）计划的人，常常都说：“我是为退休储蓄。”储蓄者除了将钱放在一个账户上之外，不会再做什么。相反，一位投资者将会积极管理自己的投资组合或者账户。

那么，投资者和交易商有什么不同呢？一位投资者为了持有而购买，而一位交易商是为了出售而购买。当一个人说："我买下了这种股票或者房地产，因为我知道它会升值。"我知道他实际上是一位交易商。也就是说，他们购买只是为了日后交易，而不是使用。这也是我说多数人是交易商而不是投资者的原因。交易商普遍希望他们购买的资产价格能够上升，从而转手牟利。投资者却希望能尽快收回投资，同时继续拥有这种资产。富爸爸常说："投资者买牛是为了生产牛奶和牛犊，而交易商买牛是为了屠宰卖钱。"

如果你想在投资领域获得成功，无论是有价证券、企业还是房地产，你就必须同时是投资者和交易商。投资者懂得如何分析、管理投资，交易商懂得买卖的时机和方法；投资者常常希望从资产中获得现金流，交易商希望从低买高卖中获得资本收益。

2. 基础投资者（Fundamental investor）和技术投资者（Technical investor）：基础投资者关注公司或企业的财务报表，技术投资者则常常关心投资收益、管理团队和公司的长远发展潜力。纯技术投资者不会关心公司的基础，甚至也不关心公司是否盈利或运营良好，他们只关心当时的市场动态。基础投资者关注财务报表，而技术投资者只关心反映市场动态的历史图表。在本章后面部分，大家将会看到一些图表。

技术投资者可以成为一个好的技术投资者，也会因为缺乏恰当的基础而赔钱。许多"一日交易商"最终赔钱甚至破产，因为他们个人的资金管理基础实在太差。基础投资者也是这样，许多基础投资者常常感到困惑，尽管自己投资了看起来很好、实力强大且利润丰厚的公司股票，却没有赚到钱甚至会赔钱。很多基础投资者有很好的投资基础也会赔钱，因为他们缺乏商业运作技术知识。

因此，富爸爸希望儿子迈克和我都能成为一名合格的熟练投资者，一个拥有良好基础和技能的投资者。

3. 普通投资者（Average investor）和熟练投资者（sophisticated

investor)：普通投资者几乎不知道财务报表是什么，他们往往投资长线项目，投资共同基金，争取不将自己的投资组合搞得太糟。他们购买、持有股票，然后祈祷股市不要有什么动荡发生。相反，熟练投资者拥有一些资金，懂得基础投资和技术投资技巧。

可以让你在任何市场都获益的词语

如果你想年轻富有地退休，保护自己财产免受重大损失至关重要。普通投资者投资有价证券时从来没有安全感，这也是他们感觉投资充满风险的原因，对于他们来说事实确实如此。因为缺乏安全感，他们就将自己的资金委托给共同基金管理者、股票经纪人或者财务顾问，盼望他们能够避免让自己成为一个股市受害者。问题在于，这些普通的共同基金管理者、股票经纪人或者财务顾问往往不能让他们在市场崩溃时幸免于难，也不能让他们在市场平稳摆动时赚钱。

在任何市场赢得或保护自己资产的方法，其实就是学习和真正掌握基础投资者和技术投资者的词语，在有价证券市场上更是如此。如果你愿意花点儿时间，这也是很容易就能学到的事情。正如一位银行家在给你贷款之前，要求查阅你个人的财务报表，那是一个基本资料，同时要求你有财产、契据以及房地产投资的抵押保险，那也是为了避免操作中遇到重大风险。如果想投资有价证券，你同样需要这样去做，第一步就是开始掌握保险的词语。其中包括：

1. 走势（trends）
2. 移动平均数（moving average）
3. 终止指令（stop orders）
4. 买入期权（call options）
5. 卖出期权（put options）
6. 双重期权（straddles or collars）
7. 短期证券（shorts）

普通投资者或许曾经听说过这些词语，但是可能没有理解或者

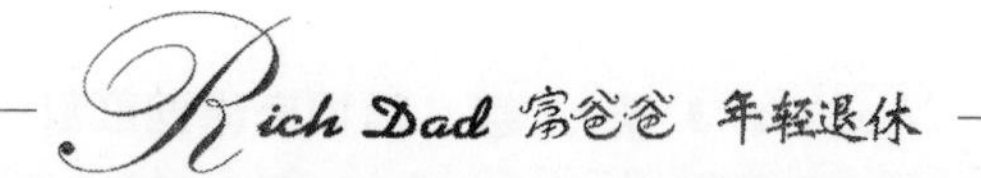

从来没有运用过。很多普通投资者往往将这些非常重要的词语用一句话来搪塞："那太冒险了!"其实，轻率地断言一件事情太冒险，就等于在说："我太懒了，不能去研究那个问题。"

你必须掌握的词语

如果你想在有价证券上保持自己的财富，就必须懂得如何确保有价证券免受市场动荡的影响。下面就是你应该首先掌握的一些东西，当然，还是从词语开始的。

走势

每一个熟练投资者都必须懂得走势，所有熟练投资者都有一句口头禅："走势永远是你的朋友!"务请大家也记住这句话，并将它运用到自己的投资实践中去。

那么，什么是走势呢?最好的解释方法莫过于给你讲一个故事：我的少年时代在夏威夷度过，很多朋友都接受过冲浪训练。每年冬天，当汹涌的海浪从北方涌来时，我们都要到海水里证明自己的勇敢，从而提高自己的冲浪技术。有一年，一位新同学从美国大陆来到这里。夏天海浪很小的时候，他是一个很棒的冲浪者。当冬天来临，他勇敢地冲向海水里，因为他认为海浪除了高一些，不会再有什么变化。当第一次冲上一个大浪时，他就失去了控制并被抛入浪底，巨大的海浪使他不断旋转，我们好长一段时间都看不见他。后来，他突然出现在离我们还有段距离的地方，大声咳嗽着使劲向我们游来。我们这些和他一起冲浪的人简直不敢相信自己的眼睛，不敢相信他试图逆着海浪游泳。其中一个人大声喊道："噢，不，我不敢相信他想逆着海浪游泳，从来没有那样强壮的游泳者。"

当大浪拍击海岸的时候，所有海水都找到了自己离开大海的途径，正是这种海水运动形成了激流，就像河水沿着河岸流向大海一样。对于我们这些从小生活在海岛上的孩子来说，我们知道只要放松，让海浪带着自己来到深水区就可以了。一旦海浪稍小，我们懂得只要游泳或冲浪就可以通过一条安全通道上岸。这个新来的朋友不知道海浪的巨大威力，他没有顺着海浪，而是试图逆流而上，结果很快便精疲力尽，几乎淹死。相类似的事情也会发生在新投资者身上。

投资周期的波动如同海浪一样，它们也会随季节的变化而变化。冲浪者懂得按照海浪和海水的季节性变化而调整自己，熟练投资者也是这样。因此，熟练投资者常常说："走势是你的朋友！"如同经验丰富的冲浪者懂得不能逆着海浪和水流一样，熟练投资者也会顺着股市走势。股市看涨时改变战略，如果股市动荡就会及早抽身、静观其变。但是，普通投资者还会继续购买持有股票，或者购买下挫的股票，或者在受挫时焦虑不安地打电话向经纪人询问："已经跌到谷底了吗？"

三个基本走势

影响有价证券和其他一些投资的基本走势主要有三种：一种是市场不断上扬，也常常被称为牛市；第二种是市场不断走低，也被称为熊市；第三种是盘整，这时股市既不全面上扬也不持续走低。针对不同市场走势，熟练投资者会使用不同的策略。普通投资者则往往不是这样，他们只有一种策略，这也就是他们最终赔钱的主要原因。他们做长线投资的想法并没有什么错，关键在于，用一成不变的策略应对纷纭变幻的市场，肯定行不通。

动物都会意识到季节的变化。秋末冬初，随着第一丝寒意的悄然来临，很多动物知道要为寒冬中生存做准备了。熟练投资者也是如此，只有普通投资者才相信他们投资顾问的陈词滥调："长线投资，购买并持有股票，不轻易出手，即便整个股市走低。"如果动物都能够聪明地感受到季节的变化，并及早做好准备，我们人类为什么反而做不到呢？

移动平均数

股票的买家和卖家共同带动了股市走势的变化。如果股票买家多，那么股市走势上扬；如果卖家多，则股市走势下跌。普通投资者很高兴听到投资顾问说："股市四十多年来一直持续走高。"熟练投资者不会关注长期平均数，而是关注移动平均数。正如冲浪者关注每天海潮的涨落，熟练投资者关注开盘和收盘的情况。熟练投资者关注这些图表，因为这些图表可以告诉他们什么时候应该改变策略。

下列图表就是一个反映移动平均数的图表。如前所述，基础投资者看重财务报表和管理团队，而一个技术投资者看重图表，下面就是他们关注的图表之一。

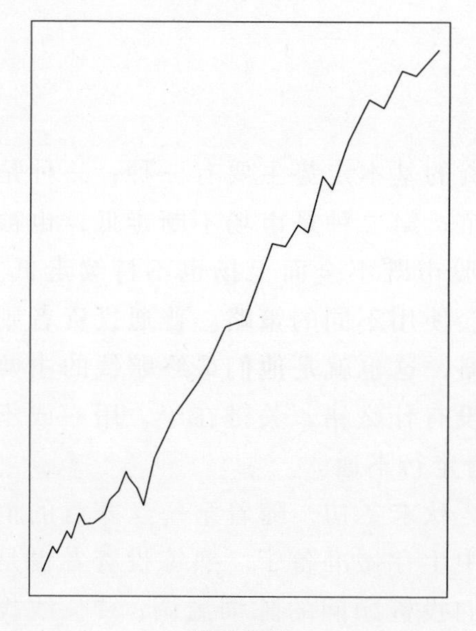

攀升走势

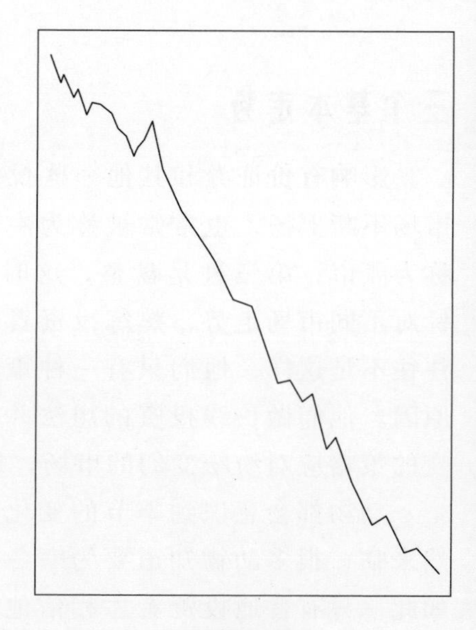

下跌走势

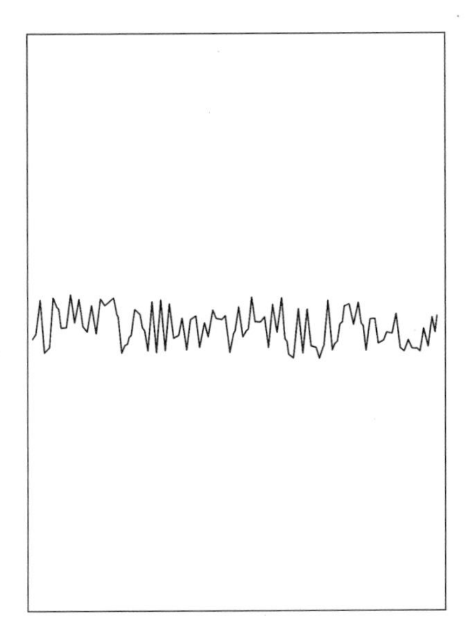

盘整走势

你怎样知道市场走势的变化

股市即将变化前会发出信号吗？答案是肯定的。这不是严密的科学，这也肯定不是一种猜测，而是一种预感和窍门。

我们大多数人都知道气象学家可以预报飓风。天气预报不是一种非常精确的科学，尽管如此，如果今天有大风暴来临，我们就会提前接到警报。一个技术投资者几乎也可以做到这一点，也就是说当普通投资者继续持有某种股票并且祈祷股市上扬的时候，熟练投资者却早已抛出了手头的股票。

熟练技术投资者可以观察判断的信号很多，下面就是他们关注的图表之一。

双峰顶

熟练投资者称这种图表形式为双峰顶。当技术投资者看到这种市场走势时，他们会变得小心谨慎，并开始改变投资策略，或者完全退出市场。如果你留心一点，就会发现股市走势呈双峰顶之后，股价往往暴跌。

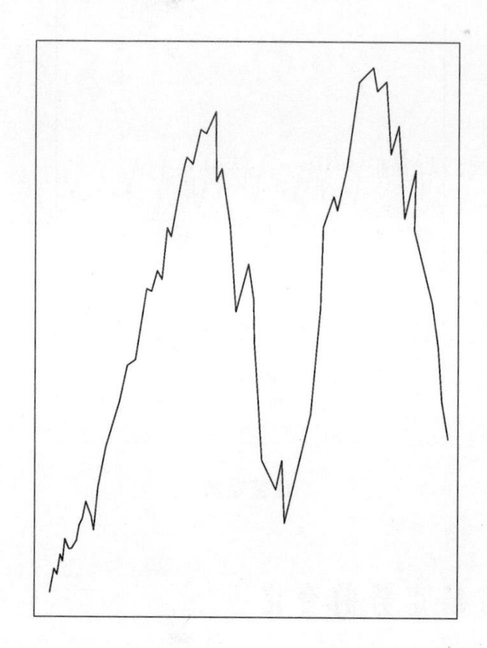

双重底

相似的模式也发生在股市处于低谷的时候，这种走势被称为双重底。当技术投资者看到这种市场走势出现时，他们就会再次改变策略，开始买进股票，因为这时普通投资者已经放弃了希望并抛售手头的股票。

技术投资者寻找的反映市场走势的信号形式还有很多种，当然这些信号形式也不是绝对准确，或者有什么保证。但是，它们还是带给了熟练投资者许多普通投资者所没有的优势，普通投资者从来不会留意这些市场信号。可以说，熟练投资者拥有的最大优势就是，他们有时间用保险来保护自己的资产，而普通投资者的资产只能完全暴露、没有任何保险和保护措施。他们将自己的财务未来完全置

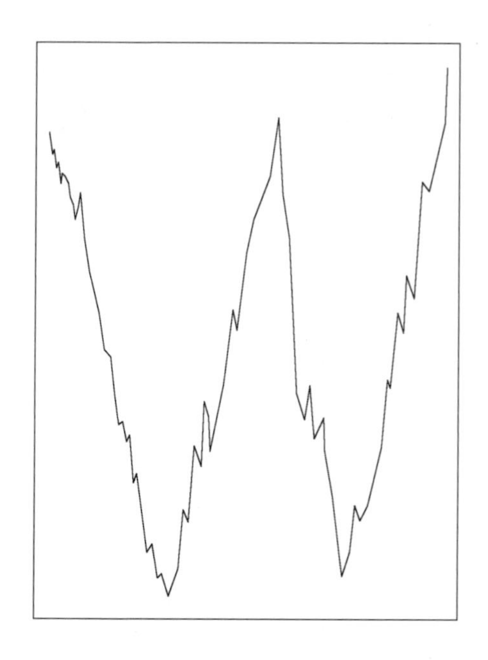

于一种危险境地，希望和祈祷财务顾问的建议能够保护自己免遭各种财务灾难。

每次当我听到所谓财务专家老套的建议“投资长线项目，不要害怕，好好坚持，一定要记住过去40年股市平均还是上涨了”时，不免感到担心，我只有摇头叹息，并且为那些听信这些所谓专家，并且将自己的财务未来交给他们的千百万民众感到悲哀。如果你真正懂得如何去做、如何去保护自己的资产，投资其实无需冒多少风险。

熟练投资者的工具

一旦股市发生变化，普通投资者只有两种选择：继续持有这种股票会赔钱，或者马上卖掉这种股票也会赔钱。前几天，我听到一个备受尊敬的投资顾问说：“2002年2月，我建议你抛掉手头所有的股票。”或许，这对普通投资者来说是一个很好的建议，但是对于熟

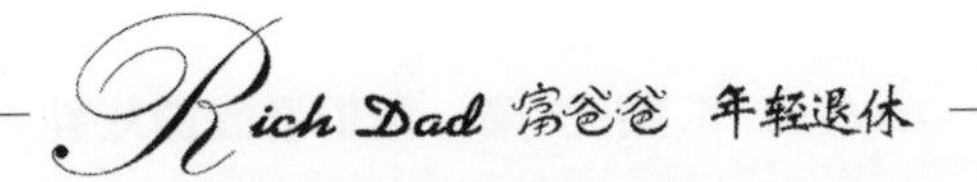

练投资者来说，应该还有一些更好的选择。

接下来所讲的就是无论股市涨跌，熟练投资者用来保护自己资产并且赚钱的一些智力工具。这些金融工具帮助他们赚钱，而在股市下跌时又保护他们的资产免受损失。

终止指令

熟练投资者如果怀疑自己股票的价格会下跌，尤其在股市整个走低的时候，他们就会打电话给经纪人要求停止买进。普通投资者如果遇到自己股票下跌，他们只会眼睁睁地看着，无所适从。他们不知道应该做什么，购买、持有股票和祈祷股市平安的策略实际上变成了购买、持有股票然后不断赔钱的策略。

这里让我们解释一下终止指令怎样操作。比如说，今天你的股票价格是 50 美元，图表显示股市正在持续走低。你所要做的就是打电话给经纪人，给他一条终止指令，让他在股价 48 美元时抛售。如果因为有更多人抛售，股票价格开始继续下跌。假设一直跌到 30 美元，那么你的终止指令生效，股票以 48 美元的价格出售。在这场交易中你的损失仅仅是 2 美元，而普通投资者要损失 18 美元，并且会被牢牢套住。

尽管终止指令被投资者当做“保险阀”使用，但是非常熟练的投资者却并不经常使用它。如果开盘时股价有一个向上的反弹，熟练投资者知道这些信息，可能就决定出售股票或者取消终止指令。下面就是在市场走低或者动荡时，终止指令没有取得成功的两个原因。

首先，因为市场走低速度过快，投资者可能来不及使用终止指令。有时，股市快速下跌，以至于根本没有时间执行终止指令。例如，假设股票价格为 50 美元，因为股市下跌，投资者将终止指令定在 48 美元，那意味着如果价格跌到 48 美元，股票会被自动抛售。但是，如果股市下跌太快，48 美元这个价位或许会被跳过去。也就是说，很多人想抛售自己的股票，而没有人愿意以 48 美元价格购进，因此终止指令被跳过。如果价格跌到 40 美元的时候有一些购买者出现，投资者最好的做法就是继续持有股票，或者以40美元的价格抛售股票。在这里，投资者的终止指令被错过了。

另外，投资者无法判断市场走势，也是终止指令未能发挥作用的一个原因。例如，假设股票价格仍然是50美元，终止指令定在48美元。正如所预料的，股票下跌到了47美元，而在48美元价位的时候已经被自动抛售。但是，如果投资者忽然发现整个股市不断走高，自己刚刚抛售的股票一下子上涨到65美元，他们肯定会感到非常沮丧。因为自己不仅每股损失了2美元，而且损失了上扬的17美元。

突然赚了一大笔钱或者满盘皆输

我常常听到有人说："我在股市突然赚了一大笔。"在互联网泡沫时代，很多卷入这场狂热之中的人都想大捞一把，但是最终却满盘皆输。现在的新闻中，很多人都在嘲弄互联网热，他们说："这些人怎么这么傻?"看来，没有听说过股市涨跌都赚得钵满盆盈的人真是太多了!

我的一个朋友通过购买互联网公司首次公开上市（IPO）股票而积累了很多财富。正如他所说的，他的确在股价上扬时赚了一大笔钱，在股市走低时也赚了一大笔钱。1999年末，在互联网公司的股价达到巅峰以前，他卖掉了手头所有的股票。然后，随着股价巅峰临近，他开始有选择地卖空同一网络公司的股票，这些股票在股市上扬时使他变得非常富有。不久，其中三家互联网公司股价暴跌并很快陷入破产。但是，我的朋友不仅在股市上扬时赚到了钱，甚至在走低时赚到了更多钱。这到底是为什么呢？答案是他没有用自己的资金，也不必为抛售完破产公司的短期股票赚到的钱交纳税款。

当我问他为什么时，他回答说："我在股价最高时卖空股票，这相当于我借了他们的钱。后来这些公司经营状况不良并最终破产，他们没有清盘，所以我也要纳税，但并不欠税。我所要做的只是卖掉不属于自己或者说借来的股票，现在我正在等待机会重新买回这

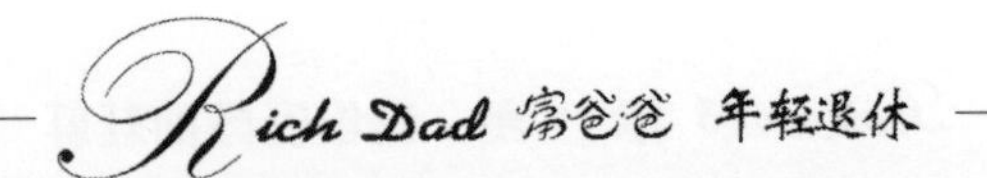

些股票，并将它们交还给原来的主人。”现在，他用卖空股票所得的近87.5万美元投资了免税的市政公债基金，获得免税利息。可以说，他的这些利息都来自于抛售并不属于自己的股票时所赚到的钱，他说：“我一直等待机会购回这些股票，直到我获得了免税的资本收益。”

如果你不懂得这种交易，也不要担心，其实大多数人都不了解。如果你想了解得多一些，可以找股票经纪人或者会计师，看看他们能否进一步解释。

关键是，如果你想在股市上扬时赚到一大笔钱，就需要懂得如何在股市下跌时赚到一大笔钱。如果不能这样，你就有可能满盘皆输，而别人会赚到了一大笔钱。

有很多像终止指令这样需要大家学习掌握的专业交易工具，还有其他投资工具也可以运用。一个熟练投资者需要比普通投资者更多的工具，如果没有做到这一点，那么他就很有可能赔钱，而其他人可能又赚了一大笔。

因为熟练投资者拥有这种不大公平的优势，所以当有人问我：“你对普通投资者有何建议”时，我的回答总是：“首先不要做普通投资者。”对于普通投资者来说，你的财务前景和财务安全实在有些让人担心。

特别提醒：这不是一本有关交易技巧的书，上述终止指令的例子只是非常简单的解释说明。一个熟练投资者应该懂得使用卖空的方法和时间，因为终止指令有时起作用，有时根本不起作用。在决定使用这些技术之前，请你多阅读资料、向别人请教或参加培训班，并在尝试运用我所介绍或即将介绍的技巧之前获得足够的经验。

我列举上述技巧的主要原因是想让那些认为投资冒险的人明白：投资不必总是冒险。如果想运用这些技巧，他们仍然需要进一步掌握投资知识。

买入期权

另外一个保险的词语就是期权，也就是说，买入期权给了期权拥有人一个权利，他可以在事先约定的期限内按照一定的价格购买股票。买入期权就是一种保险的方法，它可以防止投资者错过股票急速升值的机会。比如，市场走势和移动平均数显示更多的买家进入股市，因而股价上涨，投资者希望自己能以优惠价购买股票，以便在股价继续上涨时有更大赚头。假设现在每股价格是 50 美元，投资者告诉经纪人，他想以每股 50 美元的价格购买 100 股期权。当然，他为了购买期权每股花去了 1 美元，总共花掉了 100 美元（每笔期权包括 100 股）。他就使用这个来防止自己受到突然升值的影响。

三个星期后，投资者度假归来，发现股价上升到了 60 美元。先前的买入期权允许他以每股 50 美元的价格买进 100 股，如果他愿意，现在就可以以每股 60 美元的价格卖掉这 100 股。

另外，如果股价仍然是 50 美元或者低于 50 美元，这个期权就会自动终止。遇到这种情况，熟练投资者就会说："我这回赌输了。"

在股价上升到每股 60 美元的例子中，普通投资者或许会用 5000 美元买进 100 股价格为 50 美元的股票，然后马上以每股 60 美元的价格抛出，拿回 6000 美元。那么，他从这场交易中获得了 900 美元收益（因为先前买进时花掉了 100 美元）。相反，一个熟练投资者可能仅仅选择出售期权，每股获得 10 美元，100 股获得了 1000 美元，整个交易获得了 900 美元（也要扣除先前购买期权所花的 100 美元）。

比较这两种交易，可以看到，普通投资者用 5000 美元赚了 900 美元，而熟练投资者用 100 美元赚了 900 美元。在这个简化的例子中，大家可以看到，哪一种人用自己的钱赚到了更多的钱呢？

答案自然是买卖期权的投资者，也就是熟练投资者。普通投资者用 5000 美元赚了 900 美元，在一个月内回报率是 18%，而熟练投

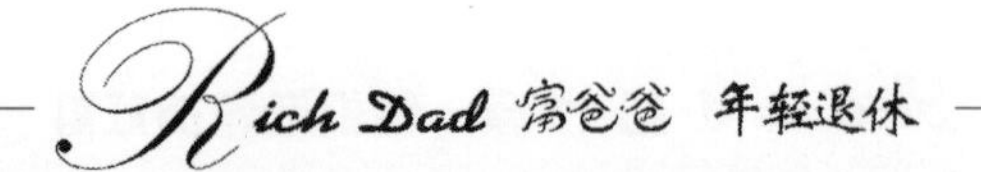

资者用100美元赚了900美元，投资回报率为900%，所用的时间不足一个月。

当然，这只是一个极度简化的例子，实际操作时可能还会有很多不同。因此我要再次强调，希望大家能够进一步学习获取更多经验，并且找到一个能干的股票经纪人帮助自己顺利完成这个学习过程。

上述例子说明了富爸爸不愿意手头持有很多股票，却一直努力寻找控制股票的原因，期权就给了他控制买卖程序的机会。这个例子也表明，如果掌握了杠杆的使用方法，在有价证券领域创造杠杆，就可以运用这些杠杆以很小的风险赚得更高的回报。在这个例子中，熟练投资者每股期权仅仅投入了1美元，而普通投资者却投入了50美元。当我们回头讨论资金周转时，到底哪种投资者的资金周转得更快，哪种投资者可以更快致富？答案显而易见。

富人不喜欢占有

在上一个例子中，你或许已经发现了什么。你会许已经注意到，为了拥有期权，其实无需一定要持有股票。如果真正掌握了这些不被人注意的细节，你的财务状况可能就会大大改观。

关键在于，富爸爸从来不想占有什么，而穷爸爸恰恰相反。穷爸爸常说："这座房子是我的。""这辆汽车是我的。"富爸爸则不是这样，他说："你不要希望占有任何东西，你需要做的就是控制它。"期权就是体现这种思维方式的一个实例。穷爸爸一心想拥有很多股票，而富爸爸只想拥有期权去买卖股票。现在不少人为自己拥有很多股票而自豪，其实从很多方面来看，买卖期权可能是远远胜过前者的杠杆。也就是说，可以通过买入期权而不是购买股票，用极少的钱赚得大笔财富。

卖出期权

在上述的例子中，大家可以看到如何利用买入期权在股市上扬或者牛市时赚钱。当股市下跌时，熟练投资者通过卖出期权不仅可以赚钱，而且万一股市下跌，还可以保护自己股票价值。

例如，假如股票每股价格是50美元，如果股市走低，股价跌到了40美元，那么普通投资者每股就会损失10美元。如果他持有100股，账面损失就是1000美元。当然这只是投资者账面损失，并不是实际损失。如果他以每股40美元抛售，那么他就真正损失了1000美元。之所以用账面损失的概念，就是因为赔钱的投资者可能会说："我已经被牢牢套住了。"这句话常常意味着他打算一直等待股价回升到50美元。这可能在一夜之间发生，也可能要经过几年，也有可能永远不会发生。这就是那些人购买、持有股票，然后赔钱的策略，他们永远是乐观主义者，从来不愿承认自己犯过任何错误。

熟练投资者的投资则会大大不同，他们不愿意坐在那里为自己股价下跌而长吁短叹，而是给经纪人一个终止指令或者卖出期权。当然，运用终止指令与卖出期权的原因有所不同，也已经超出了本书的讨论范围。关键一点在于，熟练投资者在市场万一发生变化开始走低时就会及时采取行动。

熟练投资者不会祈祷股市停止下跌，他们以每股期权1美元的价格获得了以50美元出售股票的权利，购买100股期权，总共花掉了100美元。如果股市持续走低，可能有更多卖家抛售自己的股票，股价跌到了40美元。熟练投资者或许有些庆幸，因为他先前购买的期权让自己的股票仍然维持了50美元的价格。当股票跌至50美元以下时，他们失去了多头地位，但是在卖出期权的增值中又得到了补偿。股价下跌时，熟练投资者或者套利投资者没有任何损失，可以说是没有遇到多少风险，运转平稳，股市的损失已经被卖出期权的收益弥补了。

当普通投资者赔钱时，熟练投资者怎样用卖出期权赚钱呢？熟练投资者会行使他的权力，或者以每股50美元的价格转让这100股股票，得到5000美元。如果愿意，他还可以去股市以每股40美元的价格重新买回100股，总共用去4000美元。结果，他不但拥有100股的股票，而且还有额外900美元收益（1000美元扣除先前购买期权的费用)。(当然,还有很多秘密规则和章程需要继续考虑)。

没有期权的普通投资者,只能拿着自己已经大大缩水的股票,并且无法收回投资。

如果这使你困惑不解,也不必担心,首次接触这个问题的人大多都感到这样。记住本书前面曾经提到的逆向思维非常重要,因为对于许多人来说,学习逆向思维就好像一个常年用右手吃饭的人,现在却要改用左手吃饭。这是完全可以做得到的,只是需要一些练习。再次提醒大家:运用期权保护自己的资产,并且不论股市涨跌都赚钱,不是一个多么复杂的过程。如果花一点时间去了解,大多数人都能掌握。另外有一点很重要,那就是:如果你有正确的建议,有很能干的顾问,那么投资就无需冒险。在股市暴跌的时候,你也不必为有价证券投资组合可能遭受损失而忧心忡忡。不论股市上扬、下跌还是盘整,你肯定会变得越来越富有。

值得注意的是,赔钱的普通投资者常常一味坐等所谓的好机会,并听从投资顾问"持有并投资长线股票"的陈词滥调。这些投资顾问只有针对一种市场走势的策略,而实际上正如大家已经知道的,股市有三种不同的走势。

熟练投资者可能不买股票

很多熟练投资者从来不买卖股票,他们仅仅进行股票期权交易。当我问一位从事期权交易的朋友,为什么只投资期权而不买卖股票,他回答说:"投资股票赚钱太慢了,而通过投资期权,我可以用很少钱赚取更多的钱,所需要的时间也大大减少了。投资股票赚钱就相当于坐在那里等着涂料一点点变干,太费时间了。"

双重期权

双重期权是一项最重要的保护自己资产的措施。简单地说,双重期权就是设置一个买入卖出期权,给出一个价格点。比如,如果投资者的股价是 50 美元,熟练投资者就会将买入期权确定在 52 美元，而将卖出期权确定在48美元。如果股市猛然上扬，股价达到62美元，投资者仍然可以按照52美元的价格购买自己的股票；如果股市突然下跌，股价跌至42美元，投资者仍然可以按照48美元的价格卖出自己的股票，这样就大大降低了损失。如果股价为42美元，那么投资者拥有以48美元的价格抛售股票的期权，这时期权就变得非常宝贵了，甚至超过了股票本身。关键在于，双重期权避免了股市大幅涨跌时所引起的风险。如果你懂得如何运用，双重期权就是一种非常保险的策略。

我要再次提醒，这不是一本关于期权交易的书。为了便于大家理解，上述解释大大简化了期权的操作程序。此外还有很多复杂的策略，也可以用来保护投资者的资产，从而提升回报。

短期证券

当我还是个小孩子的时候，很多人告诉我不要碰或者使用别人的东西。但是，在股市上却不能这样，假如有人卖空股票，那就意味着他们卖掉了不属于自己的东西。如果母亲知道了我做这些事，她一定会和我进行一次长时间的正式谈话，当然需要再次说明的是，我母亲并不是一个投资者。

首先，卖空并不是一个期权。当有人说“我卖空了这些股票”，他可能是在进行股票交易而不是期权交易。熟练投资者懂得卖空和期权的不同，并且知道何时使用、何时不用。当然，何时使用、何时不用也不是本书要阐述的内容。

为什么要卖空一只股票？一般说来，如果投资者感觉一只股票价格过高，并且股市有可能走低的话，熟练投资者发现短期投机赚钱就显然有利可图。卖空一只股票就是借用别人的股票在市场上卖掉，然后将钱放入自己的口袋。当股价下跌时，投资者重新买回这些股票，并把它们归还给股票的主人。

例如，假设某公司的股价是50美元，而这个股价眼看着要走低。下面就是围绕着卖空这只股票的一系列程序：

1. 投资者打电话给自己的经纪人，卖空某公司的100股股票；

2. 经纪人从其他客户账上借到了 100 股股票，卖掉以后得到 5000 美元；

3. 经纪人将这 5000 美元存入这个投资者的账上，但是这个投资者并不拥有股票；

4. 在那位借出股票的客户账户上，有一张 100 股股票的借据（TOU），而不是 5000 美元；

5. 过了一段时间，股票价格下跌到了 40 美元；

6. 投资者打电话给经纪人说："以 40 美元的价格购买股票 100 股。"

7. 经纪人随即以 40 美元价格买了 100 股股票，并将股票归还到借出股票的客户账上；

8. 经纪人在投资者账户的 5000 美元中，拿出 4000 美元来支付购买这 100 股股票的费用；

9. 投资者通过转手卖掉了不属于自己的股票，得到了 1000 美元收益，而且只需缴纳很少的手续费、佣金和所得税；

几个关键问题：

问题一：当投资者通过经纪人以 40 美元价格重新买回 100 股股票，并将它们归还给原来股票持有人的时候，这位卖空投资者或许会说："我总算平了空头。"这是一个非常重要的词语，一定要记住。

问题二：你可能要说，卖空股票有非常大的风险。如果股市整体上扬，那只股票也上涨，卖空股票就有可能损失很多钱。在这个例子中，如果股价上涨到 60 美元，那么这个投资者将会损失 1000 美元。但是，正如富爸爸常说的："有风险，并不意味着一定要冒风险。"有些熟练投资者会通过购买一个价格 51 美元的期权，进行双重期权交易。如果股市上扬，股价上升到 60 美元，这个投资者就可以以 51 美元的价格买进股票，而不是以 60 美元的价格买进，又一次减少了投入。

问题三：你可能已经注意到我对股市走势的关注，请记住这句话："市场走势永远是你的朋友。"不要像前面提到的我的朋友那样，试图逆着风浪行事。另外，仅仅懂得短期证券、套利、买入期权等词语的定义显然远远不够，更为重要的是要理解它们相互之间的联系。可以说，股市走低时运用卖空策略非常安全，而在股市走高或者盘整时，运用卖空策略就非常危险。

问题四：如果你不知道怎样投资才会有保险，也不必过于担心。如果愿意，你只需花费一点时间、进行一些实践就可以掌握这些词语了。这里着重强调的是，如果你愿意花些时间，就像现在这样多参加培训和学习，那么投资并不一定要冒多大风险。一旦掌握了怎样减少风险，你与普通投资者的行为就已经不同了，投资回报也会大大增加。

为什么不用钱就可以赚钱

人们常常问我："不用钱就可以赚到钱吗?"如果懂得卖空股票的运作，你就一定知道这个问题的答案了。当一个人卖空一只股票时，其实他就是通过卖掉本来不属于自己的股票而赚到了钱。因此，不用自己的钱确实可以赚钱。不过，前面那个问题更准确的回答应该是："主要是看什么人来投资。"

富爸爸曾经说过："如果缺乏财务智慧，很多钱只能带来一丁点收益；如果拥有财务智慧，不用钱也可以赚到很多钱。"下面的例子进一步说明了这个观点，也再次证明了拥有强大、富有的财务词汇的重要。

几个月前，我打电话给经纪人说："请开出一份无担保的卖出期权，共10笔。"

经纪人汤姆问了我几个问题，然后回答说："已经办好了!"他问了我期权的时限，又问了一些本书不准备讨论的问题。

我刚才做的是卖出期权，而不是买入期权，这是很重要的一点。因为现在股市走高，期权被用作一种保险措施，这也是很多人购买期权的原因。非常富有的人卖出期权，就如非常富有的人卖出股票一样，他们不购买期权或者股票。比尔·盖茨通过卖掉而不是购买微软股票，成为世界上最富有的人。期权交易也是如此，只是周转速度更快、更容易且收益更大，当然前提条件还是你必须懂得如何操作。

当我告诉经纪人："请开出一份无担保的卖出期权"时，意思是："我想卖掉并不属于自己的股票期权。"在这里，他们卖出期权，并且我希望能做成 10 笔交易，也就是 1000 股，因为每笔就是 100 股期权。

过了一会儿，汤姆打电话给我："每股赚了 5 美元。"

"谢谢你！"我说。交易很快就完成了，我也没有必要去看股票或者股市了，可以自由自在地做自己想做的事情了。当汤姆告诉我赚到了 5 美元时，就意味着他那天给我的账户上又增加了 5000 美元。总之，我没有用自己的钱，也没有卖掉任何自己的东西，在不到 5 分钟就赚到了 5000 美元。（需要澄清的是，尽管我没有用任何钱，也没有卖掉任何东西，但是我有其他资产在经纪人的账户上，作为交易的附属抵押品，这样保证了我可以与经纪人合作。）

几周后，汤姆打来电话说："期权到期，钱已经到手了。"

"太好了，"我回答说，"顺便问一句，我们什么时候去打高尔夫球？"

转换

首先需要声明，我说出上述交易并不是为了自吹自擂。我之所以写出这个详尽的运作过程，只是为了说明词语的力量。这些词语对我来说意义非同寻常，它们已经在我的脑海中占据了重要地位。这些词语就是工具，是让我致富的工具，是让我不用钱也可以赚钱的工具。这又一次印证了富爸爸的话："有些词语让你致富，有些词语让你贫穷。"

当我让汤姆"开出一份无担保的卖出期权"时，也就是说，"让某人按照一定价格将自己的股票卖给我。"那天，这只股票每股价格大约为 45 美元。我卖出期权，让另一个人购买，而我接着则以 40 美元的价格购买了他的股票。也就是说，我将保险卖给了股票的拥有者。如果股价跌至40美元，我将用期权按照这个价格购买，从而使他能够免受更大损失。

当汤姆回电话说："每股赚到了5美元。"他的意思就是通过卖出期权，我每股得到了5美元。在期权交易商的词语中，"开出"就是卖掉，保险行业中也运用这个词语。大家可能听过保险推销员说："我将为你开出一份赔付10万美元的人身意外保险。"保险业运用的另外一个词语是"保险"，也就是他们为你的某件事情保险一定的数额。在这里，我为原来股票持有者每股的45美元保险了5美元。我向他们保证，如果股价继续下跌，我会以40美元的价格购买他们的股票。在这里，我成了保险公司，那也是我"开出一份无担保的卖出期权"的原因。我为别人的东西做出保险，而这也正是保险公司经常扮演的角色。

输家的环境

现在，我似乎可以听到你心里的声音在说："那太冒险了，如果股市暴跌怎么办？如果你不得不按照40美元的价格购买股票怎么办？"不过，正如本书一再强调的，如果想学习一些东西，那就必须保持一个开放的环境。富爸爸也曾经说："有风险，并不意味着一定要冒风险。"

我把这一节放在本书最后，就是希望你的环境能够准备好接受上述内容。我以前从来没有讲过这些，因为我以前从没有讲过环境的重要性。对于大多数人来说，他们的环境可能很难接受这些内容。到目前为止，如果你还能坚持阅读本书，那我真要说声"恭喜"了。当我与朋友或者其他人谈到输家的环境时，那是一种完全被赔钱的恐惧所控制的环境，以至于他们根本听不进我正在讲解或者准备讲解的内容。他们内心对赔钱和冒险的恐惧如此强烈，总是喋喋不休地抱怨："那太冒险了，不要再给我讲了，我根本做不到。"因此，我真要感谢你能坚持阅读直到现在。

在前面那次用了五分钟的交易中，如果原来的股票持有人愿意给我每股5美元红利，我就基本同意以40美元的价格购买1000股股票，此前，那5000美元已经在我的账户上了。几周以后，股价上升到大约43美元，我的保险策略已经终止，没有了任何意义。那5000美元就属于我了，也不需要缴付多少佣金、小费和税金。需要强调的是，这一切在不到五分钟之内就完成了，我什么也没有做，也不必坐在电脑面前紧张地盯着市场涨跌变化，只要幸运的话就能赚到5000美元。其实，很多人一个月也赚不了5000美元，而且即便赚到了5000美元，他们的纳税额也远远高于我。一个雇员将要为那5000美元缴纳自由职业者税，而我却不需要，因为那是完全不同类型的收入：雇员得到的是工资收入，我得到的是组合投资收入。

不用钱也可以赚钱

在继续讲解之前，思考一下怎样赚到这5000美元非常重要，因为这些钱属于"无中生有"，也就是不用自己的钱就赚到的。当你仔细审视这个交易，就会发现我是通过并不属于自己的东西而赚钱的。我还通过卖掉原来并不存在、直到我让它存在的这种东西赚钱，这种交易也正是"无中生有"。如果能真正理解下面的讲解，并且身体力行，你就开始掌握了心中不用钱也可以赚钱的力量，这种神奇的力量也被称为"炼金术"。现在，你可能进一步理解了小时候富爸爸为什么要让我免费工作。他实质上是想培养我思考如何赚钱，而不是为了赚钱而工作。他想让我发展一种与众不同的环境，一种不依赖努力工作而致富的环境。

让输家也快乐起来

我很少对人说起这个过程，我实在已经厌倦了同那些有着输家环境的人讨论并解释这些东西。在我谈起上述期权交易过程的时候，常常听到下面这些议论：

1. 这太花时间了，我不想花那么多时间去观察股市；

2. 这太冒险了，我受不了那种损失；

3. 我对你所讲的内容一无所知；

4. 你不能那样做，那不合理合法；

5. 我的股票经纪人说情况并不是那么简单；

6. 如果你做错了那又会怎么样?

7. 你在撒谎，你不可能那样做。

这就是说，输家之所以赔钱，是因为他们不能敞开自己的环境，吸纳任何新的东西。本书主要探讨的就是环境和个人现实关系，前面之所以没有探讨，是因为很多人的环境难以接受上述内容。现在本书已经接近尾声，我想再谈谈大家关注的内容问题。相信大家的个人环境可以接受这些内容，并将它们落实到自己的行动上去。

可以说，在过去很多场合，当我遵照很多人的要求讲出自己如何赚钱时，他们的环境却不允许接受我这些观点。他们的环境反对我所讲的东西，然后紧紧将自己封闭起来，或者与我争辩，说出不能照我所说的去做的种种理由。现在我又花了些时间解释环境问题，我将进一步解释为什么说上述开出一份无担保的卖出期权交易本身就是低风险、高回报的投资，即便整个过程并不完全如我们想像的那样顺利。

股价降到了35美元

首先，我并不在乎必须寻找4万美元来平仓，主要原因有三点:

1. 我有足够资金应付万一遇到的不得不购买股票的情况；

2. 历史证明，85%的期权没有使用就过期了。应该说，85%的获利概率远远高于股市本身或拉斯维加斯赌赢的概率率；

3. 我希望拥有股票，仅仅想在折价最低时购买它。

因此问题在于，股价能够跌至40美元，而我不得不按照40美元的价格购买吗? 答案是肯定的。不同在于，一个具有赢家环境的人坚信即便赔钱也会最终成为赢家，因此他们不怕赔钱。输家则不是这样，他们只会想着赔钱的事情，因而最终很少赚钱。

假如股价跌至35美元，一个具有输家环境的人只会看到损失，而不是看到赚钱的希望。他们会说："我刚刚赔了4万美元，因为我不得不买进1000股单价为40美元的股票。"他们会感到风险太大，再也不敢进行交易了。他们的环境也会紧紧封闭起来，喋喋不休地抱怨期权交易风险太大。由于这种思想已经牢牢控制了大脑，他们不可能再进一步思考了。他们会认为4万美元的亏空，比五分钟内可以赚到5000美元风险大多了。总而言之，如果股价下降到了35美元，他们可能会看到额外的5000美元损失，他们的环境将会完全控制自己。

在本书开始，我之所以花很多笔墨解释心智杠杆作用，就是因为有很多这样的交易实例。当我告诉大家自己多年来的所作所为，无论是建立公司、投资房地产或者投资有价证券都常常是个人环境决定内容。输家常常认为我所做的风险太大，即便那本身并没有风险。穷人则常常认为，自己做不了我曾经做过的事情。一个整日劳碌不已的人，常常会说："我没有时间去干你做的那些事情，因为我实在太忙了。"对于我所做的事情毫无兴趣的人则说："那听起来太复杂了，我难以理解。此外，我对钱也没有多少兴趣。"

大多数人永远不会年轻富有地退休，因为他们没有足以让这些想法变为现实的环境。因此，在本书开始部分，我们用了很多篇幅讨论心智的杠杆、计划的杠杆。环境比内容更为重要，如果你乐于拓展自己的环境，我本人为了年轻富有地退休所做的以及将要做的，对你来说就会非常简单。我做的不难，也不复杂，正如我前面所说的，我可以在不到五分钟内赚到5000美元。对于大多数人来说，这远远超乎了他们环境的可能，同样远远超乎了他们的现实。很多人愿意工作30天去赚5000美元，因为他们的现实告诉自己30天赚5000美元是有现实可能的。但是，五分钟赚5000美元却并不在他们的环境之内，因而他们才会说："他在撒谎，那样太冒险了，我做不了。"也就是说，他们的环境反对这样做，他们的环境只能产生适合自己环境的一些想法。因此，很多人辛劳终生，努力工作，却不愿意拓展自己的环境。他们往往为了钱更加辛苦卖力地工作，而不愿意去拓展自己的财务环境，增加自己大脑中的财务内容。

赢家的环境

一个具有赢家环境的人可能会问："如果我赔钱了，那么怎样才能最终赚回来?""如果股票跌至40美元，那会发生什么事情？我怎么才能赢?"这些就是赢家的环境，他们知道即便遭受损失，也最终会赚钱。最重要的是，他们一直保持着开放的心智，即便听到的超出了自己环境的内容。也就是说，赢家总能保持一个开放的心智，即便听到令自己害怕或者完全陌生的知识。正如富爸爸所说："一个输家的心智总是比一个赢家的心智关闭得快得多。"

在本书的前面部分，我讲述了个人退出战略的重要性。一个赢家总是在追求成功的退出战略，即便他们正在赔钱。让我们还是以上述无担保的卖出期权为例进一步分析。在交易之前，我已经有了一个让自己成功的退出策略，即便事情并不如想像的那样顺利。实践又一次证明，环境重于内容。无论股票、房地产还是企业，总是成功的环境让赢家成功，不论他们是否赔钱。在上述例子中，拥有一个成功的退出战略就是赢家环境的重要组成部分。输家仅仅看到风险和损失，却从来看不到成功的可能。输家惟有在有人保证事情将会顺利进行的情况下，才愿意冒险。因此，很多人希望得到有保证的钱和利益，他们喜欢有保证的东西，而对各种可能性则不大感兴趣。相反，赢家即使遭受挫折也会努力寻求成功的机会。这并非简单的乐观主义，富爸爸指出："很多人有积极的想法，但是这些想法却处于输家的环境之中。拥有一个赢家的环境，意味着即便输了，你也知道自己最后一定会成功!"

输了之后怎样去赢

打电话给汤姆的那天，我已经完成了自己的工作，其实只花了很少一点时间。在做出决定之前，首先必须弄清楚下列问题：

1. 股市整体走低；

2. 近来这只股票的价格已跌得非常厉害，大约下跌了 20 美元，接近 45 美元。这种股票的持有者肯定已经非常紧张了；

3. 我知道那家公司是一个好公司，有丰厚的收入和红利。他们的经营和管理状况良好，无论经济形势好坏，公司都应该有不错的前景；

4. 公司有着广泛的追随者，这也意味着有很多投资者对这家公司感兴趣；

5. 如果股票价格合适，我希望能拥有这家公司的股票；

6. 如果不得不购买这些股票，那我还有一个 10 万美元可以生息的账户。汤姆所做的就是交易这些资金，他也有权这么做。

如果股价跌至 35 美元，我将变得狂喜不已，即便我不得不付 4 万美元履行卖出期权的协议。为什么这样说呢？答案仍然是我个人的退出战略。

假设我不得不为 1000 股付 4 万美元，那么，我的股票的总体真实价格是多少呢？

答案是 3.5 万美元，因为我从期权交易中已经获得了 5000 美元收益。所以，即使股价跌至卖出期权价格 40 美元之下，我仍然只需付出 35 美元。不论怎么说这都是一个好价格，我将会暂时拥有该股票。

接下来就是立即以每股 5 美元的价格出售 10 笔（1000 股）担保的买入期权。之所以称之为"担保"，因为这个时候我真正拥有了股权。我卖出期权时运用了无担保，因为我当时并不拥有股权。或许又有人惊呼："出售自己并不拥有的东西，实在有些太冒险了。"如果你没有一个正确的环境和内容，的确会这样看。

为什么要出售担保的买入期权？答案在前面曾经讨论的资金周转概念上。通过出售担保的买入期权，为了避免价格暴涨，我同意以 40 美元的价格出售自己的股权。担心错过股价上扬的人可能就会买下这个期权。如果股价上扬到 50 美元，我将不得不为了 4 万美元卖掉手中的 1000 股股权。这样，我就收回了自己的投入，还有期权上的收益。所以，即便我赔了些钱，最终我还是赚了。

如果股价没有上涨，我仍然赚到了钱，这就是买进期权时的5000美元，尽管对股价没有多少影响。普通投资者可能会在股票上赔钱，并且继续听从财务顾问的建议："长线投资，要有耐心，过去40年来股市总体上还是上涨了，再坚持一下！"因此，大多数普通投资者和财务顾问都会购买股票、持有股票并不断祈祷自己好运。

通过卖掉担保的买入期权，我可以得到另外一笔5000美元。如果股价跌到30美元，我可能更高兴，因为我现在希望拥有这些股票。由于买入和卖出，最终结果我不是用4万美元买入想要的股权，而是3万美元，即便在这个例子中市值为3.5万美元。

就好像学着用另一只手吃饭

如果你没有完全理解上面这些内容，也不要担心。只要花一点时间学学，这个理论其实很简单，并不难懂。就像你习惯用右手吃东西，而现在要学习用左手吃东西一样，一旦学起来就很容易。当然有时候学会用另一种方法来思考和做事，也会遇到些困难。

大家应该怎样做

对我来说，购买期权保护自己资产、卖出期权得到现金流等都是有趣的事情。我从来不为钱担心，因为我知道自己能够在几分钟内赚到大多数人几个月才能赚到的钱，而且还可以少纳税。

每个人都能像我这样做吗？绝对可以！但是，这只有在他们乐于花时间拓展自己的环境，尤其是提升自己的财务环境之后，才有可能真正实现。

大家应该怎么做呢？下面就是一些建议：

1. 从图书馆借一本关于期权交易的书，首先学习词语的定义，然后寻求更多的理解并掌握；

2. 从当地书店或者网上定购一本书，建议在购买之前先浏览一下全书，因为你需要从一本简单的书开始；

3. 参加一个期权交易培训班，这也很容易找到；

4. 找一个股票经纪人，他会指导你掌握股票期权交易的操作程序；

5. 玩“现金流 101”游戏至少 12 次，这样你将会有一个基础投资的观念。当你掌握了“现金流 101”游戏后，还可以继续玩“现金流 202”游戏，这个游戏教人们如何运用买入期权、卖出期权、短期证券和双重期权等。最为重要的是，“现金流 202”游戏教你在变化多端的股市中运用发散思维进行思考和分析问题。我相信“现金流 202”游戏最为突出的地方是通过物质、精神和情感的方法来学习，这是一个多维的课题。也就是说，游戏将教你从多个不同的角度思考。大多数投资者之所以赔钱，是因为他们在家庭、学校和工作场所接受过的培训都只是从一个角度去思考。一个熟练投资者需要思考如何在股市上扬、下跌和盘整时期都能赚到钱，“现金流 202”游戏将教你尝试着这样思考问题。学着玩金钱游戏，这会非常有趣。

投资是冒险吗

投资是冒险吗？我的回答很简单：绝对不是。在我看来，无知才是最大的冒险。如果你想年轻富有地退休，学习如何保护自己的资产免受损失十分重要。普通投资者不愿意学习这一点，他们一味地抱怨说投资中有冒险，这本身其实就是最大的冒险。正如我曾经多次说过的：“历史上从来没有这么多人，将自己的财务未来和财务安全寄托在股市的涨跌上。”这的确是很大的冒险，因为他们认为投资冒险，但是却不愿意为减少风险做些什么。也正如富爸爸常说的：“I 象限代表的是投资者，而不是无知。投资本身并非冒险，但是，财务上的无知、听命于无知的财务顾问却是十分冒险的行为。不仅冒险，而且代价昂贵；不仅是在金钱上付出了很高代价，而且在时间上也付出了很高代价。成千上百万人为了一份安稳的工作劳碌终生，却不是寻求财务自由，就是因为他们在财务上的无知。因为财务上的无知，很多人宁愿一辈子守着一丁点薪水，而不愿意寻求本来可以得到的金钱；因为财务上的无知，很多人将钱放进了退休金账户，但在需要用的时候却忧心忡忡；因为财务上的无知，成千上百万人花很多时间去工作，使自己更加富有，却不愿意花时间做些自己真正喜欢的工作。不，我从不认为投资是冒险。相反，我认为财务无知才是代价昂贵的冒险。”

以上内容仅仅是出于教育目的，而且是基于各种报告、交流以及一些可以信赖的材料。不过，上述内容并没有被查证，我们也无法确认每一个陈述的准确性。期权交易风险相对增加了，进行任何期权交易之前，投资者应该寻求注册期权经纪人的指导意见。

第18章 企业的杠杆

世界上最富有的游戏

通过自我奋斗，成为世界上最富有的人是来自B象限的企业主。他们拥有的财富超过了电影明星、体育明星以及高收入的专家。从越南回来之后，我决定不再走穷爸爸的老路，富爸爸于是建议我学习建立自己的企业。他说："世界上最富有的人来自B象限的原因就是——这是一个最难成功的象限。但是，如果取得了成功，富有之门将为你打开，财富将滚滚而来。如果你能建立一个B象限的企业，你将会玩世界上最富有的游戏。"

回顾近代历史，你就会发现B象限汇集了世界上最著名的人物，如比尔·盖茨、迈克尔·戴尔、托马斯·爱迪生、亨利·福特、特德·特纳和约翰·洛克菲勒等，当然还有一大批不很著名的人士。因为拥有庞大的资产，他们都成为财务上的巨人。他们运用了世界上最强大的杠杆，为成千上万人服务。

有人说世界上最好的投资就是建立自己的公司，我赞同这个观点。如果懂得自己所要从事的工作，你的投资回报将与普通投资的计算方法截然不同。在这里，用几百美元换回数十亿美元是完全可能的。建立企业不仅可以使你致富，而且也能使你的朋友、家庭、商业伙伴、雇员和投资者致富，富有的程度可能会超过他们最大胆的想像。因此，我认为建立自己的企业是世界上最富有的游戏。

很小的时候，富爸爸就一直提醒我，有三种基本的资产类型，它们分别是：

1. 房地产
2. 有价证券
3. 企业

当我从事有价证券和房地产投资时，富爸爸就一直鼓励我建立自己的企业资产，他说："从最困难处起步，其余的就变得很简单了。"现在，我想重申一下他的观点。

退出战略

在本书前面，我曾经列举了退出战略的重要性。这些退出战略的标准分别是：

穷人	年收入2.5万美元或者更少
中产	年收入2.5万美元到10万美元之间
小康	年收入10万美元到100万美元之间
富裕	年收入100万美元或更多
极度富裕	月收入100万美元或者更多

当本书即将完成之际，我提请大家开始注意个人的退出战略。在你做出这些抉择的时候，自然也同自己的观念或者环境密切相关。你的内心中是不是还在说："我做不了"、"这太困难了"、"我不够聪明"或者诸如此类特定环境下的个人现实。

当我和富爸爸一起制定个人退出战略时，由于当时环境所限，我不得不经历了一个逐步走出怀疑和受限制的过程。经过几个月的讨论，我明白了自己最好的机遇是在B象限。在我看来，在选择你的退出战略之前，就应该评估个人的优势和劣势，进而确定哪个象限最有利于你年轻富有地退休。

近来，我的投资培训班上有个学员说：“奥普拉·温弗里（Oprah Winfrey）通过S象限成为了娱乐界最富有的女人。”

我问他为什么会这样认为，他回答说：“因为她是一个自由职业者，如果她停止工作，她的收入也停止了。”

“你怎么知道的?”我问道。接着我又问他什么是HARPO产品，他说并不了解。

我说：“HARPO就是奥普拉（Oprah）名字倒过来拼写，也就是奥普拉本人的企业，是她在B象限的一个企业，那家企业由别人投资运营。她是S象限的一位明星，但是她的个人环境却属于B象限。”

需要强调的是，个人所属的象限与职业并没有多少必然联系。迈克尔·乔丹曾经是芝加哥公牛队的球员，但他同时拥有B象限的企业。一个医师可能属于E、S、B、I四个象限，主要依据他的个人环境。甚至一个看门人也可能属于四个象限中的任何一个。之所以这样说，是因为太多的人固守惟一一种环境，而不愿学习接受别的环境。他们在个人环境周围筑起了厚实、坚固的围墙，常常工作最为辛苦、时间最长，而得到的却最少。在当今的信息时代，拥有不止一个环境和象限显得尤为迫切和必要。如果能真正做到这一点，你就会发现获得更高个人退出战略目标将变得更加容易并终将成为现实。

也就是说，我和金能够达到或者超过极度富裕标准，就是因为我们主要是从B象限出发思考问题的。我们不是为了日后成千上百万美元而工作，我们的目标或者退出战略是为了拥有数千万美元甚至更多的资产。

富爸爸投资指南

在“富爸爸”系列丛书之三《富爸爸投资指南》中，我曾经写到自己打算学习成为一名企业主。在我所有的书中，我都多次提到了自己失败的经历，这些经历让我更加坚强。在我看来，不论处于哪个象限，环境决定了你是否能够成功。那本书的后半部分主要讨论建立企业的相关问题，企业是所有资产中最大、最富有的一项。如果你愿意建立B象限的企业，或许你应该阅读或重新阅读那本书，因为本节将不再讨论如何建立自己企业的问题。

另外，我极力支持网络销售的一个重要原因是，非常富有的人经常会使用“网络”一词。最近，我写了一本关于网络销售业的书，名叫《乐于助人者财务学校》（*The Business School For People Who Like Helping People*）。这本简明的小册子主要是为那些渴望实现从E和S象限转换到B象限的人准备的，图书和磁带将会对那些准备花些时间将自己的环境从E和S象限变为B象限的人有帮助。这本书将介绍为什么约翰·洛克菲勒、比尔·盖茨等人一直致力于建立自己的网络。图书和磁带的开头都引用了富爸爸的话：“世界上最富有的人寻求和建立自己的网络，另外绝大多数人只寻求一份工作。”

如果你想得到这本书或录音带，也可以到我们的富爸爸网站定购。

去年，一个朋友对我说：“1999年，我从自己的共同基金中得到了35%的收益。”我表示了衷心“祝贺”。当他问我的投资收益时，我回答说：“我真的不清楚。”其实，并非真的不清楚，而是不知道应该怎样用普通人的标准来衡量自己的收益。朋友的共同基金收益为35%，这自然非常好，但是，我在没有任何原始资金投入的情况下却获得了数百万美元，也许你还没有忘记前面讨论过的资金周转的问题。我很难回答朋友的问题，我的资金在继续滚动，投资回报从技术上说甚至是无限的。因此，我并没有说出多少自己的投资收益，只是祝贺他在1999年的不俗业绩。

我需要再次声明，刚才所讲的并不是自吹自擂。我想指出的是不同的环境问题。我的那位朋友为自己35%的收益率欣喜不已，但是创办企业的人却不会这样。在我看来，那就是不同环境的力量。来自E和S象限的人常常对可能的财务状况有不同理解，他们乐意辛劳终生，从来不会真正考虑是否还有另外的路子可以更快获取财务上的成功。因此，我向大家推荐网络销售以及网络销售培训项目，主要是想给大家一个开放自己的环境并创造接受其他观点的机遇。

顺便说一句，到了2000年3月，我的那位曾经获取过35%收益的朋友已经开始赔钱了。现在，他常常抱怨美联储主席艾伦·格林斯潘的决策，而且整日希望并祈祷股市有一天能够回暖。如果股市不能回暖，他或许又不得不重新工作了。

为什么没有多少人建立自己的企业

问题在于，如果建立B象限的企业好处多多，那么为什么没有多少人建立自己的企业呢？从富爸爸以下教诲中或许可以找出一些答案。

当我决定正式开始创建自己第一个B象限的企业时，我曾经问富爸爸："如果建立自己的企业是世界上最富有的游戏，那么为什么没有多少人从事这项游戏呢？是因为他们缺乏资金、技术或者才能吗？"

富爸爸的回答一针见血，他说："创办经营企业最难办的事情莫过于与人合作。"

"与人合作？"我有些困惑，"与人合作是经营企业最难办的事情吗？"

富爸爸点点头，他说："大多数人未能建立起自己的企业，仅仅因为他们缺乏与人沟通的技巧和能力。人们朝夕相处，天长日久，但是仅在一起工作并不意味着他们可以共同建立一家企业，即使可以共同建立一家企业也并不意味着他们可以发展经营成一家巨型企业。"

"因而，如果能学会了与人合作，那么我是否就可以开始世界上最富有的游戏呢？如果我学会了与人合作，是否就可以致富呢？"

富爸爸点了点头。

如果能与不同的人合作，你将来就有可能超乎想像地富有

多年以前，富爸爸花了不少时间教育儿子迈克和我怎样与不同类型的人合作、相处。如果你读过“富爸爸”系列丛书之四《富爸爸　富孩子，聪明孩子》，或许你还记得，他常常让我和迈克旁听他与别人的会谈。学会如何招聘、解雇员工就是一个饶有兴趣的活动，尤其当那些人同我父母年龄相仿的时候。教导迈克和我应对不同类型的人是他教给我们的核心课程之一，他说：“如果能与不同类型的人成功合作，你将来就可能超乎想像的富有。”

如果你读过“富爸爸”系列丛书之二《富爸爸财务自由之路》，或许还记得富爸爸对下面这个现金流象限图的重要性的反复强调。

富爸爸用上图说明：企业是由四类不同的人共同组成的，E象限代表雇员，S代表小商业或者自由职业者，B象限代表企业主，I象限代表投资者。

通过上图，富爸爸认为，来自不同象限的人有着根本性区别。他说：“如果想在B象限取得成功，你就需要学会如何与来自所有象

限的人沟通合作。惟有在B象限才绝对需要这种能力。也就是说，很多企业失败的一个原因就是企业主常常不能与各种不同类型的人充分合作与相处。”

在上个世纪80年代，我回到了家乡夏威夷。富爸爸请我列席他担任执行董事的一个董事会议。那家公司已经陷入困境，富爸爸想让我从这场不幸的经历中学些知识。那是家新创办不久的小公司，主要业务是在加拿大开采石油。富爸爸并没有参与公司的创办，只是由于公司遇到了很大困难，他们才邀请富爸爸加入董事会，看看能否改善公司的经营状况。

公司现在之所以困难重重，是由于首席财务官的一个错误决策引起的。这个决策让公司债台高筑，濒临破产。董事会议开始后，富爸爸问其他董事：“为什么首席财务官未经董事会同意，就可以做出这么重大的财务决策？”

其他董事回答说：“因为他过去曾经是一家大型石油公司的高级副总裁。”

富爸爸不由得提高了声音，问道：“这与他过去曾经是一家大型石油公司的高级副总裁又有什么关系？”

富爸爸显然有些生气了，他用手指轻轻敲着桌子说道：“不错，或许他曾经是一个高级副总裁，但是他在长达30年的时间里不过一直是个雇员，是一家大型公司的雇员。他根本不懂得如何经营管理一家资金有限、刚刚起步的小公司。我建议你们马上撤换他，并考虑聘请一位曾经拥有过自己的公司、全面负责财务运作的人，即便那个公司不是石油公司。不论在什么行业，雇员与企业主之间有着很大区别。大公司和小公司的运作也有很大不同，在大公司像这样的决策失误根本不会对公司造成多大伤害，但是在小公司中，这样的决策失误足以让公司关门。”

这家公司最终还是破产了。一年之后，我向富爸爸请教公司破产的主要原因，他说：“当时董事会的领导下，公司的管理非常混乱。尽管也高薪聘请了一些能干的人，但是这些人从来没有形成一支强有力的团队。成功的企业家一定会组织起强有力的团队，那也是他们敢于同拥有雄厚资金和人力资源的大公司竞争的法宝。”

不同的技能

在“富爸爸”系列丛书之三《富爸爸投资指南》中，我曾经提到了富爸爸的“BI 三角形”，见下图：

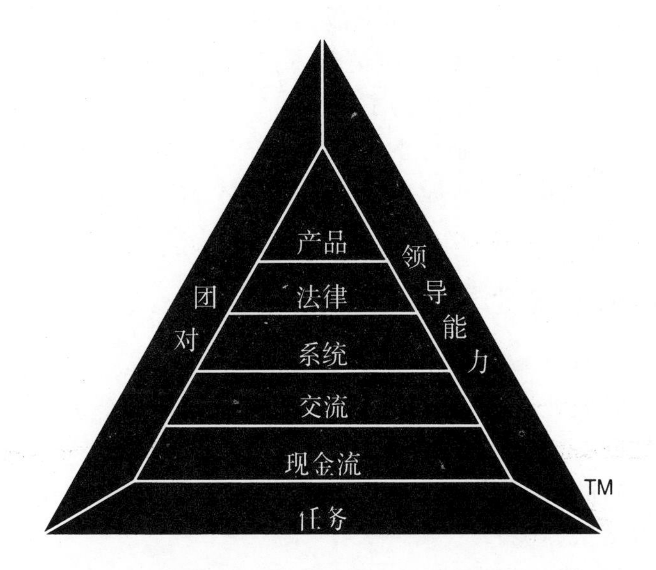

“BI 三角形”对于那些开始创办自己的企业或者已经拥有一家企业的人来说，非常重要。当然，对于那些拥有价值百万美元想法并正在付诸实施计划的人来说也是同样重要。也就是说，很多人在创办企业的开始阶段就遇到很大困难，这是因为创办企业需要更多的技巧和才能。

我们的学校教育系统造就了大批拥有专业技巧的人。为了建立一个强大的公司，真正的企业家需要将这些人集合起来，组成一个团队。

存在的大问题

即使在你的企业中拥有上述四个象限的人，并且拥有“BI三角形”中的各种不同技巧，也不是说就已经万事大吉了。其中，存在的最大问题就是要发现一个领导者，寻找一个可以将这些有着不同技能、不同价值观的人组织起来成为团队的企业家。因此，富爸爸说：“创办经营企业最难办的事情莫过于与人合作。如果不存在人的问题，企业就很容易运作经营了。”

也就是说，一个企业家首先要成为一个伟大的领导者，我们所有人都可以通过实践不断提高自己的领导才能。

什么是真正的企业家

富爸爸一直教育他的儿子迈克和我，要我们努力成为企业家。当我问什么是企业家时，他回答说：“一个企业家会发现一个机遇，组织一个团队，建立一个企业，并从机遇中获取财富。”

我接着问道：“如果我发现了一个机遇，也可以利用这个机遇，那么我应该怎么办呢？”

“这个问题提的很好，”富爸爸说，“如果你遇到了一个好机遇，并且能自己利用，这时你就是一个小企业主或者一个自由职业者了。”接着，富爸爸又解释了手艺人与企业家的区别，他说：“一个手艺人或者技师主要由自己生产一种产品或者提供一种服务。例如，一个艺术家亲自画一幅画，一个牙医亲自治疗你的牙齿。一个真正的企业家不需要亲自动手做什么事情，他必须能将经过各种训练、有各种技能的人组织起来，并让他们为达到一个共同的目标而工作。也就是说，一个企业家组建团队生产产品或者提供服务，而这些产品或者服务不是由包括企业家在内的单个人可以完成的，而必须依赖团队的力量。很多公司发展缓慢，就是因为这些企业家主要是依靠自己的力量来解决遇到的问题。”

"因此，一个企业家需要一个团队才能完成工作，"我说："除非团队成员能够完成需要一个团队去完成的任务，否则属于B象限的人将得不到薪水。大多数雇员和自由职业者可以通过个人劳动获取报酬，对于企业家来说却不能这样，如果企业家所领导的团队没有成功，那么他自己也将会一无所获。"

富爸爸点点头，进一步解释说："就像一个建筑承包商建造一座房子一样，需要用手工艺人，如管道工、电器工和木匠，还有专业人士如建筑设计师和会计师。同样，一个企业家也需要带领不同的手艺人、技术员和专业人士来帮助自己建立公司。"

"在你看来，一个企业家就是一个团队的领导者，尽管他们自己并不在团队中做什么具体工作。是吗?"我问道。

"无需亲自作为团队的一员参加具体工作，能够将这些聪明能干的人所组成的团队领导好，就越有可能成为更好、更大的企业家。我个人拥有好几家公司，但是我从来不参与公司的内部工作。这也就是我无需工作，却可以赚到更多钱、做更多事的方法。因此，对于一个企业家来说，领导才能是一项基本的技能。"富爸爸回答说。

"领导才能可以学习吗?"我问道。

"当然能，"富爸爸说，"我注意到，我们每个人其实都有一些领导技能。大多数人存在的问题是，他们只致力于发展自己的职业或者专业技能，这也是很多人处在E象限和S象限的原因。B象限最需要领导才能，但是很少有人致力于发展自己的领导才能。所以很简单，领导才能是可以学会的。"在后来的几年中，富爸爸常说："很多人寻求工作安稳，领导者却勇于面对挑战。"

从越南战场学到的领导经验

有些人可能已经知道，我赶赴越南战场主要原因有两点：一是富爸爸、穷爸爸都认为保卫自己的国家或者为自己的国家战斗是儿子们应尽的责任和义务；另一个是想在军队学习领导技能。富爸爸说："在面临紧张压力和生命危险的情况下，让士兵战胜恐惧、勇敢无畏是对一个人领导技能最好的检验。”在越南期间，我看到很多人恐惧不堪，也看到了很多令人难忘的英雄壮举。我们的一个指挥官说：“每一个士兵从内心看都是英雄，领导者的工作就是发掘出生活在我们当中的英雄。”现在，我在自己的企业中应用了很多来自于越南战场的领导技能。在战斗中，我不会命令士兵并要求他们盲目服从，我学会要让士兵自己成为英雄。现在的企业经营管理活动中，也应该这样做。

发展自己的领导技能

当然，大家不必通过上战场来发展自己的领导技能。你所要做的就是主动迎接挑战，而不在乎其他人是否逃避。大多数人可能都听说过这句话：“从来没有人自愿做任何事情。”在我看来，那是准备在生活中落伍的人的信条。富爸爸常常说：“领导者主动迎接别人所回避的挑战。”“领导者能力的高下决定于他们承担任务的大小。”德怀特·艾森豪威尔声名显赫，因为他在第二次世界大战中直接指挥了诺曼底登陆和欧洲的战役；约翰·肯尼迪领导了将人类送上月球的艰巨任务。可以说，真正的领导者都在寻求其他人不敢面对的挑战。很多人从不发展自己的领导技能，仅仅因为长期以来，他们习惯于遇到挑战就退缩。他们养成了这种从来不主动做任何事情的习惯。

每个企业、教堂、慈善组织和社区都需要很多领导者，每个组织都为你提供了锻炼自己领导技能的机会，每个机会也都为你提供了学习宝贵的领导技能的可能，这些领导技能是未来成为一名企业家所必需的。

很多人根本无法加入到世界上最富有的游戏之中，玩建立自己企业的游戏，因为他们未能获得领导技能。

如果你开始行动负责教会的百乐餐，你就正在获得更多的领导技能。即便没有人自愿同你一起工作，你也会学到人生非常重要的东西。你将学到如何脱颖而出，唤醒每个人心中都有的那个“英雄”。如果你学会了做这些事情，那么接着从事的领导任务将会变得更加容易成功，你也会从中学到更多关于领导的知识。如果你不愿意发展自己的领导技能、建立自己的企业、参与世界上最富有游戏的机会，可能就永远没有多大进展。我曾经遇到过很多拥有伟大企业设想的聪明人，他们仅仅因为缺乏领导技能，缺乏一种建立自己企业团队并将设想转化成数百万甚至数十亿美元所需要的领导技能，最终抱憾终生。在这个世界最富有的游戏之中，领导能力是关键因素，因为它可以将领导者个人转化成一个更强大的团队。

建议阅读的图书

我曾经读过一些书，它们非常有利于个人企业家素质的提升。这些书主要有：

1. 迪·科米萨的《修士与人生难题》（哈佛商学院出版社）。这本书是我的股票经纪人汤姆送来的，汤姆是一个优秀的期权交易商，但是他更善于发现一些新创办的小公司，对它们投资并看着这些公司越来越强大。他给我这本书的时候，我正打算卖掉手头的一家公司并转移投资方向。读完了这本书后，我改变了想法，保留下了自己的公司，并且开始改造公司。这是一本讲述人生许多重大难题的伟大的书。

2. 马库斯·白金汉和柯特·科夫曼合著的《首先，打破一切常规》（西蒙—舒斯特出版公司）。对于管理人员或者领导者来说，这是一本非常优秀的书。该书是由盖洛普公司对400家公司的8万名管理人员进行了深入研究之后写成的。

在工业时代，管理人员像牧羊；在当今的信息时代，管理人员像在养猫。也就是说，今天的每个员工都需要被看做是一个独立的个体，而不是群体的一部分。如何应对类型和目标不同的人，并将他们组织成一个团队，该书就此提出了一系列深刻的见解。

3. 达里尔·特拉维斯的《情感品牌》（普里马出版社）。品牌的价值是什么？这可能是一个很复杂的问题，不过我们可以通过身边的一些实例来分析。最近我看到一则介绍说，可口可乐的车间、设备和其他资产价值不到 80 亿美元，但是可口可乐的品牌价值大约是 800 亿美元。

在建立自己企业的时候，另一个不为人注意的投资收益就是建立品牌的收益。随着全球化的到来、竞争的加剧，建立的公司和品牌越好，你得到的财富就会越多。

IBM 的影响力超过了某个公司，或许这个公司的电脑比 IBM 的电脑还好，但是 IBM 有品牌优势，就会在市场竞争中赢得先机。我们也意识到富爸爸网站的价值远远超过了图书、游戏和其他一些产品，我们也非常注重建立一个世界级的品牌和企业。

4. 迈克尔·莱希特的《保护你的第一号财产》（华纳出版公司）。该书是“富爸爸”系列丛书之一。迈克尔·莱希特是知识产权如品牌、商标、专利方面的高级律师。他担任我的律师，也是我的商业合作伙伴和图书合著者莎伦·莱希特的先生。正如从前面可口可乐公司的例子中看到的，一个品牌或者一个想法可以价值上亿美元。

对于那些脑子里有着百万美元的企业或者产品想法的人来说，该书可以说是一本必读的书。在信息时代，你的第一号财产是自己的想法。在公布自己想法之前，阅读该书非常重要。迈克尔作为知名律师的咨询费很高，但相对来说，该书的价格就便宜异常了。

5. 布莱尔·辛格的《销售之狗》（华纳出版公司）。该书也是“富爸爸”系列丛书之一。布莱尔·辛格和我交往了二十多年，是我最好的朋友之一。他和我一起从销售员做起，奔忙于夏威夷的大街上寻找生意。

我经历的最重要的教育过程是第一次学销售，以及第二次学习管理一个遍布美国和加拿大的 350 多个销售员的团队。虽然这是一个辛苦的工作，但是我从中学到了很多东西。开始时，我是一个胆小的销售员和销售经理。尽管有时非常痛苦，但是逐步成为好销售员和好销售经理的学习过程却是弥足珍贵的。

对于那些希望提高个人销售技能的人，以及对于那些与别人合作或者领导别人的人来说，布莱尔的书都是非常重要的。该书对于销售经理也很重要，因为学会怎样管理一个销售团队是销售经理的一个重要任务。如果说管理人就像管理猫，那么管理销售团队就像管理一群有着不同叫声和习惯的狗了。一间满是销售人员的屋子更像一个狗舍，而不是办公室，因此该书起名为《销售之狗》。

《销售之狗》对于那些想提高他们销售技能的人来说是非常重要的，这种技能就是将一个想法卖给他人。在我的一生中，遇到过很多一直在苦苦寻求财富的聪明人，仅仅因为他们不能将想法卖给别人，所以也不能管理别人。

从海军陆战队学到的秘诀

在越南期间，作为一名新海军上尉，我的指挥官给我写了几个词语：

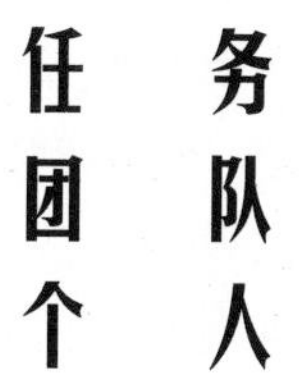

他说："最高利益是任务，个人在最后。"

从越南回来后，我常常看到很多不同的利益阶梯。在公司以及百姓生活中，我常见到很多人这样排列利益的顺序：

个　人

团　队

任　务

从根本上讲，也就是说他们将自己放在第一位，团队是第二位的，整个公司或组织的任务则是最后一位。

在越南，我的指挥官解释说：作为一名基层军官，我们的工作是保证任务和团队免受个人利益的影响。也就是说，我们要设法清除因为个人利益至上，进而危害团队利益和影响任务完成的各种因素。这些战场上的学习实践极大影响了我领导管理企业的方式。

那些看过斯蒂文·斯皮尔伯格导演的电影《拯救大兵瑞恩》的人，从电影中可以学到很多经验。在我看来，这部电影是自己看到过的最真实的一部战争题材影片。电影中，汤姆·汉克斯扮演的角色，由教师成为一名陆军中尉。他不敢枪毙一个德国俘虏。我认为，这个细节是电影中的核心观点，也是重要的教训之一。因为汤姆·汉克斯没有完成杀死德国俘虏的任务，而将自己、团队和团队的任务置于非常危险的境地。最后，因为他没有枪毙那个德国俘虏，造成了他的很多士兵都被杀死，整个任务也几乎失败，汤姆·汉克斯本人最终也被那个他应当枪毙的德国俘虏杀死了。

非常幸运，大多数人永远不需要面对战争的恐怖，做出令人心碎的决定。然而，在我们的个人生活和公司经营中总会遇到诸如此类难以抉择的事情。下面就是一些实例。

1. 前几天晚上在朋友家的晚会上，一个客人喝得酩酊大醉。当他坚持要开车回家时，主人向他索要汽车钥匙并叫了一部出租车。客人很生气，否认他自己喝多了不能开车。一场不愉快爆发了，最后主人硬是将客人按倒在地并拿走了他的车钥匙，然后叫来出租车把这个客人安全送走。但是，这一切令人非常尴尬，客人和主人从此不再说话。更糟的是，其他客人认为主人太厉害了，他们也决定不与主人交往了。我个人认为，这个主人是非常勇敢的，并且在当时做了最好的决定。主人可不可以用另外的方法处理这件事呢？当然可以，但是他认为自己当时那样做是最好的。这些也正是领导要做的，即便他们做的并不是最好的决定。

2. 多年前，富爸爸发现公司中的一个高级管理人员和一个秘书有不正常的关系，他立即叫来他们并解雇了两个人。我问他为什么，他简单地说："两个人都是结了婚并有了孩子的人，任何欺骗配偶和孩子的人也会欺骗其他人。"我不想评论富爸爸这件事情的对与错，但是，他做了当时他认为最好的决定。尽管这两个雇员对他都很重要，但是他感到他们的行为与自己的价值观已经严重冲突。

这两个故事都是领导者的例子，也曾经有人说：“领导者做正确的事，管理者做事要正确。”富爸爸同意这种说法，他说：“领导能力不是流行或者受欢迎的竞赛，领导者激励其他人成为领导者。”

从越南得到的最后一个启示

指挥官与下属谈话的最后时刻，他又增加了几个词语：

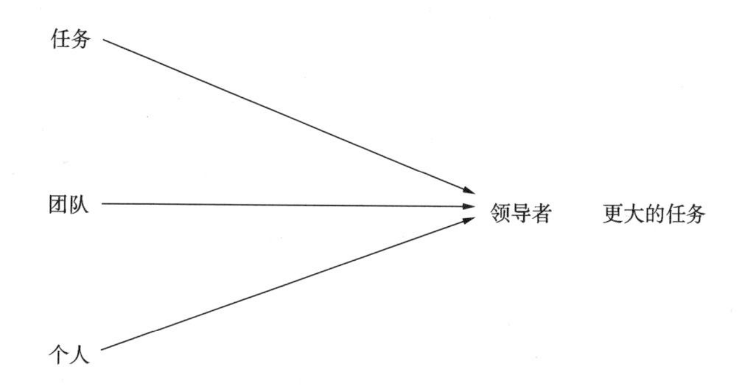

指挥官接着说：“一个领导者应该对任务、团队和个人负责。但是，正如你所看到的，一个好的领导者必须是一个好的下属。他必须意识到自己团队任务的重要性，因为这个任务其实只是一个更大任务的一部分。”

富爸爸说：“投石器只是投石器，当大卫走上来战胜了歌利亚时，世界上最伟大的力量也会随着大卫前进。”他还说：“一定要记住，世界上最富有的游戏是带有任务的游戏和更高级使命的游戏。”

总之，我告诉大家这些想法，因为每天都有新歌利亚诞生，也有新歌利亚进步。世界需要越来越多装备着投石器的新大卫，但他们有世界上最强大的力量支持。无论是否愿意玩世界上最富有的游戏，你都应该知道自己也可以拥有大卫的投石器。此外，还应知道谁是你的歌利亚，然后鼓起勇气并勇敢地去征服他。这样做的时候，你就开始了世界上最富有的游戏，而且这个游戏的回报远远超过了金钱本身。当你前进一步的时候，你就更可能接近隐藏在大卫身后的投石器的力量。当你发现了这种力量，你的生活将会彻底改变。正如他们在《星球大战》这部现代版的大卫和歌利亚故事中所说的："但愿力量与你同在！"这种看不见的力量是所有杠杆中威力最强大的，也是我们大家都可以得到的杠杆。你所要做的就是不断向前，勇敢面对比你自己更强大的东西。

本书的结束语部分，我们将要讨论无需辛劳却可以建立、获取资产的回报问题。

第19章 致富的秘诀

大多数人能够快速并长久拥有财富

年轻富有退休的过程是一个思想和精神改变的过程，而不是一个体力的过程。如果你在思想和精神上做好了准备，身体力行就变得很简单了。下面提供的另外一些思想和精神过程，你可以结合到自己的日常生活中去。如果你坚持按照这些简单程序去做，并让它们成为自己生活中不可分割的一部分，你一定会发现：年轻富有的退休原来已经指日可待。

你为什么要一份工资

我上中学的时候，富爸爸常常让迈克和我观察他招聘员工的过程。有一次，一位比富爸爸年长几岁的先生申请富爸爸的一个公司的经理职位。这位先生大约45岁，受过良好教育，有一个非常吸引人的简历和职业记录。他衣着得体，显得自信而又能干。在会谈过程中，这位先生一直提醒富爸爸，他曾经上过一所著名的州立大学，并且获得了东海岸一所久负盛名大学的 MBA 荣誉学位。

“我对聘用你很有兴趣，”富爸爸在会谈进行了半个小时后说，“但是，我想问一下，为什么你要求的薪水这样高？”

那位先生再次提起了自己受过的教育和工作记录，他说，“我受过良好的教育，也有很好的工作经历，这些都让我能够胜任这一职位，并且得到优厚的薪水。”

“我不能同意你的说法。”富爸爸说：“很冒昧，我能不能问一个问题，如果你接受了这么好的教育，又有这么好的工作经历，那你为什么还需要出来找一份工作呢？如果你这样聪慧过人，为什么还需要一份工资呢？”

那位先生显然被这个问题难住了，他支支吾吾了半天，才说出了一句话：“大家都需要找一个工作，都需要一份工资。”

办公室里静得出奇，那位先生的回答也格外响亮。很显然，他与富爸爸来自不同的环境和现实，有着不同的思想观念。他变得好争辩，固守自己已有的现实不放，而不是努力去理解富爸爸的现实。富爸爸平静地看着他，说道：“我不需要一份工作，也不需要一份工资，即使现在这个公司倒闭也仍然如此。”接着，他指着自己的儿子迈克和我说道：“这些孩子也不需要，他们现在为我免费工作。这也是他们将来有一天远远比你富有的原因，即使他们没有像你那样上过好学校、接受过高等教育。我不想让他们也去向往或者需要一份工资。”说到这里，富爸爸拿起那位先生的简历，放在那一大堆求职申请上面，他说：“如果决定聘用，我会打电话给你。”他们的会谈随之结束。

快速致富秘诀

在《富爸爸，穷爸爸》中，我曾经讲过富爸爸如何让我放弃了每小时 10 美分的工作，并接受他教给我的现实。在这个现实中，如果我免费工作，就有可能更快致富。很多人常说：“你不可能真正免费工作。”“我的房子就是资产。”或许他们也有人懂得应该读书，但是他们还是从自己的现实、环境或者观念出发看待世界。

当富爸爸问前面那位申请经理职位的先生："如果你接受了这么好的教育，又有这么好的工作经历，那你为什么还需要找一份工作呢？如果你这样聪慧过人，为什么还需要一份工资呢？"他就是想让那位先生拓展自己的现实。但是，那位先生却不愿意这样，他不去尽力拓展自己的现实，而是为自己辩护，封闭自己的思想，这实际上就失去了被富爸爸聘用的机会。

一个没有工资的世界

我发明了现金流游戏，训练人们如何在没有工资的世界中生存。反复玩过游戏的人常常发现，世界上存在各种机会，大多比为了一份工资而在一个岗位上辛劳终生有趣得多。如果你想尽可能年轻富有地退休，就需要考虑一个寻找没有工资的天地。如果在你的现实、环境或者观念中，自己都需要一份工资，那么很不幸，你自己年轻富有退休的希望就很渺茫。富爸爸常说："需要一份工资的人都是金钱的奴隶，如果你想获得自由，你就应该从不需要一份工资或者工作开始。"因此，如果你迫切希望自己能够年轻富有地退休，你就太需要将自己的现实改造成一种没有稳定工资和工作的世界。当我对大多数人讲述这些环境的时候，几乎能感受到他们血压上升、胸部和胃部紧缩，听到他们潜意识正在战胜自己的想法。对于没有稳定工资维持生存的担忧，我们很多人都很熟悉。如果你对自己没有工资或者稳定工作后的状况看不大清楚，那你首先就应该扪心自问："没有了工资和稳定工作，我应该怎样致富？"在开始问自己这个问题的时候，你就打开了自己的思想，开始了向另外一个现实转化的历程。

当富爸爸问那位申请经理职位的先生："如果你接受了这么好的教育，又有这么好的工作经历，那你为什么还需要找一份工作呢？如果你这样聪慧过人，为什么还需要一份工资呢？"实际上是请他拓展自己的现实，看到另外一个新现实。不过，那位先生却为自己辩护，认为自己的现实是惟一的现实。我也曾经看见过富爸爸向另外一些求职者提出这个问题，那是他试图帮助他们的一种方式。同时，那也是他给求职者非常重要的一节基础财务课，这节课认为金钱并不能使你富裕，仅仅一个高薪职位也不能解决个人的财务问题。当富爸爸问这个问题的时候，他还想让那些人明白：学术上的成功并不一定等于财务上的成功。正如富爸爸常说的："学术上的高智商并不一定等于财务上的高智商。"在与那些对自己学术成就津津乐道的人的会谈中，富爸爸一直想弄明白他们是否愿意提高自己的财商。因此，他经常向求职者提出这个问题。那些认真听取富爸爸讲授现实而且在工作过程中不断向他学习的人，即便没有获得最初要求的高薪，也往往变得非常富有，早早就退休了，并获得了财务自由。

关键在于，如果你想年轻富有地退休，财商比学术智商更为重要。下面就是如何提高自己财商的一些具体步骤，它可以让你开始生活在一个无需工资的世界。你找到这个世界的速度越快，快速致富的机会就越多。

秘诀 1

开始设想将自己置身于一个无需稳定工资和工作的现实世界。这并不意味着你将永远不再工作，而仅仅是让你从此远离财务困窘，不再为很少的工资出卖自己宝贵的生命，不再整日生活在对贫穷或失去工资的恐惧之中。

一旦能够享受无需工资的生活，你就会看到另外一个世界——一个没有固定工作和工资的新世界。

比尔·盖茨的薪水并不高

好多年以前，我看到一篇文章，标题是"比尔·盖茨不是世界上薪水最高的人"。文章说，世界上许多公司经理人的薪水都比比尔·盖茨高好多，然而比尔·盖茨却是世界上最富有的人。文章还说，当时比尔·盖茨的年薪只有 50 万美元，但是他的资产基础却已经有了数十亿美元，而且还在继续增长。

秘诀2

如果你放弃了对工资收入的依赖，接下来的问题是你想得到什么收入。在本书的开始，我已经介绍过三种形式的收入，它们分别是：

1. 工资收入——50%的钱；

2. 组合收入——20%的钱；

3. 被动收入——0%的钱；

除了以上三种类型，当然还有更多的收入形式。大多数人终生为学习和工作辛劳，为的是得到工资收入，这也是年轻富有的退休者为什么少而又少的原因。如果你迫切希望能够年轻富有地退休，那就从现在开始研究收入的不同类型，这样做将使你富有，并且永远不用工作。还有其他一些收入类型，分别是：

4. 剩余收入，它是指来自于企业，比如网络销售企业或委托他人经营的企业的收入；

5. 分红收入，它是指来自于股市的收入；

6. 利息收入，它是指来自于储蓄或债券的收入；

7. 专有权收入，它是指来自于写作歌曲、图书的稿费，以及设计商标、发明（无论是否申请专利）的收入；

8. 金融收入，比如来自房地产信托契据的收入。

因此，关键在于，一旦习惯了不从劳动和工作中获取收入，你就可以接着开始研究来自不同资产类型的不同收入类型。富爸爸让他的儿子迈克和我首先学习了解不同的收入类型，然后让我们决定自己想继续研究哪种收入。

你也可以去图书馆或者请教会计师，了解不同收入类型，尤其是那些工资收入之外的收入类型。开始发现感兴趣的收入类型时，这些收入类型也就会成为你新拓展了的现实的一部分。

注意开始时不要做得太多太急，而应该先让其他收入和资产类型进入你的现实。心中的不同收入类型越多，思考的收入类型越多，同时又没有做事情的压力，这些观念也就更容易在你个人的大脑中生根、成长。很多人认为自己必须马上做些事情，但我的经验不是这样。在真正动手购买房地产之前，我大脑中有关投资房地产业获取被动收入的想法已经酝酿了好几年。直到有一天起床之后，我觉得到了开始参加培训、投资的时候了。采取行动相对容易多了，但是只有在那些观念已经成为自己新现实的一部分之后才会发生。

当你看到新的财务报表时，就很容易理解穷爸爸强调工作安稳的原因了。

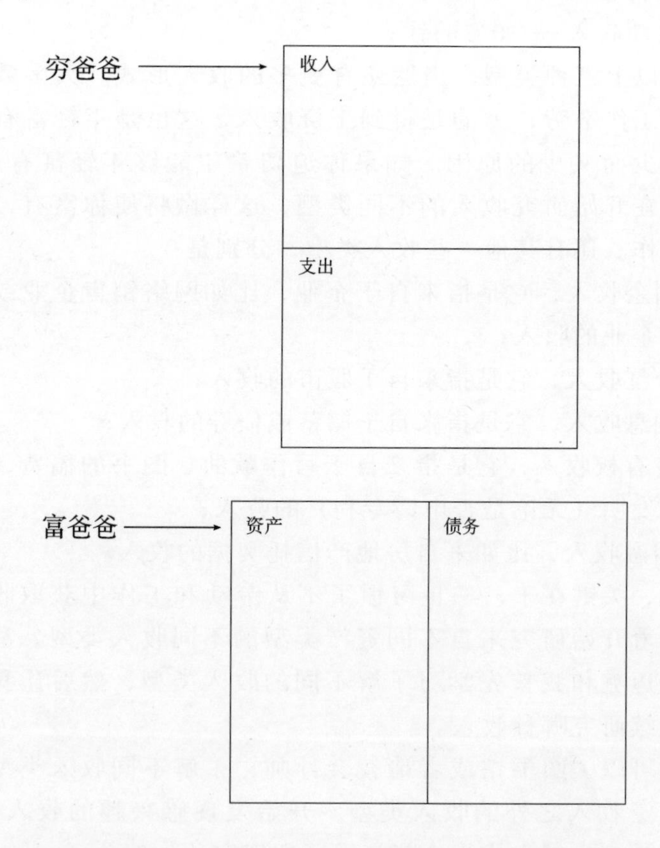

因为穷爸爸没有任何资产，而且总是说“投资充满风险”，所以他拼命抓住手头的工作不放。毕竟，那是他的全部，而且他只知道

工资收入。

富爸爸让他的儿子迈克和我将自己的注意力放在如何获取资产上，并且通过获取资产提高我们的财商。因为懂得财商的重要性，我们就不断努力提高自己获取这些资产的技巧。尽管开始时很紧张，但是到了今天，获取资产成了一件充满乐趣、简单而且令人兴奋的事情。我一直说，如果你给了自己时间让那种现实成为自己的现实，快速致富以及永远保持财富就很容易，事实的确是这样。

当我有一次旅行经过澳大利亚时，一个帮我在机场托运箱子的年轻行李员忽然对我说道："我喜欢您的书。"

我向他道谢，并问他从书中学到了什么。

"我学到的最重要一点是，这件工作永远不会让我致富。因此我又在晚上找了一份工作，并且将赚到的钱投入到房地产中。"

"那太妙了，"我禁不住为他叫好，"到目前为止，你已经做了什么?"

"我在一年半时间内，已经购买了六处房产。"

"这么厉害，"我称赞他说，"我为你感到骄傲。你已经赚到了钱吗?"

"没有，还没有，"这位英俊的小伙子说，"但我学到了很多非常重要的东西。"

"学到了什么呢？能不能说说?"我问。

"我感到投资变得容易了。一旦我度过了最初的怀疑、恐惧和缺少资金等难关，我就发现其实很容易成为一个投资者。我看过、购买的房地产项目越多，投资就变得越容易。如果怀疑、恐惧让自己畏缩不前，我的财商就永远不会提高。现在我不是感到恐惧，而是感到快乐，即使我仍然没有赚到多少钱。事实上，我投资的六个项目中有二个最后赔了钱。正如您在书中所讲的，应该从错误中总结经验。如果能从错误中学到一些东西，这些错误也都是很宝贵的。因此，在不远的将来，我就有可能成为一个专职房地产投资者。过不了几年，我将永远不再需要一份工作或者工资了。"

"你有一个目标吗？有一个脱离残酷漫长的老鼠赛跑、实现财务自由的时间表吗?”我问。

“当然有,”小伙子笑着回答,“我还有三个年龄相仿的朋友,我们一直一起做。我们不想像许多同龄人那样浪费时间,我们一起学习,参加培训班,相互帮助投资。我们不想重走父辈的路子,也不想犯同样的错误,一直工作45年,却担心失业,整天盼着加薪,直到65岁才退休。我的父母工作非常努力,希望能获得晋升,他们没有时间照顾孩子,也没有时间做喜欢的事情。现在他们准备退休,但已经老了。我不想像他们一样,不想那么大岁数才退休。我们四个人现在都不足24岁,都想在30岁时实现财务自由。”

“祝贺你,”我们握了握手。等他处理完我的行李,我感谢他读我的书,而且让我享受到像一个骄傲的父亲那样的快乐!

当我离开时,那个小伙子微笑着大声说道:“最大的一点是,致富将变得越来越容易。我越关注建立自己的资产,快速致富也越容易做到。”

我向他道别,匆匆赶向了飞机。

在我们的网站上寻找新思想

在未来几年,我们的富爸爸网站将新增越来越多的信息。我们的网站是通过向人们传授思想、教育和经验,帮助他们年轻富有地退休。请经常浏览我们的网站,使年轻富有的退休成为你个人现实的一部分。

在我的现实中,获取资产的能力越强,快速致富就变得越容易。如果你保持谦逊的心态,即使富裕也心存感激,而不是一味炫耀,你一定就会更长久地拥有财富。

因此,请继续在我们的网站上寻找最新的信息和思想。在不久的将来,我们将把现金流101和202游戏搬上互联网,这样你就可以在网上与很多怀着相同梦想的朋友一起游戏和学习。

莎伦·莱希特的建议

当我与罗伯特·清崎先生共同撰写“富爸爸”系列丛书的时候，我们两人的理财哲学常常发生碰撞。我的见解不像他那样深邃，但是偶尔我也会觉得应该强调一些问题。下面的问题就是其中的一个。

很多的会计师、财务顾问和银行家只是不愿那样去说，其实，实现财务自由的路子很简单，那就是：

购置资产。

“购置资产就会立即带来现金流，而不是在未来的某一天。”

务请记住富爸爸关于资产的说明：“资产为你带来金钱，债务让你损失金钱。”就是这么简单！购置的资产越多，为你自己工作的资金就会越多。

很多会计师、财务顾问和银行家热衷于计算资产净值，他们还不懂得现金流。他们一直接受这样一种教育，那就是将钱放好，直到未来需要它的时候才拿出来。这完全是“储蓄者”的思维。他们现在如果与自己的客户一起从资产中产生现金流，那么这些客户不论现在还是将来，财务状况都会有很大起色！

问题在于，他们计算资产净值时，往往将你的房子、汽车、高尔夫会员证以及其他个人财产都等同于资产。其实，我们认为这些东西仅仅是表面上的，并不是真正投资者眼中的资产净值。好好检查一下你的财务报表，将那些现在没有带来现金流的东西统统剔除出去。

当你每月的个人资产带来的现金流大于支出的时候，你就真正获得了财务自由！

切记：购置资产，而不是债务！

——莎伦·莱希特

秘诀 3

秘诀3初听起来有些特别，它告诉自己关于未来的一系列谎言，请大家能够注意！

前面提到，澳大利亚机场那位年轻的行李员可以看到自己的未来，并且为之兴奋不已。然而并不是每个人都可以看到这样光明的未来，也就是秘诀3听起来不同寻常的原因，但是它的确是年轻富有退休计划的重要组成部分。

几个月之前，我在教授一门投资课程时，一些学员不由自主地说出下面这些话来：

1. “我做不了那件事情。”
2. “我永远不会富有。”
3. “我不是一个好投资者。”
4. “我不够聪明。”
5. “投资充满了风险。”
6. “我永远找不到投资资金。”

这时，在场的一位非常著名的精神医师举起手，她说：“有关未来的任何说法都是一种谎言。”

“有关未来的任何说法都是一种谎言？为什么这么说？”我大吃一惊。

“首先，”她回答说，“我必须澄清一下，我不鼓励任何人为了欺骗别人而说谎。你能理解吗？”

我点了点头，说道，“我理解，但我的问题是，为什么说有关未来的任何说法都是一种谎言？”

“问得很好，”她说，“我很高兴你能有一个开放的头脑。我所说的有关未来的任何说法都是一个谎言，意思是任何关于未来的话都不是现实，因此从技术角度看，人们关于未来的任何说法都是不真实的，都是一种谎言。”

“但是，对于那些不能消除自卑心理的学员来说，这又有多大作用?”

“当有人说‘我永远不会富有’时，实际上就是对自己未来发展状况的一种想像。既然如此，他在思想上就会认为自己永远不会富有。”她接着说，“他所说的话从技术上来看是一句谎言，但我并不是说这个人就是一个说谎者，我只是说那是一句谎言，因为未来的一切都还没有发生。”

“那么，这又意味着什么?”我问道。

“这正是你要在这节课上所讲授的东西。他们需要明白，自己的所思所想都有可能变成自己的现实，因而很多人有关未来的谎言最终都变成了现实。”

“你的意思是，当有人说‘我永远不会富有’的时候，他们实际上在说一句谎言，因为那是在未来才有可能发生的事实。是这样吗?”

“的确如此，”她回答说，“问题是，谎言最终变成了现实。”

“因此，当有人说‘投资充满了风险’，如果他们说的是未来，从某种意义上讲也就是在说谎。是吗?”

“是的，如果他们不改变这种谎言，那就会最终成为现实。务请记住，任何有关未来的说法从技术上来说都是谎言，因为它们都还不是已经存在的现实。”

“那么，你的这种观点又有什么具体作用呢?”我再次追问。

“作为一个医师，我发现很多不成功、不幸或者失意的人，常常说出许多有关自己未来的可怕谎言。他们常常说出许多你们一直努力阻止大家说出的话，比如‘我永远不会富有’、‘我干不了那个’、‘那永远不会发生’等等，这些话都是谎言，但是这些谎言最终都有可能变成现实。”

“而且，如果他们不说这些谎言，周围的人也会告诉他们同样的谎言。”我插了一句。

“是这样。物以类聚，人以群分，他们周围的朋友也大多如此。”她禁不住笑了起来。

“我还想再次请教你，这个很有启发性的信息还有什么作用?”

我问道。

“好的，因为任何关于未来的话题从技术上讲都是一句谎言，那么为什么不说出自己对未来的渴望，却说出自己不愿看到的东西呢？”她反问道。

我静静地回味着她刚才所说的话。快下课的时候，我问道：“说有关未来的谎言是故意吗？”

“当然，我们都是这样，也就是下意识地、自然地那样做了。让我问你一个问题：在金钱方面，富爸爸关于未来的谈话是否很积极？”

“当然。”我回答。

“他说的很多话是不是都变成了现实？”她问。

“是的。”我再次回答。

“谈论起未来和金钱，穷爸爸是不是都很消极？”

“是的，”我答道。

“那他所说的都变成了现实，是吗？”

我轻轻地点了点头。

“看来，他们两人的谎言最终都变成了现实。”她说。

我点了点头，意识到他们两人关于未来的谎言的确都最终变成了现实。我又问道：“你是不是说，关于未来的谎言，我应该多说说自己向往的事情，而不是自己不想得到的事情？”

“是的，”她回答说，“那也正是我想告诉你的。事实上，我希望你已经那样做了。我希望你即便在失意的时候，也要告诉太太和周围的朋友美好的未来，以及将要赚到多少钱。即便身无分文，也要不断那样去说。”

我忍不住笑了笑，说道：“是的，我会这样做。我只会对支持自己的朋友那样说，而不会对那些准备将来嘲弄自己的人那样说。”

“你真聪明，”她接着问道，“在你们财务最为黑暗的日子里，你怎样向太太说出关于未来的谎言？”

“你想让我告诉大家？”我有点不好意思。

“是的，告诉大家你在最艰难的日子里是怎样说的？”

我想了会儿，回想起我和金在财务上陷入最低谷的那一段经历。我慢慢地对大家说："我紧紧地抱住金说，'总有一天眼前的一切将会过去，总有一天我们会比现在所能想像得到的还要富有。我们现在面临的问题是没有钱，但是很快有一天，我们的问题是钱太多了。'"

"这些现在都成为现实了吗？"她问道。

"是的，"我回答说，"而且远远超过了我们当初的梦想。实在不好意思，我们现在面临的最大问题是钱太多了。因为今天，我更加感到自己的出身是何等贫穷，我们现在常常为不知道买什么东西头疼。我们将很多钱都用于慈善事业，但是仍然有很多钱留在手头，我们需要拓展自己的现实，想一下还需要购买什么东西，因为我们几乎买得起所有能想到的东西。费尽心思寻找还有什么东西买不起，实在是件非常有趣的事情。"

"为什么你认为自己当初的谎言变成了现实？"她问道。

20%的人是经常说谎者

"因为穷爸爸和富爸爸都坚持认为，我不能轻易许下不能兑现的诺言。如果我不能履行诺言，我首先应该告诉对方。两位爸爸都强调应该言行一致，他们两个人都是这方面的典范。"

"很好，"她说，"你可以看到，所有人之中的80%基本诚实，其余20%的人是经常说谎者。无论做什么，他们都会说谎。因此即使他们为自己财务未来说出积极性谎言，也会最终成为消极性谎言，因为经常说谎者本身就没有诚信可言。但是，我发现大多数人是诚实的，即使他们说出一些谎言，也会最终成为现实。"她停了会儿，接着又说："让我们开始学习如何为未来积极说谎。一定要记住，这样做的目的不是为了欺骗别人，而是为了帮助我们自己拥有新的更好的关于未来的现实。"

我同意将两节课连在一起上。"现在，"她说，"我想让你们告诉同伴，最大最好的谎言就是未来你们有多少钱。告诉他们你们将来会每月从房地产中以及石油公司中获利数百万美元，你自己居住的别墅是多么奢华宽敞。”

有些人很难说出关于未来财务成功的夸大了的谎言，另外一些人则表演得很好。尽管如此，在几分钟内屋里人的活力就被完全调动起来，人声喧哗，震耳欲聋。当有人说出未来巨大夸张的谎言时，常常伴以近乎疯狂的大笑，大多数人确实喜欢有机会夸张地说出自己未来财务会成功。后来，很多人说从那一刻起，他们的生活和未来发生了彻底改变。

因此，秘诀3就是无论什么时候，如果你发现自己沮丧地说出了关于自己财务未来十分消极的话，就找一个可以信赖的朋友，看看能否向他诉说你在将来不远的财务上如何成功的大谎言。我认为这样，你就找到了一个很好的治疗办法，而且你关于自己财务未来的谎言，或许有朝一日就会变成现实。

如果有足够的勇气，你也不必等到自己情绪低落的时候。你应该尽快找一个可靠的朋友或喜欢的人，请他们让你说出自己关于未来财务发展的离奇谎言。正如我所说的，这样做很有乐趣，而且你今天所说的谎言将来都有可能成为现实。

本垒打之王

问题在于，你的未来现在还没有变为现实。不如根据现在或者自己向往的去说谎，而不是根据你担心出现的事情说谎。很多人在考虑改变自己财务未来的时候，往往设想的是最坏的情况，而不是最好的情况。关于未来的最好或最坏的设想，至少依照前面那位精神医师的说法都是一种谎言。伟大的棒球手巴伯·鲁思有一个习惯，拿起球棒直击本垒打围栏。他总是说：“我总是打防守区。”尽管他出局的次数远比别人多，但还是坚持这样做。他永远都把他的球棒指向远处的防御区。如今，他是著名的本垒打之王，而不是出局最多的球员。

挥之不去的梦魇

小时候，我们很多人可能都有过这样的经历：夜深人静的时候，忽然想像床下或者壁橱里藏有一个鬼怪。当所有的灯光熄灭之后，我们还不敢入睡，总是担心想像中的这些鬼怪出现。长大成人之后，当年很多心目中的鬼怪就被收款人或者一些尚未发生的可怕财务灾难所取代。不论是鬼怪还是收款人，带来的结果都一样。我们晚上常常被惊醒，担忧那些我们并不应该担忧的事情。我们还常常为一些并没有发生而且也许永远不会发生的未来的财务灾难担惊受怕，神情沮丧。

因此，我们早晨起床不是像伟大的棒球手巴伯·鲁思那样直接击打本垒打围栏，而是为了工作劳碌奔忙，用宝贵的时间换来菲薄的收入。常常为一些想像中的财务灾难所困扰，惴惴不安地问自己："如果这个发生了怎么办?""如果那个发生了怎么办?""如果那样又会发生什么?"如此等等。我们的年龄也许已经不小了，但是小时候惊吓我们的心灵中的鬼怪却并没有消失，而且还在不断掠走可能的美好生活。因此，对于那些勇敢面对挑战，敢于将棒球杆指向远处围栏的诚实的人来说，有关未来的谎言就无比宝贵。

富爸爸说过："我们都有碰见好运或厄运的时候。不成功的人无所事事，也就不会遇到好运或厄运。不过，如果你什么都不敢做，被恐惧束缚了手脚，就不会有任何好运。成功的人勇于行动，直面人生中遇到的各种问题，懂得经过努力可以将厄运转化成好运。"

一天，有记者问我是如何克服对失败的畏惧的，以及我成功有什么秘诀。我想了想，用一句话回答："富爸爸教我将厄运变成好运。"为了追求好运，就要像婴儿学步那样积极寻找梦想的生活，而不是整日生活在想像灾难的恐惧之中。不要让那些可怕的鬼怪继续占据自己的梦乡，应该像伟大的棒球手巴伯·鲁思那样，告诉人们关于自己辉煌未来的"谎言"。

一个重要的提示： 务请记住，这个秘诀并不是说你可以故意欺骗别人，掩盖事实真相。我从来不允许这种做法，上述建议仅仅是对那些诚实的人而言的，并不包括那些谎话连篇的人。如果你是一个经常说谎的人，那就请你先向专家请教，开始学习说真话，而不是继续说谎。

另外12个秘诀——本书所讲方法的摘要及其他

在本书导言中，我曾经承诺要为大家提供一系列方法，让每个人都可以有更多机会做到年轻富有地退休。大多数内容前面已经讨论过了，但是我觉得，一个简明的总结仍然是有必要的。

有一些方法曾经大大帮助了我能够年轻富有地退休，我相信它们同样适用于你。一定要记住，年轻富有的退休主要是一个心智的过程，而不是一个劳作的过程。一旦思想和心灵开始了那个旅程，其他方面就会紧紧跟进。

秘诀1　决定。每天起床后，我都要考虑自己想成为怎样的人？我问自己，今天想按照穷人环境、中产阶层环境，还是富人环境生活？

务请记住，一个有着穷人环境的人，常常会这样说："我永远也不会富裕"；一个有着中产阶层环境的人，常常会这样说："工作稳定是非常重要的"；一个有着富人环境的人，常常会这样说："我需要不断提高自己的财商，以便能够少工作多赚钱。"

秘诀2　寻找一个朋友或者愿意与你同行的爱人。我懂得，如果没有金以及像拉里·克拉克这样的朋友，我就不会有今天的成功。一定要找这样的朋友，他们不断向你提出更高的要求，而不是告诉你为什么做不了自己想做的事情。

选择合适的朋友或生活伴侣对于一个成功的人生非常重要，如果你的朋友或家人不愿提高自己财商，那么不论赚到了多少钱，你的生活都将只能是一个漫长的财务奋斗过程。

秘诀3 寻找能干的顾问，开始建立自己的财务团队和法律顾问班子。务请记住富爸爸所说的：“最昂贵的建议，就是那些来自于正为财务问题苦苦挣扎的亲友们的免费建议。”富爸爸后来进一步扩大了给你带来昂贵建议的人的范围，其中包括一些财务顾问，他们鼓动你去做自己也没有做的事情，购买自己也没有投资的产品。当然，选择合适的人是一个非常重要的技巧，人可以是资产，也可以是债务。

富爸爸有一天告诉我说：“如果你的车子坏了，就去请一位有经验的技师修理。等你回来重新开起车子的时候，你心里就会明白那位技师手艺的好坏。对于那些所谓的专业财务顾问来说，最大的难题就是：判断他们是否称职往往需要经过若干年。如果你在25岁的时候采纳了财务顾问的建议，等到65岁时才发现那是个坏建议，会发生什么？你不可能像将坏了的车子那样带回技师那里，将自己糟糕的财务生活带回到财务顾问那里。说实在的，我对很多财务顾问的信赖还不如对汽车技师和二手车销售员的信任，因为我很快就可以看清后者工作的结果。很多人在生命结束的时候仍然贫困或者属于中产阶层，就是因为他们花在挑选一辆二手车上的时间，远远多于寻找一位能干的财务顾问的时间。”

关键要非常慎重地对待每一条建议。花时间寻找一位好的财务顾问，付给他们的佣金也许正是你一生最好的投资。

秘诀4 确定退休时间。与你的爱人、顾问坐在一起，确定你提早退休的时间。就像棒球手巴伯·鲁思那样，直接击打远处的围栏。如果你真正这样去做，而且与这些人一起讨论制定退休计划时间，你现在的环境就会与未来的环境发生冲突。这是一个重大的、十分有趣的过程，你一定会看到很多不同的现实和不同的环境。

每个季度与你的团队举行一次会议，继续讨论提早退休的时间问题。

秘诀5 一旦确立了提早退休的时间，就将计划写在一张纸上。然后，将这张计划贴在冰箱上，让自己每天都可以看到。在实施计划过程中，注意不断修正和更新计划，并且从中学到的东西。

我和金、朋友拉里在冰雪覆盖的惠斯勒山上度过了一周，那次提出的计划改变了我们生活的方向。关键在于，今天的贫穷并不意味着明天一定贫穷。快速致富而且长久地拥有财富，需要制定一个计划，并且每天坚决执行。我和金近10年来，坚持每天检查计划的执行情况。正如我所说的，我们现在的问题是钱太多了，很难找到明智的花掉这些钱的途径。这或许也是个难题，但是我乐意遇到这个难题，并且希望大家都会遇到这个难题。

秘诀6　准备早日退休的晚会。将晚会准备得丰盛豪华些，因为一旦你提早退休，金钱已经不成为问题。即使没有完全达到目标，在这个过程中你也会享受到无限乐趣。而且，或许你应该提早动手规划那场提前退休晚会。

秘诀7　每天观察一场交易。切记，出去购物不会花费什么。关键在于每天都买些东西，每次至少用10分钟，以提高自己财商。也许还会更简单，比如阅读报纸上的一篇财经文章，即使你不大感兴趣，也将对增加你的词语有所帮助。你也可以在车上或健身房，听听财经类磁带或CD。至少每年参加一次财务知识培训班。如果你不想支付参加培训班的费用，那就注意阅读本地报纸的财经专栏，从中也能发现不少免费的投资培训班。即使没有学到什么东西，你也一定能遇到很多像自己一样的朋友。

秘诀8　切记，任何市场都有三种主要走势，也就是上涨、下降和盘整。有时候市场的上涨、下降和盘整周期超过了好几年，有时候还不足一分钟。也就是当有人建议你“投资长线项目”时，一定要问问那是什么原因，要请他们做出详尽的解释。很多投资顾问都是简单重复自己销售经理的论调，根本没有进行过思考，所以很难解释清楚曾经讲过的话。

如果你想快速致富，一条最好的路子就是预见并抓住未来走势的转变。人们经常所说的“在恰当的时间、地点”完成某件事情是非常有道理的。如果每天观察那些交易，就能更好地预知变化，在恰当的时间、地点增大把握机会的能力。比如，如果你1991年进入股市，在技术类股票上大量投资，那么现在你就一定很富裕了。但是在市场呈下降走势的2000年3月，如果不改变战略，你将损失所有过去的收益。如果在2000年3月改变战略，你可能在市场呈下降走势的时候更快地赚钱，增加自己的财富。那也就是说，如果你想快速致富并且长久地拥有财富，你就必须注意市场发展走势，提早制定应对三种发展走势的方案。我遇到过很多人，他们在一种市场走势下赚钱，但当市场走势发生变化的时候就很快陷于破产。

高买低卖

2002年6月的《福布斯》杂志刊发了一篇很有趣的文章，标题很长：

> **高买低卖：如果你做的与分析师所讲的刚好相反，那么他们就算得上是伟大的财务顾问。**

文章中写道：

> 四位加利福尼亚大学教授的最新研究成果表明，去年人们购买分析师极力推荐的股票可能会赔钱，但如果你买了他们推荐卖掉的股票，可能赚到不少钱，甚至能获得38%投资回报。

《财富》杂志2001年7月16日刊发了一篇题为“华尔街是否急需改革?”的文章，作者肖恩·塔里似乎赞同这个观点。他说：“在6月一个湿热的清晨，来自路易斯安那州的共和党议员理查德·贝克尔，开始了一场震撼人心的国会听证会，他用熟悉的节奏质问：‘华尔街是怎样盘剥普通人的?’在演讲中，贝克尔诉说了对华尔街新贵——证券分析师盘剥普通投资者的愤怒。”

在我看来，大多数证券分析师和财务顾问还不是专业投资者。他们不懂一个专业投资者应该懂得的东西，因此他们的很多投资建议或许对普通投资者有好处，但对于专业投资者来说，可能就不好，尤其是当你希望尽快致富并长久拥有财富的时候。

一个专业的投资者懂得市场走势是自己的朋友，没有人强大到

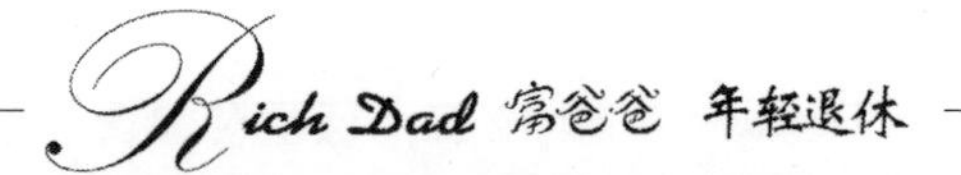

足以抗拒这种市场走势。小时候在海上玩冲浪，我们就非常重视海浪的细微变化。常常也有一些外来的旅游者，他们以为在哪儿游泳都一样，结果就在海里出了问题，有些人甚至溺水身亡。应该像尊重海浪力量的冲浪者一样，大家也应该尊重市场走势。如果想及时追踪市场的走势和变化，那就需要将下面要讲的秘诀9牢记心中。

秘诀9　经常浏览我们的网站。我们向大家承诺会不断更新、丰富网站内容，使网站成为希望年轻富有退休的人的园地。

不久以后，我们将会有在线的现金流游戏推出，这样就可以在游戏中快速学习，而且可以遇到很多像你一样心怀梦想的人。可以玩我们的游戏，掌握如何应对市场走势的上涨、下降或盘整的变化，争取在任何市场走势下都能赚到钱。

当有人对你说“投资长线项目”，那你不妨问问他们：长线项目到底指的是什么？对于普通投资者和专业投资者，长线项目具有不同含义。如果你想快速致富并长久地拥有财富，你就不能仅仅做一个普通的长线投资者，而是应该接受很多教育和培训，成为一名专业投资者。这也是我鼓励大家经常浏览富爸爸网站的原因。让大家随时拥有当今世界上最充满乐趣和教育意义的财务培训，这是我义不容辞的使命。

如果你不打算步父辈后尘，终生劳碌奔忙，那么就请先来我们的富爸爸网站看一看。如果完全顺从父母关于金钱的建议，往往存在一个问题，那就是技术和财商的变化远远超过了很多人的变化。今天，如果你能与技术和财务知识的变化保持同步，就有可能快速致富并长久拥有财富。比如，在期权领域，现在就有名叫“knockout options”的新期权出现，它们的速度远远高于目前的标准。很多美国人并不了解这个业务，因为它们是由外国人发明的。在未来几年，很多新奇的期权交易模式将陆续进入金融市场。务请记住这一点，正如在科学技术领域不断取得进步一样，人类在财务知识上也将取得长足发展。这也预示着快速安全的致富将会变得越来越容易。如何抓住这些机遇，要求人们不懈努力、勤奋学习，并寻找好的投资顾问。这也是你需要与时代同步并经常浏览我们网站的原因。

老手也能学会新手段

也许你已经猜到了，我喜欢《福布斯》杂志，因为这份杂志面向全世界商业人士和投资者。在2001年5月的“福布斯的世界”专辑中，有一篇关于约翰·坦普尔曼的文章。约翰·坦普尔曼是著名的投资家，他在世界范围内投资那些价值被低估了的股票，然后慢慢等着它们升值。文章的题目是“老手新手段”。文章介绍说，即便像约翰·坦普尔曼这样的股市常胜将军和资深投资者，也学会成为一个机灵的商人去投资熊市。文章讲到在2000年，他如何放弃长期主张的长线项目，转而投资短线项目，这对他来说是个新投资方式。在这一年之中，他赚了8600万美元，学会了一种新的投资方式。正如富爸爸所说：“金钱其实就是一种思想观念。”在今天这个时代，大家都需要不断吸取新的思想观念。如果约翰·坦普尔曼能够在他88岁的时候改变自己的环境，那么你我也都应该能够做到。

在普通投资者听取自己财务顾问投资长线项目建议的时候，真正的投资者也正在改变战略，开始投资短线项目。成百上千万投资者听从所谓长线投资建议，最终损失了数万亿美元。这种事情还有可能再次发生吗？很有可能。那也就是说，如果你想快速致富并长久拥有财富，就需要审慎选择给你提供财务建议的人。

秘诀10　务请记住，词语是免费的。如果想快速致富，你就需要有富裕的词汇。有三种基本的资产类型，分别是企业资产、证券资产和房地产资产。每一类资产使用不同词语，就像使用各种不同语言的国家一样。如果你对房地产感兴趣，那就开始学习这类词汇或者行话。一旦学会了词语，与同行交流起来就要顺畅得多。

词语是我们人类最有力的工具，因而要审慎选择自己的词语，务请记住两种基本的词语类型。

第一类是内容的词语。比如，内部收益率就是一组重要的词汇群，尤其被那些使用了很多房地产杠杆的投资者所青睐，它就是一个内容的词语。

第二类是环境的词语。比如，当有人说“我将永远不能理解内部收益率”，他就是在描述自己内容词语的思维环境。

应该注意不断提高自己的内容词汇，观察自己的环境词汇。因为词语作为工具，它武装了人们最为强大的资产之一——大脑。因此，我建议大家不要再说诸如：“我买不了”、“我做不了”或者“我永远学不会”。应该有勇气扪心自问：“我怎样才能买下来”、“我怎样才会做”或者“我怎样才能学会”。

切记，形成穷人和富人之间巨大差异的关键在于他们词语的质量，财商的培养开始于自己的财务词汇。因此，一定要注意自己的词语，因为词语可以与你融为一体，并且决定了你的未来。如果你想快速致富并且长久拥有财富，以便自己能够年轻富有地退休，那么你的词语就相当关键，而选择什么样的词语是你个人的自由。

秘诀 11　谈论金钱。我最近在中国和日本访问期间，很多人前来对我说：“在东方文化中，公开谈论金钱是没有教养的事情，因此我们从不谈论金钱。”当我在美国、澳大利亚或者欧洲时，很多人感到同样困惑，他们说：“在家里，我们不讨论金钱问题。”

因此，致富的秘诀之一就是谈论金钱。如果你现在的朋友不喜欢讨论金钱，那就寻找新的朋友圈子。在我的一群朋友中，我们谈论金钱、企业、投资和存在的问题。我的大多数朋友也很富裕，而且从不认为谈论金钱是邪恶肮脏的。我与金经常讨论金钱问题，对我们来说，赚钱、致富、拥有丰富的生活方式是十分有趣的事情。我们喜欢享受金钱游戏，经常谈论金钱话题，就像很多人享受运动的快乐一样。由于我们将金钱看做共有的游戏，我们的婚姻也就更加稳固，更富有教育意义，并且充满乐趣，激动人心。金钱是全世界人们共有的话题，为什么不能谈论它呢?

秘诀 12　不用花钱也能赚取 100 万美元。我不需要一个稳定工作或者一份工资的原因之一,就是富爸爸曾经教育我不用花钱也能赚钱。

现在，我感觉最悲哀的事情之一，就是人们不懂得如何不用自己的资金也能赚钱。前几天，一位年轻女士申请在我的一家公司工作。她原来在一家跨国公司担任高级销售副经理，现在她的身份大大缩水，要求担任我们小公司销售副经理。在面试中，我请她为公司准备一个媒体宣传预算。三天后，她带着一份价值160万美元的预算来见我。

“160万美元，”我大吃一惊，“那可是一笔大数目。”

“我知道，”她用大公司的口吻不屑地说，“但是如果最终想得到自己想要的结果，你就必须花掉这么多。”

“我愿意花那么多钱，”我接着说，“但是，在我同意这个预算之前，请你告诉我如何用16万美元甚至不用一分钱就能达到同样的结果。”

“噢，你做不到这一点，”她再次用近乎傲慢的口吻说，“你必须用钱去赚钱。”

不用说，她没有得到我们公司的这个职位，因为我们显然来自不同的现实或者环境。作为一个企业家，我几乎在正式的广告宣传中没有投入一分钱。在公共关系上虽然有些投入，但是我们没有在正式广告上花钱。当你观察富爸爸网站的成功时，就会注意到那种成功是世界性的，销售额有好几亿，正式广告没有投入1美元（或许有一天，我们将会专门出书介绍自己的做法）。不过，那种成功是由于富爸爸教育过我们，告诉我们如何不用花钱赚取数百万美元。

我悲哀地看到，很多大公司的高薪经理人只知道如何花掉大笔钱，却不真正懂得如何赚取很多钱。在担任一些上市公司的董事期间，我看到很多经理人就像20世纪90年代的许多网络公司一样，大把花掉投资者的钱，却没有带来什么利润。

富爸爸常说：“企业家与官僚之间有很大区别。大多数人都更像官僚，因为我们现有的教育方式训练人们成为这样的人。企业家必须懂得两者的不同，很多官僚梦想成为企业家，但最终往往难以如愿。”富爸爸说：“如果让官僚成为企业家，他们也仅知道如何赚钱。企业家却不是这样，他们懂得不花钱也能赚钱。”

几个月前，我与一位大型国际出版集团的经理会面，他刚刚听过我关于企业家和企业发展的演讲。他直盯着我说道：“我永远不会富有，因为赚钱所用的资金太多。我有一个2000万美元的广告预算，我想让每一美元都能带来我想要的销售额。”那时我就明白，为什么说他是一个大公司的官僚，而不是一个企业家。他的现实将永远把他的思想观念固定在那里。

我还悲哀地看到，一些小公司的企业家因为不懂得如何不花钱而赚钱，导致公司很难得到发展。富爸爸说："婴儿型企业与小企业有很大区别。婴儿型企业有成长为B象限大企业的潜力，小企业或许也有利润但是没有发展成为B象限大企业的潜力。"富爸爸接着解释说，两者的区别不在于企业，而在于企业家的思想观念。一个经典案例就是麦当劳兄弟和雷·克罗克的故事，雷·克罗克将麦当劳兄弟的不起眼的汉堡包公司改造成一个非常巨大的世界性企业。

雷·克罗克是一个推销泡沫牛奶搅拌器的雇员，最初属于E象限。他购买了一个属于S象限的企业，将它逐步转化成属于B象限的企业。那就是我正在与大家分享的这个简单过程的巨大力量，这个简单过程在普通基础上就可以做到，也无需花费什么，但是却可以让你超乎想像的富有。

因此最后一个秘诀就是，与你的爱人和朋友一起讨论并经历"大脑风暴"，找到一个想法，并且将那个想法转化为成百上千万美元，而仅仅动用很少甚至不动用资金。整个过程可能就像去健身房舒展筋骨，这类经常性活动可以锻炼你的思维，为将来的发展做好准备。

在遇见金之前，我和拉里常常去施乐公司办公楼下的咖啡屋里坐坐。往往花掉好几个小时，喝掉好几杯咖啡，提出不用钱就可以赚取数百万美元的一些创意。我们提出的创意中有一些确实很有见地，有一些却不怎么好，而更多的是一些很愚笨的想法。这些创意包括T恤衫、木制智力玩具、夏威夷糖果等旅游产品，还有财务通讯产品等等，大多数创意没有最终落实，但是却给了我们重要的思维训练。我们最后落实的项目是用尼龙和维可牢拉链制作的"冲浪者"牌钱包，这给我们带来了数百万美元的收入。不幸的是，我们没有采取有效行动维护这个创意，最终在竞争中落败。

我在前面曾经提到过，可口可乐公司的总资本是80亿美元，但是可口可乐这个品牌的价值接近800亿美元，几乎是总资本的10倍。那是怎样做到的呢？可口可乐不遗余力地在世界范围内保护自己的知识产权，结果使可口可乐品牌具有了震撼人心的品牌价值。

"富爸爸"仅仅是三个字

让我们看看一个成功的词语——富爸爸，它其实仅仅只有三个字。

当我和金遇到莎伦·莱希特并在1997年开办我们的现金流有限公司时，"富爸爸"这个词仅仅是毫无意义和价值的三个字。

到了今天，"富爸爸"价值已经达到了成千上百万美元。怎么会发生这样大的变化呢？主要是我听从了迈克尔·莱希特的意见，他是莎伦的先生，也是我们知识产权方面的律师。（正如一些人已经了解到的，他介绍我们和莎伦相识）。我们找了一个时间，与他坐下来制定了一个建立知识产权资产的战略。在他的指导之下，我们认真执行了那个计划，创造和保护了自己的知识产权。我们确保了自己发明的专利权，制作并保护影响巨大的"富爸爸"和"现金流"商标，以及获得世界公认的外观专利（紫色、黑色和金黄色）。最初的商标申办费不足1000美元。明年，当我们在网上开通现金流游戏时，商标价值可能接近10亿美元。我们的经验表明，其实赚钱几乎可以不用钱。

如果大家想进一步了解不用钱也可以赚钱的知识，不妨阅读迈克尔·莱希特的书——《保护你的一号资产：从创意中创造财富》，由华纳出版公司出版。迈克尔是获得国际认可的资深知识产权律师，曾经帮助无数人从自己的创意中发现财富。正如他自己所说的："他设置栅栏，攻击偷盗者"，以保护知识产权。迈克尔还常常说："人人都有一个百万美元的创意，不幸的是只有极少数人采取行动保护那个创意。如果不保护那个创意，就不可能从中得到上百万美元。"投资10美元购买迈克尔的书，可以帮你懂得如何从自己的创意中寻求财富。

本章小结

大家都知道，大脑是人类目前最没有被充分利用的资产，还有大量的潜能尚待开发。富爸爸常说："懒汉想着快速致富，成功人士希望尽快获取财务智慧，并且变得越来越智慧。"关键在于，如果你想年轻富有地退休，但却没有多少金钱、教育和经验，那就注意开动自己的大脑。在我的现实中，致富需要的不是资金，而是思想和精神的力量。如果你愿意，上述所有的秘诀都可以供你参考。

第三部分小结：你已经成为了一名专家

或许你已经意识到了，决定你富有或者贫穷的不是你所做的事情，而是你的外围环境。因此，当有人问我怎样做和怎样投资的问题时，我总是回答，"请不要问我怎样做，要问我如何思考自己所做的。"比如，很多人投资股市，但是只有很少一些人致富。在投资房地产或者建立企业的时候也是如此。两者的区别在哪里？我认为决定性因素在于行为或内容的外围环境。曾经有人对我说："房地产是一个糟糕的投资领域，我在那里从来没有赚到过钱。"在我看来，房地产并不是一个糟糕的投资领域，其实是因为那人是个糟糕的投资者。一个拥有富爸爸环境的人，有可能将一个不好的投资项目变成一个富有的投资。事实上，那也正是许多富有的投资者所做的。

"所有的债务都是好的"

在债务问题上也是如此。大多数人明白如何借债，不少人更是借债专家。问题在于，他们陷入了债务困境之中，并且变得更加贫穷。很多人将自己的优良债务变成不良债务，正如富爸爸对我所说的：“所有的债务都是好债务，但并不是所有人都懂得如何利用债务，因此他们往往将优良债务变成不良债务。”

如果想致富，你首先需要改变自己的环境。正如富爸爸所说：“大多数人已经明白如何借债，问题是他们不懂得如何利用债务为自己服务。如果有人想利用债务致富，那么他首先需要改变自己的环境，然后利用债务变得非常富有。”如果不能改变自己有关债务的穷人或中产阶层的环境，那么对你来说最好的办法就是销毁信用卡，尽快付清房款，然后努力存钱。

如果你想年轻富有地退休，首先必须改变自己的环境。因此，我建议大家有时间来翻翻这些秘诀，不断改善自己的环境。如果你拥有一个富人的环境，无论做什么你都将变得越来越富有。如果你拥有一个穷人的环境，无论你学什么或做什么，结果都将注定是穷人。切记，不论做什么事情，你的环境或者认为真实的事情决定了自己的现实。正如富爸爸所说的“债务并不一定使你更加贫穷，不过，一个穷人或中产阶层的环境却可以做到这一点。”

免费赠送

如果你想单独收听我个人关于这些秘诀的讨论，敬请登录我们的富爸爸网站。如果你想年轻富有地退休，那么我们的网站就是为你而准备的。如果你因为工作安稳、投资风险太大或者收益太低而想辛劳工作终生，那么我们的网站肯定不适合你，也只好让你另请高明了。

第20章

最后的测试

如果你有足够的勇气，不妨来试着回答以下选择题。在下一次晚会后，或与同事共进午餐，或者与朋友家人在一起的时候，都可能被问及的这些问题。之所以采用选择题的形式，是因为可以从每个人的不同回答中观察到关于金钱的不同现实。

如果给出足够的时间，让人们充分回答每一个问题，你将听到有关金钱和个人生活的各种不同的现实、理由、托词、谎言、假设和其他心理呓语。你或许会听到这样的回答："多么傻的问题!""他认为他是谁?""你不能那样做。""那是不可能的。"和"我喜欢我的工作，我将永远不会停止工作。"不论你是否同意他们的回答，或是对问题本身有什么评价，你所要做就是仔细观察他们有关金钱和个人财务生活的现实。如果你有勇气向爱人、朋友或同事提出这些问题，那么愿你有好运。如果你和其他人做这个练习，我想你将发现个人现实对其财务状况的巨大影响。下面就是这些问题：

你想过上哪种生活——两种现实的比较

1. 如果你拥有世界上所有的金钱，并且不用再工作，你将怎样打发自己的自由时间？

2. 如果你（与配偶）停止工作，你的生活会发生什么变化？现在的生活标准和生活方式还能维持多久？

3. 如果现在还没有退休，你能在多大年龄退休？你想早点退休吗？退休以后，你的收入会增加还是减少？

4. 你愿意过一种无需工资的生活，还是愿意过不断工作和争取更高薪水的生活？你愿意成为一个受雇佣者还是雇佣者？哪一种是你现在的主要生活方式？

5. 你想去过一种因为钱太多而设法花钱的生活，还是想去过一种终生辛苦工作、努力储蓄的生活？你现在过的是哪种生活？

6. 你想去过一种无需辛苦工作挣很多钱的生活，还是想去过为了赚更多钱而辛苦工作的生活？你现在过的是哪种生活？

7. 你认为投资是冒险吗？你认为需要用钱赚钱吗？你想能够不用资金和冒险就得到高额回报吗？你是否愿意用别人的钱投资？

8. 除了你的家庭成员，与你共处时间最多的六个人都是谁？他们怎么看待金钱？他们是富人、穷人还是中产阶层？在这六个人中，多少人能年轻而富有的退休？现在是你结交新朋友的时候吗？

9. 你想通过创建或购买自己的资产而致富，还是想追求工作安全和稳定工资？你现在过的是哪种生活？

10. 如果给你10亿美元让你辞职，你愿意吗？如果10亿美元比你手头的工作重要，那么为什么不寻求10亿美元呢？什么东西让你犹豫不决呢？如果你不愿意为了10亿美元而辞职，那是为什么呢？有了10亿美元，你能比现在做得更好吗？

11. 你愿意过一种无论股市涨跌都能赚钱的生活，还是愿意过一种整天担心股市暴跌或赔钱的生活？你现在过的是哪种生活？为什么？

12. 在金钱方面，如果可以做别的事情，那你会做什么事情？如果你可以做别的事情，为什么不去做呢？

只要你有足够的勇气，我才能提出这些问题，因为经过讨论后，你或许会失去朋友，不得不重新寻找新的朋友。如果你发现自己的家庭、朋友、同事并没有来自你所向往的环境，那么就来富爸爸网站来寻找理想的朋友。至少，通过这12道测试题可以看到很多饶有趣味的讨论。最重要的是，当谈及金钱的时候，你将看到迥然不同的现实、不同的世界和不同的人。正如富爸爸所说："金钱仅仅是一个思想观念。"当问到上述12个问题的时候，你会发现很多不同的思想观念和现实。

在这个测试中，最为重要的事情就是倾听不同的思想和现实，然后决定自己希望看到的那种现实或者财务生活。因为有了富爸爸、穷爸爸，让我看到两个截然不同的世界，我就自然选择了自己向往的世界。现在这些选择摆在你面前，如果你问家人和朋友上述问题，就可以得到他们的想法。听了他们的想法之后，你就会做出更好的选择。

共享你得到的答案

登录富爸爸网站，与大家共享你所得到的有关这些问题的回答。在我们的论坛上，你或许可以看到更为幽默、可笑、风趣或新奇的回答，也许还能遇到自己未来的商业合作伙伴，或许将来会比你的朋友甚至比尔·盖茨更为富有，这样你就可以年轻而更加富有的退休了。

Section 4

第四部分　起步的杠杆

富爸爸说：“第一步决定了你希望生活在哪一个世界中，你是想生活在一个穷人的世界，中产阶层的世界，还是一个富人的世界？”

“是不是大多数人最先选择生活在富人的世界？”我问道。

“不，”富爸爸回答说，“大多数人梦想生活在富人的世界，但是他们没有走出具有决定意义的第一步。一旦做出决定，而且如果你真正做出了决定，那就再也没有退路。在你做出决定的那一刻，你的生活将会彻底改变。”

第21章

持之以恒　不断进取

经常有人问我：“在你和金做出争取年轻富有的退休的决定后，你们怎样保持不断进取？你们如何克服困难，在身处逆境时又不轻言放弃？”很多时候，我的回答其实都是一些很老套的话，比如决心、眼光和坚强的意志等等。之所以用这些陈词滥调搪塞，是因为我很少有时间像在本书中那样做出解释。既然大家已经阅读了本书的绝大部分内容，而且希望理解大部分内容，那我就在此与大家进一步分享促使我们不断进取的真实原因。

富爸爸让我阅读的两个内容更为深刻的童话是刘易斯·卡罗尔的作品：《爱丽丝漫游仙境》和《爱丽丝镜中奇遇记》。两个故事都经历了不同世界的旅程，在《爱丽丝漫游仙境》中，爱丽斯跟随白兔深入洞穴来到了另外一个世界，这个世界让我想起了现在的金融服务业。在《爱丽丝镜中奇遇记》中，爱丽斯再次来到镜子后面的另外一个世界。她发现“镜子书”除非被拿到镜子跟前，否则不能阅读，这又让我想起了财务报表。不过，对于富爸爸来说，这两则童话故事的意义在于，它们说明了从一个现实到另外一个现实的转换。富爸爸说：“问题在于，大多数人仅仅生活在一个现实之中，而且常常认为自己所在的现实是惟一的现实。”

回答一个经常遇到的问题

很多时候，当有人问道："究竟是什么东西让你和金不断进取？当你们没有钱、失业或者不断损失资本的时候，你们怎样做到了不断进取？"我的回答往往也是一些历经了检验的简单道理，我们常常说："那需要决心"，"我们明白自己没有退路"，如此等等。不过，这些人们常说的套话并没有完全揭示事实的真相。开始时我很担心，也不愿意作出真实的解释，因为它们超出了多数人的现实，所以我常常很少讲什么。

在几周前的一次培训课上，我有时间较全面地介绍自己和金不断进取的原因，我愿意将那天所讲的与大家分享。当然，那还不能算作我们如何不断进取问题的全部答案，但是我想应该对大家有所帮助。

那时培训班已接近结束，一个学员举手问道："在你们经历的最黑暗的日子里，是什么东西让你们继续进取？我想听到真实的原因，而不是你到目前为止告诉我们的那些。"

问题的答案

听到他的提问，我思考了一会儿，最后决定说出激励我们不断进取的直接动因。这个话题自然要从很多年前说起：

"在我二十多岁的时候，富爸爸用一个提问开始了给我上的一课。那次上课和谈话已经过去了好多年，富爸爸也已经去世，但我还是常常回忆那堂课，并寻求进一步的答案。"

一个没有风险也不需要资金的世界

"如果有一个没有风险也无需资金就可以致富的世界，那你会做什么？"富爸爸问道。

“没有风险也无需资金?”我重复了一遍，不明白富爸爸怎么会提出这么奇怪的问题。“这样的世界根本不可能存在，为什么问这样一个问题?”我反问道。

富爸爸让我坐下来考虑一下自己的回答，他的沉默提醒我要仔细倾听自己的回答，并且有时间重新思考。等他明白我在思考如何回答后，他问道：“你确信这样的世界并不存在?”

“一个没有风险也无需资金就可以致富的世界?”我困惑不解，极力想确定我们讨论的是同一个问题。我满脑子能听到的都是穷爸爸常说的那些话，比如“投资充满风险”、“赚钱需要资金”。

富爸爸点了点头，注视着我说：“是的，如果存在这样一个世界，你可能会做什么?”

“好呀，我当然希望能找到这样一个世界，”我说，“但是必须首先存在这样的世界。”

“为什么这样的世界不会存在呢?”富爸爸问道。

“因为那不可能，”我回答说，“一个没有风险也无需资金就可以致富的世界，将会是怎样的世界?”

“如果你已经认定不可能存在这样的世界，那么它就不会存在。”富爸爸轻轻地说道。

“你认为存在这样的世界吗?”我反问道。

“那不是我怎么认为的问题，重要的是你怎么认为。如果你认为不存在这样的世界，那就可能不存在。我本人怎么认为都是无关紧要的。”富爸爸回答说。

“但是，这样一个世界的确是不可能有的，”我再一次重复道，“我知道那是不可能的，投资一定会有风险。”

“这样的世界并不存在?”富爸爸耸了耸肩，一副很无奈的样子。他说：“如果你认为那是不可能的，那它就是不可能的，”富爸爸稍稍提高了声音，显然刚才的谈话让他有一种挫折感。他接着又说：“认为这样的世界并不存在的原因就在于，你现在仍然固守着自己父辈的现实和观念。而固守着自己父辈的现实和观念的原因在于，你是在那样的环境中成长起来的。除非你乐于改变自己的现实，否则我很难教给你什么东西。我可以给你越来越多的如何致富的答案，但是如果你固守自己家庭关于金钱和生活的认识，我的回答就没有任何实际作用。”

“但是没有资金也没有风险？请继续讲吧，”我说，“这会是真的吗？没有人会相信有这样一个世界存在。”

“我知道，”富爸爸说，“因而很多人坚持工作安稳，而且常常设想投资充满风险，只有用钱才能赚钱。他们从来没有怀疑过自己的这种设想，也从来没有挑战过自己的设想。而且他们认为自己的设想正确无误，从来没有考虑过是否还有另外一个现实或设想。如果不能首先质疑这种源于自己观念的设想，你就不可能变得更加富有。正由于此，只有极少数人最终富有，或真正实现了财务自由。不过，你到现在还没有回答我开始提出的问题。”

“又在重复那个问题！”我喊道，感到有些沮丧。

“问题是‘如果有一个没有风险也无需资金就可以致富的世界，那你可能会做什么？’”富爸爸缓慢有力的重复了一遍那个问题，尽力想捕捉我对这个问题的反应，因此我可以很清楚地听到那个问题。

“我仍然认为那是一个很可笑的问题，不过我还是要说一点什么。”我回答说。

“为什么你说那个问题很可笑？”富爸爸问道。

“因为那样的世界并不存在，”我忽然激动起来，“这是一个无聊的问题，白白浪费时间。我为什么要回答或者思考这样一个问题？”

“好的，”富爸爸说，“我找到了自己所要的回答，我也听到了你潜在的设想。对你来说思考这样的问题是浪费时间，因此你也不愿意为这样的问题烦恼。你已经设想这样的世界并不存在，所以你认为质疑自己的设想纯粹是浪费时间。你认为这样的世界并不存在，你也就不想思考这些问题。你仅仅想思考那些自己经常思考的方法，你很想致富，却整日生活在担心损失金钱，或生活在自己没有足够资金的思想中。对我来说，这是一个很奇怪的现实，但是我能接受你的回答。我理解你的设想，因为那是非常普遍的设想。”

“不，不，”我反驳说，“我要回答你的问题。我刚才仅仅是想问你是否认为存在那样一个世界?”我抬高了声音，抑制住内心的怒气。

富爸爸静静地坐着，再次没有回答我的问题，显然他想让我听听自己的心声。

“你想让我相信存在那样的现实吗?”我激动地说。

“让我再重复一句，那不是我怎么认为的事情，而是你怎么认为的问题。”富爸爸回答。

“好，好，好，”我说，“如果存在这样一个没有风险也无需资金就可以致富的世界，那么我的富有可能就超出了自己最大胆的想像。我就不会有任何恐惧，无需‘没有资金或者可能失败’等各种借口。我将生活在一个无限富足的世界，在那里我可以拥有各种自己向往的东西。我将生活在一个截然不同的世界，不同于自己成长的世界。”

“如果存在这样一个世界，那么能够亲历该有多么珍贵?”富爸爸问道。

“当然，”我大声说，“哪个人不愿意亲历这样一个人生呢?”

富爸爸只是微微耸了耸肩，并没有说什么，显然他又想让我回味自己刚刚说过的话。

“你认为存在这样一个世界吗?”我再一次问道。

“这由你本人决定，你可以决定到底存在什么样的世界，别人不能越俎代庖。多年以前，我自己已经回答了这个问题。”

“你最终找到了自己的世界吗?”我问道。

看来富爸爸不想回答任何问题，他又提了个问题：“你还记得《爱丽丝镜中奇遇记》的童话吗?”

我点了点头。

“多年以前，我也曾经穿过了镜子。如果相信这样的世界存在，你也可以决定穿过镜子。不过只有相信这样的世界存在，才可能开始这个旅行。如果你认为这样的世界并不存在，那么你看到的只能是一面镜子，并且永远只能站在镜子的前边，与镜子中的另一个你面面相觑。”

我在培训班上的回答

当我与培训班上的学员们共享上面这个故事时，屋子里静悄悄的。我不知道自己的回答是否有意义，但是无论如何，我已经给了他们故事后面的故事。我开始回答自己的问题："那就是我致富历程的开始，那次与富爸爸的谈话结束后’我的好奇心变得很强。多年来我一直思考他讲过的话，越思考越感到他说的可能性很大。在我三十出头的时候，我明白应该扩展自己的现实了，明白跟随富爸爸学习的日子已经结束，他再也不会教我什么东西也不会给我什么答案了，直到我决定改变自己的现实，开始自己的致富历程。在这之前，任何回答都没有用。我需要有一个全新的广阔的现实，正如富爸爸所说的，到了我离开鸟巢的时候了。我不知道这样的世界是否存在，但是我希望它存在。一旦我认为这样的世界存在，我就正式开始了这次旅程。有了这个前提，我就动身寻找这个没有风险也无需资金就可以致富的世界。我已经厌倦了呆呆地站在镜子前的生活，讨厌整天面对着镜子中的自己。这时，我决定穿过镜子寻找另外一个世界。"

屋子里还是非常安静，我似乎能感到有些学员已经接受了我们的观点，而另一些学员则准备反驳。忽然，有个学员举手问道："你认为存在这样的世界吗?"

我没有马上回答这个问题，而是继续讲述自己的故事："做出可能存在这样的世界的决定不久，我遇到了金，并且告诉她自己将要开始的旅程。很幸运的是，她愿意与我同行。她说：‘太好了，你刚才所讲的正好说中了目前我所面临的现实，一个终生从事一件工作的现实。我不喜欢自己现在的现实，想寻找一个新的现实。’"

那位向我提问的学员最后放下了手，仔细听我继续讲述："金是我遇到的愿意接受这种大胆设想的第一位女性。此前，我还曾经犹豫是否要告诉她，不过现在她打消了我的一切顾虑。而且，她还用了好几天时间，倾听我讲述自己认为可能存在那个世界的想法。我们的旅程开始了，不是为了金钱，更多是为了寻找另外一个不同的世界。因此，我忠诚地告诉各位，不是别的东西，而是对寻找另外一个世界的渴望激励着我们不断进取。”

“一旦我们作出了决定，我们就开始了穿过镜子的旅程。我们懂得，一旦开始了自己的旅程，就需要勇敢、谦逊、钻研、不断学习和及时学习，更重要的是坚持不懈地扩展自己的现实。因为我们知道这个旅程其实就是一种心灵和思想的旅程，与外部世界没有多大干系，所有的现实其实都在自己内心深处。在面对困难的时候，这种追寻另一个现实和另一个世界的渴望，使我们继续前行。一旦开始了这样的旅程，我们就明白已经没有回头路。可以说，正是寻找另外一个世界的梦想，激励着我们不断进取。”

教室里长时间陷入沉寂，直到一位学员高高举起了右手。她问道：“那你们最终找到了那个世界吗？请告诉我，你们是否找到了那个世界？如果那个世界的确存在，我也想去那里。我不想为了钱而工作 50 年，不想一辈子受金钱左右，不想一辈子生活在钱不够用的担忧之中。请您告诉我另外一个世界是否存在？”

就像多年前富爸爸对我说的那样，我停顿了好一会儿，以便让学员们能够有时间倾听自己的现实。“这只能由你自己决定，”经过了长时间寂静之后，我最终做出了回答：“不是我认为，而是你自己怎样认为的问题。如果你认为这样的世界应该存在，那么你就可以穿过镜子；如果你认为这样的世界并不存在，那么你就只能呆在镜子一边，与镜子中的另一个你面面相觑。在金钱上，你自己有权决定什么是真实的，以及想生活在哪一种现实之中。”

下课了，很多人还陷入深深地沉思之中。整理好公文包后，我再次面向所有学员说道：“感谢大家听讲！下课了，再见！”

结 束 语

1994 年秋天，我和金在斐济度过了一个长假。有一个朋友向我们推荐了这个小小的不为人知的休闲胜地，它位于一个偏僻小岛上。每天清晨太阳升起之前，就有一位饭店侍者来到我们舒适的茅草屋边，轻轻地喊道："你们的马已经准备好了！"

小岛就像人间天堂，静卧在湛蓝湛蓝、晶莹剔透的太平洋中。我们在岛上这样生活了五天，最终感到彻底放松下来了，更加适应岛上舒缓的生活节奏。自从我与金、朋友拉里坐在冰雪覆盖的惠斯勒山上制定我们实现财务自由的计划起，时间已经过去了九年。当我跨上马时，不禁想起了那个冰冷的山上所度过的日子。坐在马背上，又不禁想起现在与过去的生活是多么不同！我们不再忍受寒冷，不再忍受贫穷和身无分文的困窘煎熬。我们有了很多金钱，但是更为重要的是我们实现了完全自由，我们今后再也不必为了生存而去工作。

马儿沿着环绕着小岛的美丽沙滩缓缓前行。由于天色未明，我几乎看不见多少东西，但是随着马儿在窄窄的沙滩上踩出轻轻的脚印，依然能听到十几英尺外的大海的声音，感觉到大海的气息。小岛上泥土和热带植物的气息，与空气中微微的咸味儿混合在一起，令我不仅回想起在夏威夷度过的童年时光。骑在马背上的时间很短，但是回忆的岁月却贯穿了一生。

骑马半个小时后，侍者过来帮助我们下了马。在不远处可以看到，烛光在风中闪耀，导游轻轻拉着我们的手走向烛光。蜡烛所在的餐桌上铺着雪白的桌布，距离桌子十多英尺远的地方就是缓缓涨落的波浪。这也许是世界上最美丽的饭店，侍者让我和金坐在惟一一张桌子旁。等我们刚一落座，另外一位侍者手捧着金最喜欢的香槟酒走上前来，在摇曳的烛光中，我和金为我们自己，也为我们的旅程相互敬酒。在我的一生之中，从来没有感到自己是如此的爱我美丽的妻子，她伴我度过了人生最艰难的时光。我们静静地坐着，相互凝视着对方，我们一只手握住对方，另一只手举起酒杯，两人都轻轻地说："谢谢你！我爱你！……"

就好像得到了某种提醒，一轮红日从远处的海平线上喷薄而出，我们一下子感到了大自然无与伦比的力量。在我们的一边是慢慢显出身影的葱绿海岛，前方是纯净的白色沙滩，身后是高大苍翠的树林，早起的鸟儿在林中开始欢唱。沿着沙滩，将所有的东西联系在一起的是平静安详的蓝色大海，它以自己独特的方式向太阳致意。

当侍者送上了新鲜热带水果早餐，我们静静地坐在那里，看着太阳升出海面，慢慢照亮了我们周围的一切。除了侍者，那里就只有我们。周围显得分外宁静，除了大自然的声音。这里没有邻居、汽车、海滩漫游者，也没有嘈杂的音乐和手机。更为重要的是，这里没有公务需要处理，没有会议，没有各种最后期限，也没有预算。各种商业已经彻底远去，它们完成了自己的使命，现在已经出售一空。除了自由，我们回国后再也不会有任何麻烦。在那一刻，只有我和金，还有上帝无与伦比的杰作——美丽非凡的大自然。

就在太阳最终离开海面的时候，我的脑海中突然一怔。眼前的世界异常明亮，天地好像摇晃了一下，我也猛地一怔。就像一次小小的地震，突然穿过了我的身体和灵魂。我内心深处有了变化，经验提醒我再次放松神经。当温暖的阳光穿过海面照在我身上的时候，一种深深的感激从我的胸膛升腾起来，很快传遍了全身。不知不觉之中，我的环境已经发生了完全转变：我一步步穿过了“镜子”，可以清楚地看到全新的生活。我的热泪潸然落下，不是因为悲伤，而是深深惊叹于所有人身处其中的完美、慷慨、博大的大自然的奇妙！

慢慢地，我意识到在那么长的时间里，对金钱不足的恐惧和担心实际上阻碍了自己好好领略大自然的博大奇妙。我意识到自己的致富努力其实是个人战胜贫穷恐惧的过程。我也意识到为什么富爸爸常说：“正是恐惧使你成为自己的囚徒，正是恐惧将你锁进了自己的牢笼，而在牢笼里是无法领略上帝的博大精深的。”我的心绪再次回到了自己的年轻时代，也好像听到了富爸爸说：“我们常常以为自己孤立无援，只有奋斗才能生存。我们常常以为为了生存，需要努力做好自己的工作。常常有人教育我们适者生存，如果不能适应社会就无法生存。这些都是囚徒的思维方式，很多人就是被自己内心恐惧俘获的财务囚徒，因此他们紧紧抓住安稳这根细线不放，变得贪婪，为了一点小钱争斗不已，就像饿狗扑向一块无肉的骨头，而不是另外寻找财务自由。”

“寻找自己的财务自由其实很容易，你所要做的首先是确定上帝希望你做什么，接着就带着上帝赋予你的智慧和才能做他希望你做的事情。如果你真诚地去做，上帝的博大就会在你的身上显现。其实，生活并不仅仅是赚钱谋生，养家糊口。出去看看鸟儿、花草树木以及周围的大自然。鸟儿不用谋生，它和其他动物一样仅仅做那些上帝让它们做的事情。如果你相信上帝，做那些上帝让你做的事情，你将会永远感受到上帝的博大。”富爸爸还说：“你不必做鸟儿的工作，鸟儿已经做了那些工作。”他之所以这么说，是因为他看到很多人去竞争一个职位，而不是去寻找那些需要我们来做的事情。他说：“如果寻找到那些需要你们来做的工作，而且努力地去做，你就会领略到上帝的博大。”

我和金坐在沙滩的小桌旁又度过了一个小时。在我的一生中，这是我第一次理解了富爸爸的教诲。在这之前，我其实并没有完全理解他所讲的东西，我仍然是用自己的环境和内容来理解他的教诲。但是，那天坐在沙滩上，我终于一步步穿过了镜子，完全理解了富爸爸的话。

海风一点点变大，我听到身后的马儿开始不安起来，看来是到了马儿回去的时候了，我们也该回去了。一年过后，静静地坐在自己山顶的小屋中，我问自己："我还需要做些什么？我还能做些什么？"

现在当有人问我既然早已经不需要钱了，为什么还要继续工作时，我的回答其实就是富爸爸当年的回答："我继续工作，是因为还有很多事情需要去做。"今天，我和金所做的事情大都是用我们掌握的杠杆作用去做那些需要我们去做的事情。有趣的是，我们越想运用杠杆去做那些需要去做的事情，我们就变得更加幸福和富有。

你无需停下手头的工作，而去做那些需要你去做的工作；你也无需退休，而赶去做那些需要你去做的工作。仔细看看周围，你就可以找到一些需要你去做的工作。你所要做的，仅仅就是用上帝赐予的智慧和才能，去做那些需要你做的事情。如果你这样去做了，就会有丰厚的回报，这些丰厚的回报一直就在那里为我们所有人而准备，并不是为了一部分人准备的。

在斐济那个美丽小岛上的最后一天，我坐在海滩上，什么事情也没有做。除了一种全新的生活方式，一种作为自由人的生活方式，我回国的时候什么也没有带。我紧紧地握着金的手，想让她明白，我是多么爱她、尊敬她，感激她伴我走过了这个旅程。如果没有她，我就不可能完成这个旅程。当我们准备回去吃晚饭时，我似乎听到富爸爸在说："很多小人物终其一生都在攻击巨人，他们批评指责，散布流言蜚语，诬陷栽赃，拼尽全力诋毁，他们对巨人缺点的关注远远胜过了优点。这也是他们永远只能是小人物的原因。大卫或许有些年轻，也没有多少武器，只有一个投石器，而且从体格上远远小于歌利亚，但是大卫不是一个小人物。"我们认为，每个人心中都有一个小人物，一个大卫，一个歌利亚。如果大卫选择了一个小人物的环境，他就可能永远是一个小人物，并且会替自己辩解："歌利亚比我高大得多，仅仅用一个投石器我怎么可能会战胜他呢？"大卫没有这样做，他给自己置身于一个巨人的环境，击败了歌利亚，自己也最终成为一个巨人。我们也可以这样做。

总之，杠杆无处不在，它是一种力量，它就在我们内心和我们周围，也可以由我们自己创造。伴随着每一件新的发明创造，比如汽车、飞机、电话、电视以及互联网的出现，一种新的杠杆形式也被发明创造出来。伴随着每一种新的杠杆形式，新的百万富翁或者亿万富翁诞生了，因为他们使用了这种新杠杆，而不是忽视、滥用或者畏惧它。如何在生活中选择使用杠杆完全取决于你自己。

感谢大家阅读本书，最后再次提醒大家，一定要保持一个开放的环境。未来无限光明，它将会为越来越多的人带来快乐和自由！

后记

说到理财，让我想到最近参加的两个会，一个是政府部门和学术机构组织的个人理财的研讨会，另一个是民间团体组织的个人理财教育培训研讨会。

前者的与会者大都是官员、学者以及各大金融机构的负责人，会上，信用问题、混业经营管理问题、法制监管与市场经济原则问题、投资者素质教育问题……改革发展初级阶段遇到的各种困惑与问题暴露无遗，仿佛理财天生就与困惑和问题相依为伴似的。一句话，在专家学者看来，在中国搞个人理财举步维艰。

第二个会上听到看到的却是来自市场本身巨大的需求和呼唤，面对各个行业、公司的激烈竞争，保险、银行、基金都将个人理财作为经营瓶颈的突破口。十年前大家没钱可谈，无财可理，而现在据不完全统计，城市家庭平均年收入已经超过 20 万元，理财已经成为老百姓每一个家庭都存在的需求，规范发展个人理财服务也成为市场摆在众多机构面前的重大课题。

从这两个会可以看出，在中国社会步入市场经济、奔小康、建小康的初级阶段，并存着两种现象，一种代表学者与官方，更多看到的是方方面面的问题、无奈与困惑，并且很多问题都触及体制，似乎一时间还没有真正行之有效的解决方案，更有意思的是，一些呼唤改革的人曾经就是改革壁垒的制造者与管理者。二是面对理财市场巨大的需求，不管存在多少问题，每一个老百姓和每一个家庭都面临着处理与金钱相关的问题，无论是自己处理或借助机构去处理，这些来自市场需求的声音，不会因为问题的提出而减少，反而因问题的讨论而更加轰轰烈烈、有声有色。

两种声音在一段相当长的时期内还会继续并存下去。而在这种背景下，一套改造理财观念的书——“富爸爸”系列丛书，两年内在中国销售数百万册，在全球销售数千万册，并从畅销书变成了常销书，更加充分说明了市场对个人理财的需求之强烈。这套书长期处在世界各地畅销书榜的前列，分析其原因有两个：一是该书是站在财富时代的背景中，多角度思考人生和财富的关系问题，以及充满理性地对财富观及价值观进行反思；二是该书提出了人们对未来生活的保障和信心问题：是把自己未来的生活保障寄希望于社会身上，自己身上，还是兼而有之。

“富爸爸”系列丛书在中国引起社会各界极大的争议与反思，有两个倾向：一是肯定，二是否定。肯定者看到的是新的理财思考与延伸，不像某些“宝典”、“密笈”给大家提供所谓的一夜暴富的理财操作秘诀，把人们弄得浮躁、轻佻；也不同于学院派那些公式化、机械化的教导。它更多的是激发读者本人对理财潜能的开发，从观念到心灵、再到行为，它倡导解决理财的根本问题取决于你自己，取决于你与金钱打交道时所感悟到的人生体验与哲学，取决于你的财商。否定者认为它虽然是一本有个性的理财书，但过于偏激与片面，是对中产阶级理财观念的一种颠覆与刻毒嘲讽，同时该书对现今教育体制的种种质疑与否定也过于刺耳。其次，在具体投资理财操作层面上没有任何明确的方法与论述，让人看后仍然不知道要怎样去做。

不管怎样，无论肯定或否定，对该书读者而言，该书的确能成为探讨理财的一面镜子，或者成为关注理财的一面镜子。从这面镜子里可以看到我们老百姓自己，也能看到我们理财的环境、体制，看到社会、法制、官员、学者，以及各种各样的经营机构。他们对理财的贡献也好，影响也好，制约也好，我们会看得更清晰一些，这对我们始终都是一件有益的事情。毕竟在当今的中国社会，我们谈论理财，不仅需要学院派的高谈阔论，更需要一种世俗化、大众化、人文化的东西作为背景去思考，这样才能满足最广泛的大众的需要并变得为每一个有需求的普通百姓所接受、所体验。

这套书出版两年多来，作为策划者，我们收到全国各地包括海外华人数万封来信和数不清的电话、电邮。上至年过八旬的老红军，下至五六年级的小学生。他们的感触不一而足，提出的问题也是五花八门：有的人手里攥着几十万，苦恼要怎样才能使它保值增值；有的人希望能够从书中找到宝藏的入口，自己只需要喊一声“芝麻开门”；甚至有人对金钱在择偶中的地位感到困惑，不知是对方的创业精神重要，还是脚踏实地的工作作风更重要。更多的读者来信清楚地告诉我们这套书给他的观念所带来的巨大转变，并对此心存感激。

有一位湖南的唐先生来信这样写道：“我是一个出生于穷山沟的人，曾经为摆脱祖辈那种面朝黄土北朝天的穷苦生活，从小就遵照我那憨厚的‘穷爸爸’及大多数长者的教诲去上学，上大学，得一份安全、稳定、吃皇粮的工作，进而勤奋地工作、晋升。我发奋读书，终于挤进了大学，而后分配到国营企业工作，然而多年来我发现我的财务状况却依然与山沟沟里的‘穷爸爸’没有什么两样。我思考、寻觅着，总认为工资收入高一些，就能得到解决。于是我南下去打工，打工的收入确是比原来高了十几倍，可到头来一看，还是收支平齐，有时因家人健康问题还会出现负值。看过《富爸爸，穷爸爸》后我才明白了硬币的另一面是什么意思，同时，这本书也让我感到，每每自行创业时所作的决断，只准成功不准失败是何等的幼稚。”

北京一位姓徐的女生在来信中说：“我感觉这是一本非常好的理财书，它让我知道应该是金钱为我而工作，而不是我为金钱而工作，成为金钱的奴隶。”河北一位护士秦小姐说：“这本书的出版对于新世纪的年轻一代，尤其是独生子女应该是很好的教材。”重庆一位医

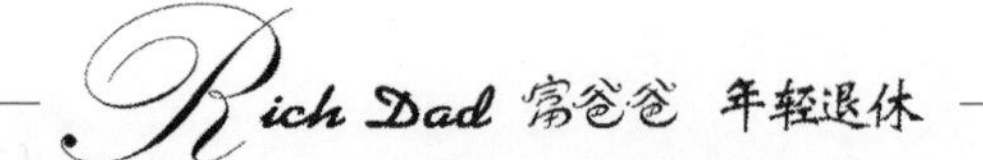

学博士杨先生来信说："读得太晚了，谢谢这本书。本人在知识结构上有致命的盲点，此书不仅可以教人思考致富，也可以增加个人生存的自由度。"福建一位业务员曾先生来信说："醍醐灌顶，豁然开朗，它将成为对我人生影响最大的书籍之一。"广东的一位教师说："它让我感受到我国教育的缺憾，学校所学的知识根本与理财无关，而这些知识却是影响人一生发展的必要知识。"一位河北的张先生说："看了这本书我才知道，应该在家里挖口井，而不是出去挑水。富裕与贫穷不是天生的，学会创造财富，比拥有财富更重要，财富是一种思想、一种观念……"

"富爸爸"系列丛书出版后引起了关于个人理财的社会性大讨论，从中我们可以看到来自官方和民间的共同需求，也让更多的人感受到理财素质教育的迫切性。财商教育由此引起了社会的广泛关注。也正是由于财商教育的引入，使"财商"本身不再被认为仅仅是一个时髦的热门词汇，而有逐渐被纳入国民素质体系之势。财商教育本身究竟能解决什么问题？最终对中国的经济发展有什么样的深刻意义？现在言之尚早。但在中国使理财教育成为一个话题，供大家研讨、交流，能够带来一种现象、一种思考，这本身就是一个进步。两种声音在很长一段时间内还将并存，我们必须要继续探讨理财的诚信问题，金融机构的监管机制问题，法制的完善与实施问题，金融产品的创新和发展问题，资本市场的国际对接问题以及银行、证券、保险、房地产的混业经营问题，甚至经济运行根本机制上的问题等等。但在探讨这些问题的同时，也会有越来越多的人感受到对理财本身的需求和了解财富本质的需求。不仅仅是中国，在世界上也同样存在着大量的这种需求。美国的国民财务素质和个人理财环境已经相对成熟，但面对财富人文关怀上的问题，安全、信仰等全球共同关心的话题，也依然存在着非常普遍的需求。正是基于这种需求，"富爸爸"引发的财商教育才在全世界 40 多个国家得到如此大的关注。

值此"富爸爸"系列丛书再次出版之际，我们希望与电子工业出版社共同作为发起人，以《富爸爸，穷爸爸》带来的理财现象作为起点，带动更多的人来参与讨论。因为无论是北京财商教育培训中心推进财商教育，还是电子工业出版社以更加全面深入的方式再次引进并出版这套丛书，其目的都是希望帮助更多的人在面对金钱和财富的时候能够更加理性，在心态上更加平和自由，使关于理财的智慧、信息和思想变得通俗化、大众化，被更多的老百姓所接受。财商教育实际上是一种全民关于理财的大思考、大讨论的符号或标志，用带点学术的话说，是关于处理金钱的能力的素质教育。我们会在今后图书、培训的平台上，提供更多的实实在在、发生在你身边的理财故事与大家交流分享，来满足大家学习理财的需求，我们也倡议每一位读者珍惜这本书，珍惜这份缘，与财富的缘分，并通过这种缘分将财富的思考传递到你和更多人的手上。无论是好的建议、设想还是自己亲身经历的理财故事，无论这些理财过程的成败，通过与更多人的分享，来共同带动我们的个人理财。真理愈辩愈明，不管来自哪方面的声音，只要大家愿意在一起思考财富，探讨财富，我们一定就能找到通向罗马的条条大道。自己的未来，只有自己才能回答，就像《国际歌》中所唱的那几句："从来就没有什么救世主，也不靠神仙皇帝，要创造人类的幸福，全靠我们自己。"——理财亦是如此。

编　者

“富爸爸”系列丛书简介

《富爸爸，穷爸爸》“富爸爸”系列丛书的第一本。这是一个真实的故事，作者罗伯特·T·清崎的亲生父亲和朋友的父亲对金钱的看法截然不同，这使他对认识金钱产生了兴趣，最终他接受了朋友的父亲的建议，也就是书中所说的“富爸爸”的观念，即不要做金钱的奴隶，要让金钱为我们工作，并由此成为一名极富传奇色彩的成功的投资家。

定价：16.00 元

《富爸爸财务自由之路》“富爸爸”系列丛书之二。本书将所有的人分为四类：1. 雇员；2. 自由职业者；3. 公司所有者；4. 投资人。本书分析了这四类人各自的价值，并为人们指明了通往财务自由的道路。

定价：22.00 元

《富爸爸投资指南》“富爸爸”系列丛书之三。本书结合作者的创业及投资经历，更为详尽地阐述了富爸爸的财务思想和投资理念，同时为所有希望获得财务自由的人们提供了许多颇具参考价值的投资创业建议。

定价：35.00 元

“富爸爸”系列丛书简介

《富爸爸　富孩子，聪明孩子》“富爸爸”系列丛书之四。小孩子对一切都有强烈的好奇心，包括金钱。教育心理学家认为，5－14岁的小孩对自己的人生和未来已经做出了许多重要决定，14岁以后，家长和老师将很难再让他们去接受新的观念。因此，最好的财务教育时机就在孩子们最渴望求知的时候。如果他们小的时候懂得了一些财务知识，那么当他们长大之后就会自然地形成好的财务和投资习惯。

定价：22.00元

《富爸爸　年轻退休》“富爸爸”系列丛书之五。希望年轻的时候就可以退休，并且快乐地享受人生是很多人的梦想。其实这并非遥不可及。本书将告诉你，不必终生为工作所累，你可以在年轻的时候退休并终生拥有财富。

定价：28.00元

《富爸爸大预言》“富爸爸”系列丛书之六。富爸爸早在20多年前就预见了今天的全球经济疲软和即将到来的股市灾难。本书对此进行了分析，并教你如何打造自己的财务方舟，使你不仅能够经受住这些风暴的考验，还可以从中获取更大的利益。

定价：22.00元（估）

“富爸爸”系列财商教育游戏简介

如果一个人没有学过投资、金融、会计、公司法、税务等方面的词汇，那么他作为投资者去运作时就会感到很难适应。

《现金流》教育游戏的一个目的，就是想让门外汉熟悉投资词汇。在我们所设计的游戏中，玩家很快就会熟悉有关会计、商业、投资方面的词汇及其后隐藏的各种关系。通过反复玩这个游戏，玩家们会懂得通常被错误使用的词语，如“资产”和“负债”的真正定义。

《现金流游戏》（成人版）是罗伯特·T·清崎发明的一套寓教于乐的教育游戏，人们可以从充满乐趣的游戏中学习到有关会计、财务、投资等方面的知识，从而启发你的财商，并从中体味到生活的酸甜苦辣。该游戏可供 2～6 人同时参与，适合 12 岁以上人士。

定价：298.00 元

《现金流游戏》（儿童版）专为 6～12 岁儿童设计的教育游戏，儿童可以从快乐的游戏中学习简单的会计知识，了解“收入”、“支出”、“资产”和“负债”的概念及其关系，从小培养孩子的财务智商，帮助他们及早地做好进入现实世界、迎接人生挑战的准备。

定价：268.00 元

欢迎访问“富爸爸”网站：

“富爸爸”英文网站：www.richdad.com

“富爸爸”中文网站：www.fubaba.com

- 有关“富爸爸”系列产品的介绍
- 解答读者及游戏玩家关于图书及游戏的常见问题
- 有关各种与“富爸爸”相关的活动的最新信息
- 读者论坛

欲购“富爸爸”产品，请与我们联系：

英文版

CASHFLOW™ Technologies, Inc.
4330 n. Civic Center Plaza, Suite 101
Scottsdale, Arizona 85251
USA
(800) 308-3585 or (480) 998-6971
Fax: (480) 348-1349
E-mail: info@richdad.com

中文版

北京读书人文化艺术有限公司
北京朝阳区西坝河南路甲 1 号
新天第 B 座 27 层
电话：(010) 64465316/18 传真：(010) 64465320
E-mail: bjreader@163bj .com
邮编：100028

亲爱的读者，感谢您阅读本书。读完这本《富爸爸 年轻退休》（“富爸爸”系列丛书之五），您一定对金钱和理财有了不同以往的感触吧？您是否希望和更多的人一起交流您的理财心得并分享您的成功喜悦？您是否希望能够得到理财专家的指导，倾听您的财务困惑，解答您的理财问题？我们——北京财商教育培训中心就为您搭建了这样一个平台。只要您完整地填写好下面的调查表，就有机会与许许多多和您一样在通往财务自由的道路上探索的朋友们进行交流和沟通。我们也欢迎您把自己亲身经历的理财故事和成功经验告诉我们，我们将选择最精彩的故事与大家一起分享。为了满足大家进一步转变财富观念、学习理财知识和提升理财技能的需求，我们还将于 2003 年推出一系列理财和创业技能的专业培训课程，请您随时留意我们的网站和相关信息。

1. 您认为“富爸爸”系列丛书哪一本最好？

A《富爸爸，穷爸爸》　B《富爸爸财务自由之路》
C《富爸爸投资指南》　D《富爸爸 富孩子，聪明孩子》
E《富爸爸 年轻退休》　F《富爸爸大预言》

2. 您认为“富爸爸”的观点和方法哪些对您有所启发？

____

____

3. 您习惯怎样打理自己的个人财富？

A 存银行　B 做股票　C 投资房产　D 其他________

4. 在您所生活的城市，您认为哪一种投资工具最方便和最有效？为什么？

____

5. 您期望得到（或者说喜欢）什么样的理财策略和技巧培训？

____

北京财商教育培训中心

6. 您在参加培训课程方面有什么限制（比如说时间、费用……等等)吗?

____

7. 您最渴望提升的是哪一方面的理财技能？为什么？

____

8. 您有过创业经历吗？如果有的话，您的创业经验、心得和体会如何呢？

____

9 . 您有过投资经历吗?如果有的话，您的投资经验、心得和体会如何呢？

____

10. 您还有哪方面需要北京财商教育培训中心为您服务或提供帮助吗？

____

您的个人资料

姓名________性别____出生年月________文化程度__________

职业________工作单位________________________________

通讯地址__________________________邮编________________

电话__________________手机____________________________

E－MAIL____

联系我们：

北京财商教育培训中心

电　　话：(010)64465329/31

传　　真：(010)64465332

E－MAIL：club@ fubaba. com

网　　站：www. fubaba. com

通讯地址：北京朝阳区西坝河南路甲 1 号 新天第 B 座 2702

邮　　编：100028